D0231327

IN DE VAL

Eerder verscheen van Gemma Malley bij Pimento:

De anderen

In de val

Gemma Malley

Pimento

www.pimentokinderboeken.nl

Oorspronkelijke titel *The Resistance*

Oorspronkelijk uitgegeven bij Bloomsbury Publishing Plc, Londen

Omslagontwerp Peter de Lange
Opmaak binnenwerk CeevanWee, Amsterdam

ISBN 978 90 499 2359 4
NUR 284

Pimento is een imprint van FMB uitgevers,
onderdeel van Foreign Media Group

Voor Mark, voor altijd

I

Door de naargeestige, schelle plafondverlichting leek dit vertrek wel een verhoorkamer. Elk zwevend stofje was te zien, elke vlek op het goedkope tapijt, elke vingerafdruk op de vensterbank. Peter vermoedde dat dit kamertje voor heel veel dingen was gebruikt, en dat de geesten van degenen die hier vroeger waren geweest, zich aan deze ruimte vastklampten.

'Vertel me hoe het met Peter gaat. Vertel me waar hij de laatste tijd zoal aan denkt.'

Peter keek in de ogen van de vrouw die tegenover hem zat. Achterovergeleund draaide hij de gouden ring om zijn vinger. Die ring was het enige wat hij bij zich had gehad toen hij als baby was gevonden.

Het was een zachte stoel, duidelijk bedoeld om hem op zijn gemak te stellen. Maar het werkte niet, hij voelde zich bijna nooit op zijn gemak. Anna zei dat dat kwam omdat hij het zichzelf zo moeilijk maakte, maar dat betwijfelde hij. Hij dacht eerder dat het in zijn aard lag om zich niet op zijn gemak te voelen. Daar werd je maar lui van. Het was te gemakkelijk.

'Hij heeft zitten denken dat zijn leven niks voorstelt,' zei hij met een aanstellerig lachje. Net zoals zijn mentor sprak hij over zichzelf in de derde persoon. 'Zijn leven is monotoon en saai en heeft voor hem weinig zin.'

Zijn aanpassingsmentor fronste haar wenkbrauwen.

Peter voelde de adrenaline door zijn lijf gieren. Ze trapte erin, ze keek bezorgd. Het kwam niet vaak voor dat ze haar gevoelens toonde. Meestal keek ze ongeïnteresseerd, hoe hij de afgelopen maanden ook zijn best had gedaan. Hij bestudeerde haar gezicht. Ze leek een beetje gebruind, maar onder dit felle licht werd duidelijk dat haar gezicht was bedekt met een laagje poeder. In de rimpeltjes rond haar ogen en mond zaten bruinige korreltjes. Ze ging gekleed in een turquoise jasje en rok. Ze had rimpels in haar hals. Maar Peters blik werd vooral getrokken door haar haren, die bruin waren met plukjes blond. Tenminste, haar haren zagen er bruin en blond uit, maar eigenlijk waren ze wit en kleurde ze ze regelmatig bij. Elk teken van een vergevorderde leeftijd moest worden gewist. Zielig vond hij dat. Voor degenen die Lang Leven slikten, telde alleen het uiterlijk, niet hoe iemand vanbinnen was.

'Je vindt dat het leven weinig zin heeft? Wat bedoel je daarmee, Peter?'

Gespeeld verveeld sloeg Peter zijn blik hemelwaarts. 'Ik bedoel dat ik vroeger een doel voor ogen had. Toen wist ik waarom ik iets deed. En nu...' Zijn stem stierf weg, hij maakte de zin niet af.

'En nu?' moedigde de mentor hem aan.

'Nu doe ik zinloos werk in een laboratorium, ik woon in een huis waar ik de pest aan heb, en ik verdien nauwelijks genoeg om het daar warm te stoken, laat staan dat ik boeken kan aanschaffen voor Anna, of eten voor Ben. Ik heb haar uit Grange Hall gehaald met de bedoeling dat ze vrij zou zijn, dat ze van het leven zou kunnen genieten. En nu... Nu lijkt het allemaal voor niets te zijn geweest. Ik dacht dat ik iets met mijn leven zou kunnen dóén, dat ik iets zou kunnen bereiken. Maar... maar het lijkt alsof het allemaal voor niets is geweest.'

De mentor knikte bedachtzaam. 'Vind je dat je Anna in de steek laat?' vroeg ze.

Peter slaakte een zucht. Zelfs tijdens dit gekunstelde gesprek wilde hij er liever niet aan denken dat hij Anna in de steek had gelaten. Ook al wist hij dat het niet waar was. Zoiets zou hij nooit doen.

'Misschien,' zei hij schouderophalend.

'Zelf voelt ze dat vast niet zo. Anna is een verstandige meid. Ze weet hoe de wereld in elkaar steekt, Peter.'

Peter trok zijn wenkbrauwen op. Anna had maar een paar weken gesprekken gevoerd met de aanpassingsmentor en had daarna niet meer aan het programma hoeven meedoen. Zo goed kon ze het vertrouwen winnen van gezagsdragers dat ze de mentor er binnen de kortste keren van had weten te overtuigen dat ze geen bedreiging vormde, dat ze een degelijke, brave burger zou zijn. Peter bewonderde dat in haar, en hij was er ook jaloers op. Zij was er zo goed in omdat ze op Grange Hall had geleerd haar mond te houden. Hij daarentegen kon het niet laten af en toe een zure opmerking te plaatsen, misplaatste grapjes te maken. En nu moest hij nog elke week naar de mentor om te bewijzen dat hij heel goed nuttig voor de maatschappij zou kunnen zijn.

Hij sloeg zijn armen over elkaar en trok een verslagen gezicht, alsof hij het ook niet meer wist. Allemaal om aan te tonen dat de Autoriteiten zijn geest succesvol hadden geknakt.

'Ik wil gewoon voor haar kunnen zorgen,' zei hij. Hij onderdrukte een lachje toen de mentor een begripvol gezicht trok.

'Maak je je zorgen om geld?'

'Om geld, om verveling...' Hij leunde naar voren en liet zijn kin op zijn hand rusten.

'En?' Ze keek hem strak aan. 'Peter, je weet toch dat deze gesprekken strikt vertrouwelijk zijn? Wat tussen deze vier muren wordt gezegd, blijft tussen ons. Echt.'

Even keek Peter haar aan. Hij was ervan onder de indruk dat ze met warme stem zo goed kon liegen. Misschien had hij haar onderschat. 'Ik overweeg in te gaan op het aanbod van mijn grootvader,' zei hij zacht.

Heel even keek ze verrast, maar hij had het gezien.

'O.' Het duurde even voordat ze verder ging met: 'Ik dacht dat je nooit meer iets met hem te maken wilde hebben. Dat je personen die betrokken zijn bij de productie van Lang Leven niet meer als familie wilde beschouwen.'

Haar ogen fonkelden. Ze was met hem aan het spelen. Maar ze had gelijk, dat had hij ooit gezegd. Heel vaak, en gemeend.

'Weet ik.' Hij sloeg zijn ogen neer en voelde aan het gegraveerde bloemetje op de ring, het bloemetje waarvan hij dacht dat het hem naar Anna had getrokken, dat het zijn lot had bepaald. Het moest niet lijken alsof hij lichtvaardig tot die beslissing was gekomen. Hij moest haar laten denken dat hij in tweestrijd verkeerde.

'Ik overweeg het alleen maar. Ik...' Langzaam keek hij op naar haar. 'Ik wil méér. Er moet méér zijn. Toch? Ik bedoel, Anna leest boeken, ze schrijft, ze zorgt voor Ben. En ik heb helemaal niets. Misschien als ik voor mijn grootvader ga werken, als ik geld verdien, dat ik dan misschien...'

'Dat het leven dan zinvoller voor je zou zijn?'

'Ja.'

Peter stond op en liep naar het raam. Er zat een grauwe jaloezie voor die hem deed denken aan Grange Hall. Hij duwde die opzij en keek neer op de straat, die ook al zo grauw was. Hij kon Pincent Pharma niet zien, maar hij wist dat het gebouw elders de skyline domineerde. 'Trouwens,' zei hij zonder zich om te draaien, 'hij staat bij me in het krijt, vind ik.'

'Staat hij bij je in het krijt?'

Peter knikte en liep toen terug naar zijn stoel. 'Hij maakt toch dat Lang Leven-medicijn?' zei hij met tot spleetjes geknepen ogen. 'Nou, door dat Lang Leven-medicijn ben ik Overtollige geworden. En daarom moest ik het grootste deel van mijn leven verstopt zitten en werd ik voortdurend van hot naar her gesleept. Het is de schuld van mijn grootvader dat ik een rottige jeugd heb gehad. Dus staat hij bij me in het krijt.'

'Volgens mij ben je nog steeds woedend, Peter.' De stem van de mentor klonk zacht en beheerst. Ze deed haar best hem gerust te stellen, maar het had het omgekeerde effect. Hij vroeg zich af of ze thuis ook zo praatte, wanneer ze geen dienst had, en hij vroeg zich ook af hoe ze zou klinken als ze boos en geergerd was.

'Ik was kwaad,' zei hij, en hij maakte een geluidje alsof zijn stem brak. Een briljante toets. Later zou hij dat aan Anna vertellen. 'Echt heel kwaad. Maar nu... Nu niet meer. Nu...'

'Nu vraag je je af wat je met de rest van je leven moet doen.'

Peter haalde zijn schouders op. 'Ja...' zei hij. 'Er zijn heus wel mogelijkheden. Ik solliciteer, en dan word ik aangekeken of ik iets uit een rariteitenkabinet ben. En voor hen ben ik dat ook, iemand die wel honderd jaar jonger is dan zij. Bij Pincent Pharma zou ik goed kunnen verdienen. Mijn grootvader zei dat de deur altijd voor me openstaat. Dus wilde ik eens kijken of hij dat echt zo heeft bedoeld.'

'Vast wel,' reageerde de mentor. Ze keek opgelucht, alsof ze meende dat dit een doorbraak was. Hij had haar ooit aan de telefoon gehoord, toen het bijna tijd was voor de afspraak en ze niet doorhad dat hij vlak voor de deur stond. Ze had toen gezegd dat er nog geen doorbraak was en dat ze het op een andere manier ging proberen. Daar was hij trots op geweest, hij had het beschouwd als iets geweldigs dat hij zo'n ondoordringbaar pantser had opgetrokken, dat hij zo moeilijk was. 'Ik vind het eigenlijk wel een goed idee,' ging ze verder terwijl ze een aantekening maakte. 'Wanneer wilde je het hem gaan vertellen?'

Er verscheen een lachje om Peters mond, maar vrijwel meteen trok hij weer een ernstig gezicht. 'Dat heb ik al gedaan,' antwoordde hij zacht. 'Ik heb hem een brief geschreven. Gisteren kwam er antwoord. Ik kan maandag beginnen.'

Met een ruk keek de mentor op, toen glimlachte ze onbewogen. 'Aha,' zei ze peinzend. 'Nou, dan moeten we maar afwachten hoe het gaat, hè?'

Een halfuur later vertrok Peter uit het gebouw van de Autoriteiten aan Cheapside en sloeg links af, in de richting van Holborn. Het was bepaald niet druk op straat, en dat vond hij prettig. In het keurige voetgangersgebied slenterden nog een aantal winkelende mensen, en er waren ook een paar personen die de hond uitlieten of aan het powerwalken waren. Met gebogen hoofd en zijn handen diep in de zakken liep hij verder, een houding uit de tijd dat hij nog Overtollige was, toen hij zich nog moest verschuilen, toen hij nooit wist of iemand de Vangers zou bellen en niet wist wat de volgende dag zou brengen. De weinige mensen die hij passeerde, knepen achterdochtig hun ogen tot spleetjes en bloosden van afgunst en wantrouwen.

Onder het lopen zag hij de gebruikelijke reclame op de gebouwen en de aanplakborden. Er werd geadverteerd voor wondercrèmes, fitnesscursussen en opleidingen, en iedereen werd op het hart gedrukt zuinig om te gaan met energie. Er werd ook gewaarschuwd voor een groeiende bevolking, en men werd aangemoedigd goed de ogen open te houden voor illegale immigranten, Overtolligen en anderen die een belasting konden zijn voor de schaarse middelen. Alsof de Legalen niet het grootste gedeelte opsoupeerden.

Vroeger ging hij over zulke posters de discussie aan met wie er maar wilde luisteren, het gaf niet wie, maar nu had hij geleerd zijn mond te houden. Niet omdat hij de strijd had opgegeven, maar omdat Pip had gezegd dat hij niet veel zou bereiken met in het wilde weg discussies uitlokken, en dat de aandacht trekken meer kwaad dan goed zou doen. Dat snapte Peter wel zo'n beetje, maar het stoorde hem dat hij alles op zijn beloop moest laten en zich niet mocht verzetten.

Toch, hield hij zichzelf voor, zouden ze het ooit begrijpen. Wanneer de Ondergrondse aan het langste eind had getrokken, zouden ze het ook inzien. Getroost door die gedachte sprong hij op de tram richting Oxford Street. Bij Tottenham

Court Road sprong hij er weer af en liep snel naar Cambridge Circus en vervolgens rechtsaf Old Compton Street in. Vandaar liep hij verder in westelijke richting, diep Soho in, waar duistere winkeltjes stiekem hun verboden waren verkochten: babykleertjes, verboden medicamenten en voedsel, energiebonnen van de zwarte markt.

Hij keek op zijn horloge. Hij was tien minuten te vroeg, maar dat was beter dan te laat komen. Omzichtig keek hij om zich heen en stapte toen een verlaten winkel in. Hij liep langs de bouwvakkers die bezig waren met de verbouwing, toen de trap af en vervolgens door de achterdeur naar buiten. Daar volgde hij een smal, rommelig paadje naar een verweerde houten deur en klopte er zachtjes vier keer op.

Even later hoorde hij achter de deur geschuifel, en toen ging die op een kiertje open. Een man met een baard en een warrige bos haar keek naar buiten. Hij zag eruit als een zwerver, en hij nam Peter achterdochtig op.

'Koud voor de tijd van het jaar, hè?' zei hij bars.

'Lichaamsbeweging maakt warm,' reageerde Peter.

De man aarzelde een poosje, deed toen de deur open en trok Peter naar binnen. Zoals altijd wanneer Peter iets stiekems deed, iets heel belangrijks, voelde hij zich erg opgewonden. De man bij de deur herkende hij niet; het kwam zelden voor dat hij dezelfde wachter twee keer te zien kreeg. Wanneer hij een bezoekje bracht aan het hoofdkwartier van de Ondergrondse, dacht hij vaak dat hij maar erg weinig wist over de andere leden, of over hoe de organisatie werd geleid. Hij kreeg aanwijzingen en die volgde hij op. Zijn vragen werden beantwoord met zuinige lachjes en ontwijkende propaganda, of gewoon met een lege blik. Pip had gezegd dat dat veiliger voor hem was. Veiliger voor iedereen.

'Ik kom voor Pip,' zei Peter. Hij rechtte zijn rug, alsof hij meer indruk wilde maken op de omgeving, die vertrouwd was en toch zo vreemd. Om het halfjaar verhuisde het hoofdkwartier van de Ondergrondse zonder een spoor na te laten van wat daar werd gedaan. Peter was al twee keer in dit gebouw geweest, en toch was het steeds anders, alsof de muren en deuren waren verplaatst. Wat altijd hetzelfde bleef, was de geur. De Ondergrondse koos altijd viezige, rommelige, vervallen plekken uit, waar ze gemakkelijk uit konden vertrekken.

Links van de ingang was een trap naar beneden. Een vrouw die haar linkerarm tegen zich aan drukte, kwam naar boven. Toen ze langs Peter liep, keken ze elkaar aan alsof ze elkaar hadden herkend. Peter wist niet wie ze was, maar wel waarvoor ze hier was geweest. Hij wist dat ze op haar bovenarm een pijnlijke wond had omdat daar het anticonceptie-implantaat was verwijderd door een van de artsen die voor de Ondergrondse werkten. Hij wist ook dat ze aan een bijzonder gevaarlijke activiteit ging beginnen, namelijk zwanger worden en een nieuw leven op de wereld zetten.

De vrouw glipte naar buiten. Peter keek de wachter bij de deur aan. Die gebaarde zwijgend naar de gang, waar aan het einde een flauw verlicht kamertje lag.

De lange, sportieve Pip zat op hem te wachten, gebogen over een laag tafeltje, diep in gepeins verzonken. Pip had de Ondergrondse opgericht en was voor Peter een soort vaderfiguur, meer nog dan Anna's vader was geweest. Pip was er altijd geweest, Pip had hem geholpen en hem veel geleerd. Later was Peter erachter gekomen dat hij niet de enige was, dat Pip alle leden van de Ondergrondse had geholpen, dat hij hun lichtend voorbeeld was. Iedereen was in de ban van zijn hypnotiserende blik, van zijn onuitgesproken macht. Pip was niet de officiële leider van de Ondergrondse. Er was geen leider omdat Pip niet wilde dat een structuur en rangorde zoals die van de gehate Autoriteiten zijn groep zouden bezoedelen. Maar eigenlijk was hij wel degelijk de leider. Iedereen vond zijn mening belangrijk, en er werd geen beslissing genomen zonder hem eerst te raadplegen. Jaren geleden was hij in zijn eentje de strijd aangegaan met de Autoriteiten. Dat had meneer Covey, Anna's vader, Peter verteld. Pip had vlugschriften geschreven, hij had de ouders van Overtolligen de helpende hand toegestoken, en langzamerhand had hij zoveel aanhangers weten te verkrijgen dat de Ondergrondse in het hele land was vertegenwoordigd. Nu waren er ook netwerken in het buitenland, en die waren zo machtig dat de Autoriteiten een afdeling hadden moeten opzetten om die te bestrijden. En dat had Pip allemaal voor elkaar gekregen.

Pip had het er echter nooit over. En hij zag er ook niet uit als een machtig leider. Veel aandacht leek hij niet aan zijn uiterlijk te besteden. Hij verfde zijn haar regelmatig om maar niet op te vallen, om te voorkomen dat hij zou worden opgepakt, maar vaak kamde hij het niet. En hij maakte altijd afspraken in verlopen, bouwvallige gebouwen, gebouwen zoals dit, met kale muren waar de verf van afbladderde, met gore vensters waardoor niemand naar binnen kon kijken, en met een enkel peertje dat net genoeg licht gaf. En met een tafel die wankelde wanneer hij ertegen leunde.

De Autoriteiten hadden er veel voor over om Pip te pakken te krijgen. Er was een hoge beloning uitgeloofd. Overal hing Pips portret, steeds weer werd het op tv getoond. Maar hij was niet gepakt. Er werd gezegd dat hij te slim was om zich te laten pakken, dat hij te goed werd beschermd. Peter vermoedde dat er meer aan de hand was, dat Pip iemand was die je nu eenmaal graag wilde helpen. Je wilde niets liever dan dat hij je graag mocht, dat hij je respecteerde. Eenvoudig gezegd: hij had iets waardoor je alles wel voor hem wilde doen, en daarom was er nooit interne strijd ontstaan binnen de Ondergrondse, en daarom groeide de aanhang voortdurend. Het verhaal deed de ronde dat een Vanger Pip ooit had ontdekt in een verlaten pakhuis, en dat de Vanger zich na een paar uur met Pip bij de Ondergrondse had gevoegd en nu een van Pips trouwste volgelingen was. Dat verbaasde Peter absoluut niet.

'Fijn je weer eens te zien, Peter,' zei Pip zacht, zonder op te kijken.

Peter glimlachte en ontspande meteen. 'Ja, ik ben ook blij jou weer te zien.'

Pip gebaarde dat Peter kon plaatsnemen. Vervolgens bood hij hem een beker water aan, waarna hij hem met een ernstige blik aankeek. 'Het wordt steeds riskanter,' zei hij zacht. 'We hebben een paar transporten Lang Leven overvallen, en nu hebben de Autoriteiten het toezicht verscherpt. We moeten heel goed oppassen.'

'Ik pas altijd goed op,' reageerde Peter verdedigend.

'Dat weet ik. Ik bedoelde meer dat we allemaal voorzichtig moeten zijn. De hele beweging. Overal kunnen spionnen zitten.' Even keek hij op, en zoals altijd was Peter onder de indruk van zijn ogen, die blauwe ogen die vertrouwen wekten, die ervoor zorgden dat je tot alles bereid was om hem maar trots op je te laten zijn.

'Op mij kun je vertrouwen,' zei Peter zacht.

'En je begint maandag?'

'Ja.' Peter knikte bevestigend.

'Wat vindt je mentor ervan?' Pip had zich zorgen om haar gemaakt. Hij beschouwde haar als een verlengstuk van de Autoriteiten, iemand die Peter bespioneerde en informatie uit hem wilde trekken. Hij maakte zich zorgen om wat Peter allemaal tegen haar zei. Tot nu toe. Nu was ze iemand geworden die ze konden gebruiken.

'Ik heb gezegd dat ik me verveelde, dat ik het leven niet erg zinvol vond, en dat ik meer geld wilde,' zei Peter. Er klonk iets van trots door in zijn stem.

'En ze vermoedt niets?'

Peter grijnsde breed. 'Natuurlijk niet. Trouwens, ik verveel me inderdaad.' Met opgetrokken wenkbrauwen keek hij Pip aan, maar die glimlachte niet. In plaats daarvan keek hij Peter op zijn hoede aan.

'Peter, weet je heel zeker dat je dit wilt doen? Echt heel zeker?'

Peter keek geërgerd. 'Ja, heel erg zeker.'

'Je vindt het leven weinig zinvol?'

Peter zuchtte eens diep. Hij was er allang achter dat Pip elk woord en gebaar analyseerde, dat hij je gevoelens probeerde te peilen. Op die manier behield hij macht over mensen, maar soms stoorde het Peter. 'Nou ja, de Autoriteiten hebben ons een walgelijke schoenendoos in een buitenwijk toegewezen. Ze houden ons voortdurend in de gaten, en ik heb Anna nog niet mee de stad uit kunnen nemen omdat ik geen reisverlof heb. Overal zijn oude mensen, en die kijken naar ons alsof we geen bestaansrecht hebben. Maar daardoor laat ik me niet van de wijs brengen. Echt niet.'

Bedachtzaam liet Pip zijn blik op Peter rusten, toen stond hij op en ging achter zijn stoel staan. 'Zorg dat je je niet laat leiden door gevoelens. Er is veel om kwaad over te zijn, maar woede verandert niets aan de zaak.'

'Dat weet ik. Je kunt dingen alleen veranderen door iets te dóén.'

'Door daden, Peter, en door wilskracht.'

Peter knikte ernstig. 'Weet ik. Pip, ik sta sterk in mijn schoenen. Dat heb ik nu toch al wel bewezen?'

'Natuurlijk heb je dat,' reageerde Pip ineens warm. 'Peter, je hebt jezelf al honderden keren bewezen. Maar deze keer sta je er alleen voor, in je eentje tegenover het machtige Pincent Pharma. Ik moet zeker weten dat je daar goed op bent voorbereid. Dit is niet zomaar een baantje, Peter, het is een zware strijd. Een strijd tussen natuur en wetenschap, tussen goed en kwaad. De meesten laten zich verleiden door Lang Leven, en je grootvader zal alles op alles zetten om jou over de streep te trekken. Dat moet je goed beseffen.'

'Dat besef ik heel goed,' reageerde Peter met fonkelende ogen. 'Ik heb een hekel aan Richard Pincent. Ik heb een hekel aan alles wat met hem te maken heeft. Alles wat er in mijn leven verkeerd is gegaan, is te wijten aan Lang Leven. En dat gaat ook op voor Anna's leven. Ik wil een einde maken aan Lang Leven.'

'Dat weet ik.' Pip ging weer zitten en er verscheen een milde uitdrukking in zijn ogen. 'Hoe is het met Anna? Is ze het ermee eens, met wat jij van plan bent?'

Bij het horen van Anna's naam werd Peter helemaal warm vanbinnen. 'Met haar gaat het goed. En ze is net zo fel tegen Lang Leven als ik. Dat weet je zelf ook wel.'

'Natuurlijk weet ik dat.' Pip glimlachte. 'Nou, maandagmorgen meld je je dus bij Pincent Pharma, zoals je grootvader je heeft verzocht.'

'Zoals Richard Pincent me heeft opgedragen,' viel Peter hem zacht in de rede.

'Zoals Richard Pincent je heeft opgedragen,' verbeterde Pip zich.

'En wat moet ik dan doen?' vroeg Peter opgewonden. 'De boel in de lucht laten vliegen? Alles kort en klein slaan?'

Met fonkelende ogen trok Pip zijn wenkbrauwen op. 'Je houdt je koest en je kijkt goed naar alles. En Peter, zorg dat je er iets van opsteekt.'

'Is dat alles?' Peter keek teleurgesteld.

'Dat is best veel,' zei Pip. Toen boog hij zich naar Peter toe. 'Luister eens, we hebben overal mannetjes. In alle ministeries, in de distributiecentra van Lang Leven, in gevangenissen. Maar we hebben nog nooit iemand echt binnen Pincent Pharma gehad. Niemand die toegang kreeg tot de informatie die we willen hebben. Jij moet onze oren en ogen zijn, Peter. Door jou kunnen we doordringen tot God zelf.'

'God bestaat niet,' zei Peter zacht. 'Dat weet iedereen.'

'Klopt, God bestaat niet,' reageerde Pip instemmend. 'Maar je grootvader doet zijn uiterste best om de angstaanjagendste godheid te worden die de wereld ooit heeft gekend.

Een godheid die leeft van macht en hebzucht. Een godheid die koste wat het kost een halt moet worden toegeroepen.'

'Nou, ik ga daar dus gewoon een beetje rondneuzen?' vroeg Peter. 'Oké. Maar waar moet ik in het bijzonder op letten? Moet ik achter de receptuur van de medicijnen zien te komen?'

'Opdat we er nog meer van kunnen maken?' Pip glimlachte, en Peter bloosde diep. Ernstig ging Pip verder met: 'Het spijt me, Peter, ik had niet moeten lachen. Het is een goede vraag. En nee, we willen geen receptuur. We willen...' Zijn stem stierf weg, alsof hij de zin liever niet wilde afmaken.

'Wat dan?' drong Peter aan.

'We willen meer weten over de nieuwe medicamenten die Pincent Pharma ontwikkelt,' zei Pip nadenkend. 'We weten niet precies wat het is. We hebben zo onze vermoedens, maar...'

'Maar wat?'

Pip slaakte een zucht. 'Peter, er zijn aanwijzingen dat er bij Pincent Pharma dingen gebeuren die niet in de haak zijn, slechte dingen die verborgen blijven achter een gladde, professionele façade. Wat het ook is, ze verbergen het goed.'

'Wat voor slechte dingen?' vroeg Peter.

'Daar moet jij achter zien te komen,' zei Pip, nu weer met een lach. Plotseling stond hij op en rechtte zijn rug. 'Ik laat nog van me horen, Peter.'

Peter knikte, stond ook op en wilde weggaan, maar ineens draaide hij zich om. 'Het gaat ons lukken, hè?' zei hij zacht. 'We gaan toch winnen?'

Pip legde zijn hand op Peters schouder. 'Uiteindelijk gaan we winnen, maar de strijd is nog lang niet gestreden.'

Een poosje keek Peter hem aan, toen haalde hij diep adem. 'Op mij kun je rekenen, Pip. Ik ga uitzoeken wat daar allemaal gebeurt.'

'Mooi zo,' reageerde Pip heel zakelijk. Hij pakte een dossier en overhandigde Peter dat. ‘Hier, lees dat maar eens. Leer de feiten uit je hoofd en vernietig daarna het dossier. O, en Peter...’

‘Ja?’

‘Succes. Pas goed op jezelf, en pas ook goed op Anna en Ben.’

‘Uiteraard.’

Peter liep het kamertje uit, door de gang, langs de norse wachter, door het gangetje naar de winkel en de straat op. Hij liep terug over Compton Street naar Piccadilly. Daar nam hij de tram naar Tottenham Court Road in het noorden en vervolgens een andere in zuidelijke richting. Uiteindelijk kwam hij bij Waterloo Station, waar hij de trein naar huis nam. Hij moest ze op het verkeerde been zetten, vond hij. Als de Autoriteiten hem in de gaten hielden, en daar twijfelde hij niet aan, mocht hij het hen in elk geval niet te makkelijk maken.

Bij Surbiton stapte hij uit en keek vol walging om zich heen. Een paar maanden geleden woonden Anna en hij nog in Bloomsbury, in het huis dat Anna’s ouders met veel plezier hadden bewoond. Het was een fijn huis geweest, ruim, rommelig, zonnig en warm, heel anders dan Grange Hall. Maar niet lang nadat Anna en hij Legaal waren geworden, waren er brieven gekomen, gevolgd door officieel bezoek. Ze hadden te horen gekregen dat het huis te groot voor hen was, dat ze beter konden verhuizen naar iets efficiënters. Eerst hadden ze zich verzet. Per slot van rekening was het huis hun eigendom, ze hadden het geërfd van Anna’s ouders. Maar er kwam steeds meer bezoek, de brieven bevatten dreigende taal. Op een gegeven moment had Pip zijn schouders opgehaald en gezegd dat er niets aan te doen was. Ze moesten verhuizen als ze de Autoriteiten niet tegen zich in het harnas wilden jagen. Hij had ook gezegd dat het weinig zin had zich te blijven verzetten. En dus waren ze verhuisd naar een soort schoenendoos in een buitenwijk, waar twee winkelcentra de plaats hadden ingenomen van de winkeltjes in de dorpsstraat, en waar de andere inwoners hen als indringers beschouwden.

Natuurlijk hadden de Autoriteiten niet aan de grote klok gehangen dat Anna en Peter waren ontsnapt naar de vrijheid. Niemand mocht weten dat ze de Vangers te slim af waren geweest, en dat ze levend uit een Overtolligenhuis waren gekomen. De Autoriteiten hadden ook weinig gezegd over de dood van Anna's ouders, of over de moord op Peters vader. Ze hadden hun best gedaan alles onder het tapijt te vegen, om alles te laten verdwijnen in diepe archiefkasten. Maar dergelijke dingen verdwenen niet gauw uit het geheugen. Er hadden foto's van Peter en Anna in de kranten gestaan, er waren artikelen verschenen waarin vraagtekens werden gezet bij de effectiviteit van de Vangers, er was gevraagd of het beleid van een Leven voor een Leven niet aan verandering toe was. Niemand zag graag dat de schaarse natuurlijke rijkdommen nog verder onder druk kwamen te staan, en velen beschouwden Peter en Anna als een last. Dus meden de buren hen, benaderde het winkelpersoneel hen met achterdocht aan, en keken voorbijgangers nieuwsgierig naar hen, als ze al niet deden alsof ze lucht waren. Niet dat dat Peter iets kon schelen. Hij wist dat hij net zoveel recht had om hier te zijn als ieder ander. Misschien nog wel meer.

Met zijn handen in zijn zakken liep hij door het Voorzieningenpark, waar elk uur van de dag wel een cursus fitness aan de gang leek te zijn. Er waren mensen aan het hardlopen, er waren mensen aan het joggen, er waren mensen die rekoefeningen deden en mensen die hun tenen aanraakten. Een grote show van kracht, energie en leven. Of van de angst om te sterven, dacht Peter zuur.

Deze mensen waren niet alleen bang voor de dood, maar ook voor verouderen, voor verval. Armen en benen konden worden vervangen, belangrijke organen konden opnieuw groeien. Maar de rimpeltjes om de mond, dat uitgeputte gevoel in de ochtend dat maar niet wegging, de gedachte dat je alles al had meegemaakt, daar verzetten ze zich tegen. Peter had er alles over gelezen in *The New Times* en in de lifestylebijlage van *Staying Young* wanneer hij moest wachten totdat zijn afspraak met de aanpassingsmentor zou beginnen. De wetenschappers hadden gedaan wat ze konden, schreven de verslaggevers. Nu moest iedereen het meeste halen uit Lang Leven, iedereen moest van het leven genieten, iedereen moest zijn best doen jeugdige energie en enthousiasme te behouden.

Of ze konden zich terugtrekken en plaats maken voor jongeren, dacht Peter. Ze zouden eens goed naar zichzelf moeten kijken, naar hun eindeloze, saaie leventje, en zich moeten afvragen of de dood echt geen verlossing kon zijn. Ze dachten dan misschien dat ze hadden geleerd het onvermijdelijke uit te stellen, maar als ze heel eerlijk waren, moesten ze toch inzien dat onder het laagje Lang Leven het verval al had ingezet. Het was net zoiets als een appel die er sappig uitziet, maar die toch wormstekig is. Je kon niet voor eeuwig ontkennen dat de houdbaarheidsdatum was verstreken.

Hij liep de straat in waar hij woonde, met de lelijke en monotone rij identieke huizen. En toch, toen hij nummer 16 naderde, kreeg hij het gevoel alsof er iets van hem af viel, alsof de zon even doorbrak door de grauwe wolken die boven hem hingen. Dit was thuis. Niet de stenen en de mortel waaruit dit monsterlijke huis was opgetrokken, dit zielloze gebouw met de benauwend kleine kamers en de lage plafonds. Het ging om wie erin woonde, om hen draaide zijn leven. Hij zag Anna al door het venster. Ze zat met opgetrokken knieën te lezen op de bank.

Nog voordat hij de sleutel in het slot kon steken, hoorde hij haar al opspringen en naar de deur rennen. Die trok ze open.

Met een lach riep ze uit: 'Je bent weer thuis!' Bijna meteen werd de lach vervangen door een frons. 'Je bent laat. Je bent een uur later dan je had gezegd.'

'Sorry...' Zijn ogen fonkelden, maar uit gewoonte sprak hij zachtjes. De Ondergrondse had het huis dan wel doorzocht, maar Pip had ook gewaarschuwd dat je nooit honderd procent zeker kon zijn dat er niet ergens afluisterapparatuur was verborgen. 'Slaapt Ben al?'

Hij drukte een kus op haar neus, en toen ze haar neus optrok, verschenen er allemaal kleine rimpeltjes in.

'Totaal onder zeil,' antwoordde ze. 'En? Hoe was het?'

Peter liep de woonkamer in en liet zich neerploffen op de bank, waarop Anna daarnet had gezeten. De kussens waren nog warm. Voordat hij Anna had leren kennen, had hij gedacht dat hij wist wat liefde betekende, dat hij alles van vriendschap en romantiek wist. Maar dat was niet zo. Pas toen hij Anna in zijn armen had gehouden, pas toen hij in haar ziel had gekeken, pas toen hij haar zachtjes had horen huilen toen ze voor het eerst hadden gevrijd, pas toen besefte hij dat hij helemaal van niets wist. En nu, wanneer ze alleen waren, wanneer hij de geur van haar haar opsnoof of haar blik ving, dan kreeg hij soms het gevoel dat hij alles wist wat er maar te weten viel. Dan was het alsof ze achter het geheim van het leven waren gekomen. En dat geheim was veel krachtiger dan Lang Leven, en het was ook veel beter bestand tegen de tand des tijds.

'Hoe was wat?' vroeg hij om haar te plagen.

Ze deed alsof ze hem wilde stompen. 'Hoe ging het?' vroeg ze zacht. Ze pakte zijn hand en keek hem vragend aan.

'Het ging prima,' fluisterde hij. Toen knipoogde hij en stond op van de bank om naar de keuken te gaan, waar hij de waterkoker aanzette. Meteen klonk er een mechanische stem: 'Hoeveel kokend water hebt u nodig? Denk eraan: hoe minder water, des te minder verspilling.'

'Prima?' fluisterde Anna achter hem. 'Is dat alles wat je erover te zeggen hebt? Soms ben je echt heel vervelend.'

'Wie? Bedoel je de waterkoker of mij?'

'Jullie zijn allebei heel vervelend,' reageerde ze hardop. Ze trok haar wenkbrauwen op.

Meteen trok Peter haar tegen zich aan en zoende haar. 'Het ging prima,' fluisterde hij in haar oor. 'Ze trapte er helemaal in. Daarna heb ik Pip gesproken. Alles is geregeld.'

Anna lachte, opgewonden en toch ook angstig. Ze maakte zich los uit zijn omhelzing en pakte twee mokken. In elk daarvan hing ze een theezakje. 'Nou, je verheugt je er vast wel op om maandag naar Pincent Pharma te gaan,' zei ze hardop. Hoewel ze nog lachte, zag Peter de spanning in haar ogen, de bezorgdheid.

'Nou en of!' zei hij. Vervolgens sloeg hij zijn armen weer om haar heen, heel speels deze keer. 'En dinsdag word ik ontslagen en krijg ik een baan als aerobicsinstructeur,' fluisterde hij.

'Nee! Dat mag niet gebeuren! Je moet het vernietigen, Peter, dat móét gewoon!' fluisterde Anna terwijl ze zich losmaakte en met grote ogen naar hem opkeek. Kennelijk wist ze niet goed of hij nou een grapje maakte of niet. Dat begreep Peter best, want zelf was hij daar ook niet zeker van.

2

Pincent Pharma was gevestigd op een prima locatie in Zuidwest-Londen, aan de rivier. Eerst had daar een energiecentrale gestaan, vervolgens een galerie, en toen had Pincent Pharma de stadsvernieuwers en de Autoriteiten weten te overtuigen dat er in Londen dringend behoefte was aan een plek voor de productie van Lang Leven. Al na een paar maanden werd begonnen met de bouw, en algauw was het sombere gebouw veranderd in een enorme witte kerk voor Lang Leven. Binnen werd door de knapste koppen onderzoek verricht. Hier werden de witte pilletjes geproduceerd, verbeterd en aangeprezen, zodat de mens eindelijk zijn droom kon waarmaken: eeuwig leven.

Peter wist weinig van architectuur, maar hij was wel onder de indruk van dit gebouw. Het straalde arrogante macht uit, en ook iets stiekems. Hij huiverde terwijl hij eromheen liep, en niet van de koude wind die in zijn gezicht blies. Hier werd Lang Leven gemaakt, dit was de plek waaraan hij een hekel had. En vandaag ging hij daar naar binnen.

Aan de buitenkant was er weinig te zien. Boven de deuren van het witte gebouw stond in grote letters PINCENT PHARMA. Het laboratorium had kleine raampjes met spiegelglas, zodat niemand naar binnen kon gluren om te ontdekken wat daar werd gedaan. Je zou alleen je eigen nieuwsgierige gezicht zien. Rondom het gebouw stond een hoge muur met een paar poorten erin, en eentje daarvan was voor voetgangers. Aan weerskanten stonden beveiligers in hokjes van staal en glas, met een kaartscanner waarmee de poort kon worden geopend en gesloten.

Een paar keer hadden buitenlandse terroristen een poging gedaan Pincent Pharma binnen te dringen om de pillen in hun eigen land goedkoop aan de man te kunnen brengen. Maar het laboratorium was bestand geweest tegen explosieven. Het was bestand tegen bommen, brand en overstromingen. Dat had Peter gelezen in het dossier dat Pip hem had gegeven. De productie van Lang Leven werd als belangrijker beschouwd dan landbouw, terwijl de Autoriteiten daar ook al groot belang aan hechtten. De Autoriteiten streefden comfort, gezondheid, rijkdom en kennis na, want dat waren de dingen die de bevolking ook van groot belang vond. Het was belangrijk dat iedereen een lang en gelukkig leven kon leiden. Personen zoals Anna en hij deden er niet toe. Nieuwe mensen, nieuw leven. Net zoals bij de ark van Noach hadden de Autoriteiten al jaren geleden de loopplank naar binnen gehaald en waren ze weggevaren. Het kon hen niet schelen wat ze achterlieten of naar wat voor gruwelijke toekomst ze op weg waren.

En nu ging hij binnen aan de slag. Hij had het gebouw van de achterkant benaderd om alles goed in zich op te kunnen nemen voordat hij zich zou voorstellen aan Richard Pincent. Maar terwijl hij langs de muur liep, trok er een rilling door hem heen. De posters achter het glanzende glas toonden duidelijk het logo van Pincent Pharma, in marineblauw op wit, en de laatste a van Pharma had een soort staartje dat een vriendelijke lach moest voorstellen.

Dichter bij de poort gekomen rechtte Peter zijn rug. Langzaam liep hij ernaartoe.

De beveiliger leek hem niet op te merken. Hij keek langs hem heen alsof hij lucht voor hem was.

'Ik ben Peter,' zei Peter, en hij keek de man recht aan. 'Peter...'

'Peter Pincent?' vroeg de beveiliger loom. Hij was een magere, pezige man, met een litteken boven zijn linkeroog. Zou hij dat ooit hebben opgelopen in een gevecht?

Peter fronste zijn voorhoofd. Hij had de pest aan zijn achternaam, hij had er een intense hekel aan.

Hij knikte.

De beveiliger bekeek hem eens goed, van top tot teen, er zich niet van bewust dat Peter hem ook goed bekeek. Peter schatte de leeftijd van de beveiliger op rond de honderdveertig.

'Je moet een paar formulieren invullen,' zei de beveiliger terwijl hij Peter een klembord overhandigde. Vervolgens ging hij weer leunen tegen de wand van het hokje. Er speelde een zelfgenoegzame glimlach om zijn mond, alsof hij met Peter speelde, alsof hij ergens van op de hoogte was wat Peter niet wist.

Peter kneep zijn ogen tot spleetjes. Hij had een hekel aan gezagdragers, aan personen die vonden dat het dragen van een uniform hun het recht gaf anderen bevelen te geven, hém bevelen te geven.

Geërgerd vulde Peter zijn naam in, zijn adres, zijn geboortedatum en het doel van zijn bezoek.

Ondertussen keek de beveiliger geamuseerd naar hem omdat het niet makkelijk was om te schrijven op het slappe klembord. 'Jij komt uit zo'n Overtolligenhuis.' Het klonk als een mededeling, niet als een vraag. Het was een manier om het Peter duidelijk te maken dat hier niets geheim bleef.

Peter knikte. 'Dat klopt.'

De beveiliger lachte neerbuigend. 'Dan bof je maar, hè?' zei hij. Zonder op een reactie te wachten ging hij verder met: 'En nu kom je hier Lang Leven maken. Interessante verandering van werkkring.'

Peter haalde diep adem en gaf toen de formulieren terug aan de beveiliger. 'Waar moet ik naartoe?'

De beveiliger sloeg zijn armen over elkaar en bekeek Peter wederom van top tot teen. Vervolgens haalde hij zijn schouders op. 'Je hebt geen pasje, hè? Zonder pasje mag je niet verder.'

'En waar haal ik een pasje?'
'Bij de receptie.'
'En ik kan niet naar de receptie...'
'Omdat je geen pasje hebt. Wat onhandig nou.' De ogen van de beveiliger fonkelden.
Peter lachte spottend naar hem. 'Nou, dan blijf ik maar hier, de hele dag,' zei hij. 'Zeg, denkt u dat ik op het grind moet gaan zitten, of daar op het beton?'
Een poosje zweeg de beveiliger, toen zette hij de poort open. 'Weet je,' mompelde hij, 'hier werken alleen de allerbesten. Ze moeten examen doen, ze moeten jaren wachten voordat er een plekje vrijkomt. Niet iedereen komt hier zo gemakkelijk binnen. Pas maar goed op je tellen.'
'Dat zal ik doen,' reageerde Peter droog. 'En bedankt voor het compliment.'
'Hè?'
'U zei dat alleen de allerbesten hier werken,' legde Peter luchtig uit. 'En ik werk hier.'
'Pas jij maar op,' zei de beveiliger op dreigende toon. 'Ik hou je in de gaten. Als een havik.' Hij liep de poort door en gebaarde dat Peter hem moest volgen naar de indrukwekkende deuren aan de voorkant van het gebouw.

Het was nog donker buiten, maar toch was Jude rusteloos. Hij kon niet slapen. Met een zucht kroop hij tussen de dekens uit en trok een broek aan, twee truien en een jas. Vervolgens liep hij over de kale loper naar de deur en toen naar beneden. Hij vloekte zacht omdat de vloer zo koud was. Stilletjes zette hij koffie en ging toen weer naar boven om zoals gewoonlijk achter de computer te kruipen. Somber keek hij naar het scherm. Hij had geen zin om te werken, hij zou liever dat computerspel eens spelen dat hij had gevonden. Het was een stokoud spel uit de eenentwintigste eeuw. Dat wilde hij aanpassen, maar daarvoor had hij geld nodig. Hoewel zijn koelkast hem bijna wanhopig op het hart drukte dat hij dringend moest bestellen, was er niets te eten in de keuken, en over vierentwintig uur zou er geen energie meer in huis zijn als hij die niet gauw aanvulde.

Met een zucht opende hij zijn nieuwste project en begon sloom te tikken. Hij had slechts af en toe werk, maar het werd goed betaald. Wanneer hij platzak dreigde te raken, hackte hij een bank of een andere grote instelling die op technologie vertrouwde om het hoofd boven water te houden. Vervolgens belde hij op en bood aan de firewall te verbeteren, uiteraard tegen een aardig tarief. Het was makkelijk verdiend. Op die manier had hij een hele reputatie opgebouwd, en tegenwoordig werd hij soms zelf benaderd.

Een uur later had hij weer geld tot zijn beschikking. Hij keek op zijn horloge, nam een slok van de koffie, die allang koud was geworden, en klikte zijn spionageprogramma aan. Dat had hij zelf ontwikkeld en elke maand updatete hij het. Dit was al versie 16, en het kon elk systeem platleggen. Nou ja, bijna elk systeem.

Zijn eerste computer had hij tien jaar geleden van zijn vader gekregen, toen hij zes was. 'Iets om je bezig te houden,' had zijn vader gezegd. Jude had de alcohol in zijn adem geroken. 'Kijk maar of je er iets mee kunt.' Het was een computer van de Autoriteiten, vrijgegeven na de Elektronische Stop, toen de Autoriteiten organisaties hadden opgericht die moesten zorgen dat er minder energie werd verbruikt. Er werden kleinere, efficiënte computers geïntroduceerd, heel functioneel met een tekstverwerker en chatprogramma, maar zonder kleuren en je kon er niets mee downloaden. Judes computer was nog een ouderwets modelletje. Je kon er niet veel mee, maar voor Jude volstond het. Op die computer ontdekte hij waar hij goed in was, beter dan alle anderen die hij kende. Hij had er programma's voor geschreven die veel vooruitstrevender waren dan alles wat de Autoriteiten ooit hadden ontwikkeld. Hij had het zijn vader laten zien in de hoop dat hij onder de indruk zou zijn. Maar de directeur-generaal van het ministerie van Binnenlandse Zaken had geen interesse getoond. Hij had gezegd dat hij het druk had en leek zich te schamen voor de aandacht van zijn zoon. Jude had algauw beseft dat hij de computer niet had gekregen om hem een plezier te doen, maar als zoethoudertje. Niet dat het hem iets kon schelen. Het maakte hem niet uit dat zijn vader niet om hem gaf, hij had toch niemand nodig.

Heel voorzichtig en op zijn hoede omzeilde hij een paar firewalls. Hij raadde de namen van documenten en sites. En toen verschenen op het scherm beelden van een bewakingscamera. Opgewonden keek hij ernaar, in het prettige besef dat hij het precies goed had getimed. Die persoon zou hij overal herkennen, met dat tegelijkertijd stiekeme en arrogante loopje. Jude had Peter in actualiteitenprogramma's gezien en in de krant, en zelfs een keertje op straat. Maar dit was beter, want dit was live.

'Een rebel die zich tot het establishment heeft bekeerd,' mompelde hij voor zich uit terwijl hij inzoomde op Peters gezicht met de ondoorgrondelijke uitdrukking erop. Hij zag er helemaal niet uit als iemand die uit een Overtolligenhuis had weten te ontsnappen en vervolgens ontkomen was aan de Vangers. Hij zag er niet uit als iemand die al als peuter voor de Ondergrondse werkte. En toch deden dat soort geruchten over Peter de ronde. Peter Pincent. Die naam had Jude achtervolgd vanaf het moment dat hij had ontdekt wie hij was. Zijn bestaan maakte dat Jude zijn leven als zowel kostbaar als beschamend beschouwde. Jude was de bofkont geweest, dat had hij vaak genoeg te horen gekregen. Hij was Legaal. Maar nu was Peter dat ook en waren ze gelijken.

Jude klikte de camera tegenover de ingang van Pincent Pharma aan, stelde die goed in en volgde Peter daarmee naar de poort. Hij leunde achterover toen Peter op de beveiliger afliep. Even later gingen ze samen naar het hek. Dat zwaaide open, en sloot zich achter hen toen ze erdoor waren. Net een grote roofvis die visjes opslokt. Jude werd steeds nieuwsgieriger en trok de jas, die tevens dienst deed als ochtendjas, steviger om zich heen. Zijn energiecoupons gebruikte hij voor de computer, niet voor verwarming of kleren.

Hij pakte het koffiekopje op, maar dronk er niet uit. Hij was te gefascineerd door de beelden van de beveiligingscamera's van Pincent Pharma. Die waren goed opgesteld, met een bijna niet te kraken code. Maar Jude had de code kunnen kraken.

Afwezig drukte hij op de tabtoets. Meteen verscheen het beeld van de achterkant van Pincent Pharma op het scherm, waar een verlaten kronkelpad naar de rivier liep. Weer toetste hij de tab in, en nu verscheen er een ander pad dat tussen de bossen door liep naar Battersea. Er was niets bijzonders te zien. Afgezien van een enkele demonstratie die altijd onmiddellijk de kop in werd gedrukt, was de omgeving van Pincent Pharma meestal verlaten. De dichtstbijzijnde winkelstraat lag anderhalve kilometer verderop. De bewoonbare huizen in de buurt waren gesloopt toen Pincent Pharma dit gebouw had betrokken. Nu lag er aan de achterkant slechts braakliggend land, en aan de voorkant stonden een paar bomen. Er was maar één weg die naar de poort leidde, een weg die een verbinding vormde met de straat om het gebouw heen. Aan de achterkant liep er vanaf die straat een pad naar de rivier, en aan de voorkant was er een verbindingsweg met de grote weg, waarover regelmatig vrachtwagens vol Lang Leven reden.

Weer ging Jude de camera's af, gewoon om te kijken of er nog iets bijzonders te zien was. Hij fronste zijn voorhoofd. Aan de voorkant was iets veranderd. Er was iets mis. Jude was er trots op dat hij zulke dingen kon ontdekken. Jarenlang had hij van een hele rits door zijn vader betaalde leraren van alles geleerd over economische theorie en moreel relativisme, maar

Jude vertrouwde altijd meer op zijn instinct dan op geleerde kennis.

Op het scherm zag hij duidelijk mannen van achter de bomen tevoorschijn komen. Ze waren gekleed in kaki uniformen, een soort paramilitair groepje. Ze hielden dodelijke wapens vast, pistolen en geweren. Meteen ging zijn hart sneller kloppen van opwinding, hoewel hij doodstil bleef zitten. Zelfs als er niemand bij was, wendde hij verveling en desinteresse voor.

Stilletjes keek hij naar de vier gepantserde vrachtwagens die in beeld verschenen. Ze sloegen rechts af de bevoorradingsweg in, en de walm van de motoren vermengde zich met de nevel. Jude klikte van camera naar camera en zag de vrachtwagens steeds verder weg rijden van Pincent Pharma. Eenmaal op de rijweg maakten ze vaart totdat de voorste vrachtwagen plotseling ging slingeren. Even later deden de tweede en derde vrachtwagen dat ook. De vierde kwam tot stilstand, midden op de rijweg, maar schoot een eindje door en botste op de derde.

Onmiddellijk kwamen de in uniform geklede mannen het pad op. Het drong tot Jude door dat er meer waren dan hij had gedacht. Het was een heel legertje, dat schietend op de vrachtwagens afstormde. Ze rukten de portieren open, laadden de vrachtwagens uit en goten iets over de lading heen wat ze vervolgens in brand staken. De bestuurders deden niet eens moeite om uit te stappen, ze zaten paniekerig in hun mobieltjes te praten. Even later kwamen er voertuigen door de poort van Pincent Pharma gereden, in de richting van de vrachtwagens en de brandende zooi op de weg. Maar de mannen trokken zich al terug, over het pad, over de weg, achter muren. Met grote ogen zat Jude ernaar te kijken, en zijn hart bonkte wild. Dit moest de Ondergrondse zijn... Eindelijk zag hij die eens in actie.

Snel klikte hij terug naar de camera die beelden liet zien van de weg. Daar hielpen beveiligers van Pincent Pharma de bestuurders uit de cabine, en deden ze hun best de brandjes te blussen. Hij zag een van de beveiligers wijzen, en even later werden twee leden van de Ondergrondse het pad op gesleurd. Algauw waren die omsingeld en ontwapend.

Een van de beveiligers pakte een portofoon en zei daar iets in. Meteen trokken twee andere beveiligers de handen van de gevangenen op hun rug en deden hun handboeien om.

Vervolgens richtte een beveiliger schreeuwend een pistool op de gevangenen, en voordat Jude het goed en wel doorhad, ging een van de gevangenen door de knieën. Uit zijn hoofd gutste bloed. De adem stokte in Judes keel en hij verschoof naar achteren. Toch kon hij niet wegkijken van de ineengezakte man in de plas bloed. Hij was dood. Hij was echt dood. Jude keek naar de andere beveiligers, die achteruit waren gedeinsd en ontzet keken.

De beveiliger met de portofoon blafte iets. Toen greep hij de andere gevangene beet, wiens blik gericht stond op zijn dode kameraad. Zijn gezicht was lijkbleek. Terwijl hij werd weggesleurd, verzette hij zich, maar dat had weinig zin.

Jude zat achterovergeleund in zijn stoel en durfde nauwelijks adem te halen. Zo bleef hij een hele poos zitten, doodstil. Hij had iemand zien sterven. In een wereld waar de dood onbekend was, was dat enorm schokkend.

En toen schudde hij zijn hoofd. Dit was de realiteit, niets meer en niets minder. De realiteit was lang niet zo belangrijk als werd gezegd. Voor Jude was het gewoon de lichamelijke toestand waarin hij zich bevond, de omgeving waarover hij beperkt macht had. Hij zette de gedachte aan de strijders van de Ondergrondse uit zijn hoofd, verliet het systeem van Pincent Pharma en opende *MyWorld*, de virtuele wereld die hij aan het bouwen was. Het was daar zomer en op straat liepen mensen, jonge mensen. In de parken waren nergens bejaarden te zien. In plaats daarvan waren tieners aan het voetballen, ze maakten grapjes, ze zaten te paffen of in hun mobieltje te kletsen zonder te worden lastiggevallen door politie. Met een grijns liep Jude over een paadje naar het bankje vanwaar hij alles kon overzien. Zoals hij al had verwacht, zat zijn roodharige vriendinnetje lachend op hem te wachten, met een sexy kort spijkerrokje aan.

'Hoi Jude2124,' begroette ze hem zwoel. 'Ik heb je gemist. Waar was je?'

Jude2124 grijnsde breed. 'Dat doet er niet toe. Nu ben ik er weer.'

Peter draaide zich om om te kijken wat er aan de hand was. Hij hoorde lawaai op de weg, een paar honderd meter verderop, maar door de hoge muur kon hij niets zien.

De beveiliger keek hem spottend aan. 'Werd je nou bang van een paar knalletjes?'

Peter reageerde daar maar niet op. Hij stak zijn handen in zijn zakken en keek naar de beveiliger, die een kaart door een gleuf haalde, zijn hand tegen een glasplaat drukte en toen zijn iris liet scannen. Eindelijk schoven de zware deuren open en onthulden zo een foyer met vier grote roltrappen naar boven. Een man met een ernstig gezicht kwam op hen af gelopen. Peter verstarde. Het was Richard Pincent. De beveiliger sprong in de houding.

'Peter,' zei Richard met een flauw lachje. 'Wil je me even excuseren? Er is buiten iets aan de hand.' Het lachje verdween toen hij tegen de beveiliger zei: 'Ga terug naar je plaats. Code X.'

Met een grimmige uitdrukking liep de beveiliger snel terug naar de poort, met zijn portofoon tegen zijn oor gedrukt.

Peter keek hem na, en draaide zich vervolgens om naar zijn grootvader, die bevelen blafte in iets wat eruitzag als een piepklein mobieltje. Hoewel hij heel zacht praatte, was de spanning in zijn stem vrijwel tastbaar. Toen stopte hij het mobieltje terug in zijn zak en keek Peter aan, weer met dat lachje.

'Kom mee,' zei hij, en hij sloeg zijn arm om Peters schouder. 'Welkom bij Pincent Pharma, Peter. Welkom in het modernste laboratorium ter wereld. Alle wetenschappers zijn er stikjaloers op. Welkom in je nieuwe wereld.'

3

De foyer was enorm, groter dan Peter had verwacht. Dit gebouw kon je opslokken als je niet oppaste, het kon je je zo onbenullig laten voelen als een sneeuwvlokje. Terwijl hij achter zijn grootvader op een van de roltrappen stapte, deed hij zijn best niet onder de indruk te raken van de gigantische ruimte, de muren van honderden meters hoog, de enorme schermen vol wetenschappelijke grafieken. Alles was zo wit, zo schoon, zo zuiver.

'Geweldig, hè?' vroeg zijn grootvader theatraal. 'Dit gebouw staat hier nu al honderd jaar en ik vind het nog steeds adembenemend.'

Peter knikte. Hij wendde enthousiasme voor terwijl hij zijn blik alle kanten op liet dwalen, op zoek naar camera's of iets anders wat voor Pip belangrijk kon zijn. Het viel hem op dat er nergens foto's van Overtolligenhuizen hingen, dat de duistere kanten van Lang Leven nergens trots werden belicht. Toen zijn grootvader een poosje zijn blik vasthield, vroeg Peter zich af of het beveiligingssysteem bij Pincent Pharma zo geavanceerd was dat je er gedachten mee kon lezen. Maar die gedachte verwierp hij meteen weer. Zoiets was onmogelijk.

'Hierheen.' Ze waren boven aan de roltrap gekomen, bij een lange gang naar links en naar rechts. Zijn grootvader ging naar links en na een paar stappen naar rechts, een andere lange gang in. 'Als je de weg niet kent, kun je hier gemakkelijk verdwalen,' zei hij terwijl hij voor Peter uit liep naar een galerij met panoramisch uitzicht over het atrium beneden. Aan de achterkant waren enorme ramen, waardoor je verschillende vertrekken en laboratoria kon zien.

Zijn grootvader stapte stevig door en wees naar rechts. 'Daar is de belangrijkste productieafdeling. Die kun je uiteraard niet zien. Die is zo goed beveiligd dat er niet eens vensters zijn. Wat je wel kunt zien, is het eindproces, waar het logo van Pincent Pharma in de tabletten wordt gedrukt.'

Peter zag allemaal gonzende machines, waar de ene na de andere tablet uit rolde, duizenden en nog eens duizenden. Bij de machines stonden mannen en vrouwen toezicht te houden. Ze controleerden met een geconcentreerde frons de kwaliteit. Toen een van hen opkeek en Richard zag, keek hij gauw weg en controleerde de machine waarbij hij stond alsof zijn leven ervan af hing.

'Een uiterst belangrijke ruimte,' zei Richard terwijl hij verder liep. 'Door dat logo ben je ervan verzekerd dat je het echte medicament in handen hebt. Kijk, hier hebben we een van onze onderzoekslaboratoria.'

Hij ging Peter voor een groot laboratorium in. Mensen in witte jassen tuurden in microscopen, naar beeldschermen of in reageerbuisjes.

'Wat doen ze?' vroeg Peter.

Richard lachte. 'Ze proberen het product te verbeteren. De wereld staat niet stil, Peter, het kan altijd beter.'

Peter knikte. 'En hoe weten jullie of het werkt? Ik bedoel, op wie testen jullie de medicamenten?' Hij draaide zich om om zijn grootvader aan te kijken.

Richard verstapte zich en liep toen gewoon verder. 'O, daar bestaan uitgebreide programma's voor,' antwoordde hij achteloos. 'Weet je, voor geld zijn mensen tot alles bereid.'

'Jullie gebruiken stamcellen, hè?' vroeg Peter. 'Hoe komen jullie daaraan? Er moeten er heel veel van nodig zijn...'

Plotseling bleef zijn grootvader staan. 'Wat vraag je veel,' zei hij.

Peter voelde de haartjes in zijn nek overeind komen. Had hij te veel vragen gesteld, en te vlug? Vermoedde zijn grootvader soms iets? 'Ik ben gewoon leergierig,' zei hij.

Even zweeg Richard, toen knikte hij. 'Ja, natuurlijk wil je graag alles weten. Nou, daar weet ik wel iets op. Kom maar mee.'

Peter liep achter hem aan, en hij keek nieuwsgierig in elke gang waar ze langs kwamen, naar elke deur, naar iedereen. Uiteindelijk zette Richard een deur open, en Peter volgde hem een collegezaal in.

'Eerst een beetje geschiedenis,' zei zijn grootvader. 'Vroeger hadden we hier een onderwijsprogramma. Er kwamen hier studenten die alles leerden over Vernieuwing en Lang Leven. Natuurlijk bestonden er toen nog universiteiten. Nu gebruiken we deze ruimte voor herscholingsprogramma's, kennismakingscursussen en buitenlandse delegaties en zo. We hebben cursusmateriaal, als je wilt?'

Peter besefte meteen dat dit een retorische vraag was. Hij kreeg een boekje in zijn handen geduwd, en omdat zijn grootvader naar hem keek, moest hij er wel in kijken. Hij zag een heel gedeelte over de geschiedenis van Pincent Pharma, met kadertjes met luchtige weetjes, zoals:

Wist je dit al?
Het duurt veertien dagen om een tablet Lang Leven te produceren
Bij Pincent Pharma werken vijfduizend van de beste wetenschappers ter wereld, en die zijn er uitsluitend op gericht je kwaliteit van leven te verbeteren
Om alles uit Lang Leven te halen, kun je het best je huisarts de dosering elk jaar laten bijstellen

Wist je dit al?
Pincent Pharma voert Lang Leven uit naar meer dan honderd landen
Pincent Pharma ontwikkelde het eerste Lang Leven-medica-

ment in 2015 en is nog steeds patenthouder
Elke tablet Lang Leven wordt onderworpen aan een nauwkeurig kwaliteitsonderzoek. Pas dan mag het medicament de fabriek verlaten

Richard Pincent glimlachte welwillend. 'Zo, als je ergens gaat zitten, kunnen we beginnen.'

Peter sloeg het boekje dicht en ging zitten in het midden van het verlaten vertrek, op een met pluche bekleed klapstoeltje tussen honderd andere. Zodra hij had plaatsgenomen, werd het donker in de zaal en begon het grote scherm vooraan te knipperen.

Daar verscheen Peters grootvader in beeld. Hij zag er iets jonger uit en hij stond in een enorm laboratorium vol tafels waar ernstig kijkende wetenschappers in witte jassen druk in de weer waren.

'Welkom bij Pincent Pharma en het Instituut voor Stamcelonderzoek. Onder dit dak doen duizenden wetenschappers in hypermoderne laboratoria onderzoek naar het geweldige potentieel van de cel. Bij Pincent Pharma hebben we de cellen zo aangepast dat die menselijke ziekten kunnen genezen. We hebben cellen gekweekt om degeneratieve aandoeningen en gruwelijke verwondingen te overwinnen. Deze cellen hebben ons nu het ultieme antwoord verschaft op alle kwalen waaraan de mens ooit heeft geleden. Het is een wetenschappelijke doorbraak die niet alleen de wereld van de farmaceutica heeft veranderd, niet alleen de wetenschap, maar de hele samenleving. Welkom in het thuis van Lang Leven, het thuis van de toekomst van de mens...'

In beeld liep Peters grootvader dichter naar de camera toe. 'U zult nu getuige zijn van een wonder. Van een revolutie. Van een verandering die zo overweldigend is dat alles wat de mens eerder heeft bereikt erbij in het niet valt. U gaat het geheim van het eeuwige leven ontdekken.'

Er klonk opzwepende muziek. Ongemakkelijk schoof Peter op zijn stoel heen en weer. Hij draaide zich om om te kijken of zijn echte grootvader er nog was, maar het was te donker om iets te kunnen zien.

Dus richtte hij zijn blik maar weer op het scherm, waarop nu een animatie van een paar rondjes was verschenen.

'De stamcel,' klonk de stem van zijn grootvader. 'Zo klein en toch zo krachtig. In het begin van de twintigste eeuw konden wetenschappers slechts gissen naar het potentieel van deze piepkleine cellen. Een middel tegen ziekten waaraan elk jaar miljoenen stierven. Verlamden weer het gebruik van hun ledematen teruggeven. Organen laten groeien voor transplantatie. Overal ter wereld deden wetenschappers hun best de geheimen van deze piepkleine cellen te ontsluieren, om ze voor de samenleving te kunnen aanwenden.

Er was iemand die een stapje verder ging. Deze man wilde meer dan zieken genezen. Deze man keek verder dan de genezende kracht van celtherapie. Deze man besefte dat het lot van de mens was verbonden aan de kracht van de stamcel. Hij wist, zonder enige twijfel, dat de juiste combinatie van de juiste cellen, gebruikt op de juiste manier, niet alleen ziekten kon uitroeien, maar nog veel meer. Hij wist dat hij een einde kon maken aan de sterfelijkheid van de mens.'

Een korte stilte, en toen zoomde de camera in op een van de rondjes.

'Hoe deed hij dat? Welnu, met behulp van deze jongens. Met de stamcel,' ging zijn grootvader opgewekt verder. 'Dit slimme wezentje kan zichzelf veranderen in elke willekeurige lichaamscel. Een cel van de lever, een bloedcel, een ruggenmergcel. Het kan schade herstellen, zichzelf vermeerderen om verouderde cellen te vervangen, het kan voorkomen dat kankercellen zich ontwikkelen.'

Ineens kreeg het rondje een gezicht. Het danste over het scherm, voegde zich in organen en bleef maar lachen.

Plotsklaps verdween het rondje en kwam zijn grootvader weer in beeld, deze keer voor een witte cabine met schuifdeuren. Binnen liepen mannen in witte jassen druk heen en weer. Zijn grootvader vertelde een beetje spottend: 'Deze stamcellen waren al bekend in de twintigste eeuw, maar alleen Pincent Pharma heeft ze optimaal weten te benutten voor de ontwikkeling van het krachtigste medicament ooit: Lang Leven.'

Vervolgens verdween Peters grootvader weer. Er verscheen een bejaard echtpaar dat gebogen over straat liep, met gerimpeld gezicht en grijs haar. Ondanks zichzelf vertrok Peter zijn gezicht.

'Ouderdom,' klonk de stem van zijn grootvader. 'Duizenden jaren was dat het onafwendbare lot van de mens. Er was uitval van lichaamsfuncties. Het gehoor en het zicht gingen achteruit, de mens werd minder lenig en verloor aan kracht. Het geheugen verslechterde, het denkvermogen werd traag. Een langzaam en pijnlijk proces van achteruitgang, dat meestal eindigde in ziekte en vervolgens de dood. Tachtig jaar werd beschouwd als een mooie leeftijd om te bereiken. Rond de zestig was de mens te oud om te werken, te oud om een bijdrage aan de gemeenschap te kunnen leveren. Maar die tijden zijn voorbij.'

Nu kwam er een aantal mannen in beeld die in een park aan het voetballen waren. 'Ooit was er verval. Nu is er Vernieuwing. Ooit aanvaardde de mens de achteruitgang. Nu geniet hij van het leven. Op de dag dat natuurkundige Albert Fern de ware mogelijkheden van de stamcel ontdekte, veranderde hij de geschiedenis.'

Weer een stilte terwijl op het scherm zijn grootvader zijn blik door de zaal liet dwalen. Zijn ogen fonkelden, maar toen verscheen er een nederige uitdrukking op zijn gezicht. Een andere stem nam het van hem over. 'Helaas leefde doctor Fern niet lang genoeg om Vernieuwing helemaal te ontwikkelen, maar Richard Pincent, zijn schoonzoon en tevens degene die

Pincent Pharma heeft opgericht, werkte onvermoeibaar door om iedereen ter wereld van de heilzame effecten van de stamcel te kunnen laten genieten.'

Peter zette grote ogen op. Was Albert Fern de schoonvader van Richard Pincent geweest? Dat betekende dat Peter de achterkleinzoon van doctor Fern was... Hij was verwant aan de persoon die hiervoor verantwoordelijk was. Bij die gedachte huiverde hij.

Nu verscheen Pincent Pharma weer in beeld, hetzelfde laboratorium als in het begin. Peters grootvader liep langs de wetenschappers terwijl de commentaarstem klonk. 'Sindsdien stelt het bedrijf zich ten dienste van de samenleving door Lang Leven te vervaardigen, het medicament dat geschiedenis heeft geschreven. Overal ter wereld hebben wetenschappers pogingen gedaan dit medicament na te maken, om achter de receptuur te komen. En altijd zonder succes. Ondertussen blijven de wetenschappers van Pincent Pharma het medicament verbeteren en innoveren. Steeds weer wordt er iets ontdekt om de kwaliteit van leven te verhogen. Van de strijd tegen tandbederf tot het aangroeien van ledematen, Pincent Pharma loopt voorop. En nooit zullen we ophouden een betere wereld te scheppen.'

De camera vloog achteruit door een aantal gangen en door de ingang, totdat het hele gebouw in beeld kwam, afgezien van de hoge muur eromheen met de poorten en de beveiligers.

'Pincent Pharma staat voor wetenschap,' klonk het commentaar. 'Pincent Pharma is de toekomst. Uw toekomst. De toekomst van iedereen ter wereld. Dank u voor uw aandacht. We hopen dat u veel plezier beleeft aan uw bezoekje aan ons.'

Het scherm werd zwart, met daarop in witte letters: *Lang Leven en Vernieuwing zijn beschermde merken van Pincent Pharma. Kopiëren en namaken worden bestraft.*

De letters vervaagden langzaam, en na een poosje zat Peter naar een zwart scherm te kijken. Toen ging het licht aan. Peter draaide zich om en zag zijn grootvader naast de rij klapstoeltjes staan.

'Wat vond je ervan?'

Peter dacht aan zijn ring, de ring waarin AF stond gegraveerd.

'Eh... interessant,' zei hij.

'Inderdaad!' Zijn grootvader klonk opgewonden, maar zijn blik stond afwezig, alsof hij met zijn gedachten elders was. 'Weet je, Peter,' ging hij peinzend verder, 'er is nog zoveel te ontdekken.'

Peter glimlachte. Hij hoopte dat hij daar allemaal achter zou komen, voor Pip.

'Zeg eens, Peter, waarom heb je besloten in te gaan op mijn aanbod hier te komen werken?'

Die vraag kwam als een verrassing. 'Ik... ik...' stamelde hij. Hij had deze vraag verwacht, maar niet nu, en hij was even vergeten wat voor antwoord hij had bedacht.

Maar zijn grootvader legde hem al met een gebaar het zwijgen op. 'Laat maar, ik weet het al,' zei hij achteloos. 'Ik heb je briefje gelezen en ik weet wat je je mentor hebt verteld. Maar je moet niet altijd alles geloven, hè Peter?'

Onzeker keek Peter naar hem op. 'Nee?'

'Nee.' Zijn grootvader glimlachte. 'Ik sta overal voor open. Dus wil ik je één ding zeggen: ik weet zeker dat je het hier naar je zin zult hebben en dat je goed gebruik zult maken van deze mogelijkheid, maar als je iets doet wat niet door de beugel kan, dan zul je dat berouwen.'

'Oké,' reageerde Peter. 'Dat is duidelijk.'

Richard lachte. 'Dat is het zeker, Peter.' Ineens keek hij weer ernstig. 'Zo staan de zaken nu eenmaal, en daar valt niets aan te veranderen. Heb je dat goed begrepen?'

Een poosje keek Peter zijn grootvader aan terwijl hij nadacht over zijn reactie.

'Ik heb het begrepen,' zei hij uiteindelijk, terwijl hij zijn grootvader strak aankeek. 'En ik ben niet van plan rare dingen te doen. Ik ben alleen maar blij dat ik hier mag komen werken.'

Nog even bleef Richard hem aankijken, toen knikte hij. 'Mooi zo,' zei hij. 'Heel mooi.'

Vervolgens gebaarde hij Peter dat die hem moest volgen, en samen liepen ze in stilte de collegezaal uit en de gang door.

'Ik zal je nu voorstellen aan doctor Edwards, je mentor hier,' zei Richard toen ze bij een blauwe deur waren gekomen. 'Je pikt alles vast heel gauw op, want je bent een Pincent en Pincents zijn geboren wetenschappers.' Hij duwde de deur open.

Toen Peter achter hem aan naar binnen liep, merkte hij dat dit het laboratorium uit de film was. Alleen stond er niemand aan de lange tafels.

Toen zijn grootvader de frons op zijn gezicht zag, glimlachte hij. 'Er zijn nieuwe laboratoria aan de oostzijde van het gebouw,' legde hij uit. 'Groter, moderner. Dit is het herscholingslaboratorium. Hier kun je van alles leren, en je mag naar hartenlust experimenteren. En dit...' Hij gebaarde naar een lange, magere man die met snelle pas op hen toe liep. 'Dit is doctor Edwards, een van onze meest vooraanstaande wetenschappers. Tegenwoordig staat hij aan het hoofd van de herscholingsafdeling. Het komende halfjaar is hij je mentor, dus doe maar goed je best.'

Richard klonk bijna neerbuigend, heel zijig, maar meneer Edwards leek het niet te zijn opgevallen. Hij glimlachte nederig. 'Maak je maar geen zorgen, Peter,' zei hij vriendelijk. 'Ik ben blij kennis met je te maken. Heel blij. Je grootvader heeft me veel over je verteld.'

Op zijn hoede keek Peter hem aan. Meneer Edwards had rimpels in zijn voorhoofd en grijs haar. Kennelijk nam hij niet de moeite zijn haar te verven. Hij zag er slim uit en maakte geen stiekeme indruk. Misschien was hij een jaar of vijftig, maar waarschijnlijk een heel stuk ouder. In elk geval moest hij superintelligent zijn. Een bescheiden man met hart voor zijn werk.

'Hallo,' zei Peter.

'En, Peter, weet je iets van de wetenschap? Of ben je eerder een beginneling?' vroeg meneer Edwards.

Peter trok zijn wenkbrauwen op. 'Een beginneling.'

'Mooi zo.' Edwards knikte. 'Als iemand denkt dat hij veel weet, duurt het lang voordat we hem hebben kunnen overtuigen dat die kennis erg achterhaald is, of niet helemaal juist,' legde hij uit. 'Voor ons is het veel gemakkelijker om met een schone lei te beginnen.' Hij keek er ernstig bij.

Peter had het idee dat Edwards het goed bedoelde. Als Edwards niet betrokken zou zijn bij de productie van Lang Leven, had Peter hem misschien aardig gevonden.

'Nou, dan laat ik jullie maar alleen,' zei Richard Pincent. 'En Peter, goed opletten, hoor! Van meneer Edwards kun je heel veel leren.'

Peter knikte stilletjes. Met zijn blik volgde hij zijn grootvader totdat de deur achter hem dichtviel.

'Je pikt het allemaal vast snel op,' merkte Edwards met een lach op. 'Tenslotte zit het je in het bloed.'

'O, maar ik lijk totaal niet op mijn grootvader,' zei Peter snel.

'Je grootvader?' Edwards fronste zijn wenkbrauwen. 'O, maar ik had het over je overgrootvader. Albert Fern. De belangrijkste wetenschapper ooit.'

Niet op zijn gemak slikte Peter iets weg. Toen keek hij op naar Edwards en vroeg zo enthousiast mogelijk: 'Waar beginnen we mee?'

4

Achter een raam dat aan de andere kant een spiegel leek, keek Richard Pincent naar de man die werd gedwongen met zijn armen uitgestrekt op een soort werkbank te gaan liggen.

'Je snapt het niet helemaal,' hoorde hij Derek Samuels zeggen, het hoofd beveiliging. Die had een meelevend gezicht getrokken, alsof hij met de man te doen had, terwijl hij eigenlijk lol had in de situatie. 'Ik doe je liever geen pijn. Ik vind het echt rot je zo te moeten zien. Maar als jij me niet vertelt wat ik wil weten, heb ik geen keus. De andere beveiligers hier vinden het fijn om anderen pijn te doen. En ik kan ze niet tegenhouden.'

De man vertrok zijn gezicht in een pijnlijke grimas toen zijn armen langzaam uit de kom werden getrokken door het apparaat waarmee hij was verbonden.

'Ik zeg niks,' zei hij toch nog. 'Dit mogen jullie helemaal niet doen. Het is tegen de wet. De Autoriteiten...'

'De Autoriteiten kan het geen snars schelen wat er met jou gebeurt,' viel Derek hem in de rede. 'De beveiligers van Pincent Pharma hebben toestemming van het ministerie van Antiterrorisme om alles te doen wat nodig is om inlichtingen te verkrijgen van leden van de Ondergrondse. Ik kan met je doen wat ik wil, en dat zal ik niet nalaten.'

Hij gebaarde naar de beveiliger die het apparaat bediende, en even later gilde de gevangene het uit omdat zijn armen nog verder uit de kom werden getrokken.

'Ik wil alleen maar weten waar het hoofdkwartier van de Ondergrondse is. Dat is toch niet zo moeilijk?' vroeg Derek. Meewarig schudde hij zijn hoofd. 'Als je me dat vertelt, ben je meteen vrij man.'

Met een verwilderde blik keek de man hem aan. 'Nooit!' riep hij uit. 'Nooit!'

Derek knikte en liep het vertrek uit. Even later stak hij zijn hoofd om de deur naast Richard. 'Wat nu?' vroeg hij.

Richard zuchtte eens diep. Waarom had nog niet iedereen door dat hij niet toestond dat hij werd gedwarsboomd? Waarom bleven ze zich tegen hem verzetten, terwijl van tevoren al vaststond dat ze het onderspit zouden delven? Dacht de Ondergrondse nou echt dat ze een einde konden maken aan het succes van zijn bedrijf? Dachten ze nou echt dat ze tegen hem konden scoren? 'Breng hem naar het onderzoekslab,' antwoordde hij schouderophalend. 'Zijn organen hebben vast meer te vertellen dan hij.'

'U hebt gelijk.' Derek trok zijn hoofd terug en even later stond hij weer aan de andere kant van het glas. 'Je gaat naar de onderzoeksafdeling,' zei hij koeltjes.

'Onderzoek?' Met grote ogen keek de gevangene naar hem op. 'Waarom?'

'Omdat je niet bereid bent te praten, hebben we niks aan je. Maar gelukkig hebben we wel iets aan je lichaam. Ze gaan je organen eruit halen. Die hebben we nodig voor onderzoek, snap je? Vooral de cellen. Wanneer je eenmaal bent opengesneden, kunnen de wetenschappers meer informatie uit je krijgen dan ik.'

'Opengesneden?' De gevangene werd lijkbleek. 'Dat kunnen jullie niet maken. Ik heb ook rechten, ik...'

Richard Pincent kon de verleiding niet weerstaan om uit het hokje te komen, om de deur open te zwaaien en oog in oog met de gevangene te staan. 'Je hebt helemaal niets,' zei hij terwijl hij op de houten werkbank toe liep. De gevangene schrok zich wild. 'Je bent een bedroevend stuk mens. Je hebt vanmorgen gefaald. Het is je niet gelukt Lang Leven te verwoesten. De Ondergrondse zal altijd falen. En nu ga ik je laten zien wat er gebeurt met degenen die Richard Pincent in de wielen proberen te rijden. Ik ga je vernietigen.'

'Wie bent u? Kent u dan geen medelijden?' jammerde de gevangene wanhopig.

Nieuwsgierig keek Richard hem aan. 'Medelijden? Ik doe niet mijn best het leven te vernietigen, dat doen jullie, met jullie aanvallen op Lang Leven.'

'Ik ben getrouwd. Doe ons dit niet aan,' smeekte de man.

'Pech voor je vrouw,' zei Derek toen de andere beveiligers bij hem kwamen staan, klaar om de gevangene over te brengen. 'Had ze maar niet met zo'n loser als jij moeten trouwen.'

Richard Pincent had genoeg gezien. Hij beende weg zonder acht te slaan op het gegil van de gevangene. Snel liep hij naar boven, naar zijn werkkamer. Eenmaal daar aangekomen ging hij naar het raam en schoof de gordijnen van dik fluweel opzij om naar buiten te kunnen kijken. Zijn werkkamer was een suite van tweehonderd vierkante meter met een extra hoog plafond. Het was een adembenemende ruimte op de derde verdieping, met uitzicht over de Theems. Dit vertrek had hij met zorg uitgekozen. Een verdieping te hoog, en je zou de rivier niet meer zo gemakkelijk kunnen zien. Een verdieping te laag, en de gebouwen aan de overkant zouden het licht hebben tegengehouden. Maar hier was het uitzicht perfect. Hier werd hij er voortdurend aan herinnerd dat hij een belangrijk man was, een man met veel succes. Hier twijfelde hij er nooit aan dat de jaren die hij had besteed aan het onder druk zetten van anderen, hun stroop om de mond smeren of hen te vertrappen, de moeite waard waren geweest.

Toen hij daaraan denkend plaatsnam achter zijn bureau, ging de telefoon. Hij nam op. Er waren slechts een paar mensen die zijn nummer kenden, en dat waren degenen die van nut voor hem konden zijn, die hem konden helpen.

'Met Richard Pincent.'

'Richard, met Adrian.'

'Ach Adrian, hoe is het met je?'

Adrian Barnet was de vicesecretaris-generaal van de Autoriteiten. Hij was klein en gezet, en had tegelijk met Richard gestudeerd. Toen waren ze min of meer bevriend geweest, en dat waren ze nog steeds, voor zover Richard iemand als vriend beschouwde.

'Die aanvallen op Lang Leven, hè?' zei Adrian bezorgd. 'Denk je dat die blijven komen?'

Adrian kon niet op de hoogte zijn van de overval van vanochtend. De Autoriteiten liepen altijd achter de feiten aan, en dat vond Richard eigenlijk wel best. 'Het zijn op zichzelf staande incidenten,' antwoordde hij behoedzaam. 'Uiteraard hebben we extra maatregelen genomen. Ik denk niet dat er meer van dit soort voorvallen zullen zijn.'

'Nou ja, er zijn vragen over gesteld,' reageerde Adrian. 'Het is niet goed voor het moreel wanneer er problemen, al of niet echt, met de levering van Lang Leven zijn. De afgelopen maand heeft de beurs twintig punten verloren, en dat is een direct gevolg van de problemen bij Pincent Pharma.'

'Er zijn geen problemen,' zei Richard meteen. Hij vertrok zijn gezicht. 'Het waren incidenten, en die zullen niet meer voorkomen.'

'Weet je, Richard, er wordt gepraat. Vanochtend viel de naam van je kleinzoon. Men is niet blij dat je hem een baan hebt aangeboden. Ze vrezen zijn banden met de Ondergrondse, zijn relatie met dat Overtolligenmeisje. Hij vormt een bedreiging omdat hij in zijn jeugd is gehersenspoeld door haar familie...'

'O, maak je je daar zorgen om?' vroeg Richard kil. Hij drukte op een knopje en meteen verschenen er op een scherm beelden van Peter en Edwards in het laboratorium.

'Weet je, je kleinzoon staat symbool voor de rebellen,' ging Adrian verder. Blijkbaar was hem de spottende toon van Richard niet opgevallen. 'Volgens het ministerie van Antiterrorisme noemen de rebellen hem de vader van de volgende generatie. En dat Overtolligenmeisje zou dan de moeder zijn.'

'De vader van de volgende generatie?' Richard stikte er bijna in. 'Nou, Adrian, als hij dat inderdaad is, moet je me maar eens zeggen waar je liever hebt dat hij is. Vrij over straat lopend, onderonsjes houdend met dat tuig van de Ondergrondse, of hier, bij Pincent Pharma, waar ik hem voortdurend in de gaten kan houden. Je denkt toch niet dat ik achterlijk ben? Dacht je nou echt dat ik zó stom ben?'

'O nee!' zei Adrian gauw. 'Nee, natuurlijk niet. Maar je weet zelf dat de mensen zullen gaan praten...'

'Nee Adrian, daar weet ik niets van,' viel Richard hem kwaad in de rede. 'Maar ik wil je wel vertellen dat als je denkt dat ik ook maar iemand in de weg zal laten staan van Pincent Pharma, of het nou Peter is, jouw collega's bij de Autoriteiten of weet ik veel wie, je het helemaal bij het verkeerde eind hebt. Goed begrepen?'

'Jawel, maar...'

'Peter werkt nu voor mij,' viel Richard hem alweer in de rede. 'En wanneer hij de Wet ondertekent en Lang Leven omarmt, zal de Ondergrondse uiteenvallen.'

'Gaat hij de Wet tekenen?' vroeg Adrian stomverbaasd.

'Natuurlijk gaat hij dat doen,' antwoordde Richard achteloos. Hij had het er met Peter nog niet over gehad, maar hij wist zeker dat hij hem zou weten over te halen. Richard kon anderen heel goed overtuigen.

'Maar hij is een Overtollige. Of dat wás hij, bedoel ik.'

Richard glimlachte flauwtjes. 'Ja, dat wás hij. Nu is hij dat niet meer. Nu kan hij voor eeuwig leven als hij dat wil. En dat zal hij willen, Adrian. Ben je vergeten hoe verleidelijk Lang Leven is?' vroeg hij zacht. 'Ben je vergeten hoe het is om in de verleiding te komen? Peter zal die niet kunnen weerstaan.'

Er viel een korte stilte. 'Eh... Waar is hij mee bezig? Peter, bedoel ik. Waar heb je hem aan het werk gezet, als ik vragen mag?'

'Eigenlijk mag je dat niet vragen,' reageerde Richard koeltjes. 'Maar omdat je dat toch al hebt gedaan: ik heb hem naar Edwards gebracht. Die gaat hem alles leren over Lang Leven. Over de kracht daarvan.'

'Is Edwards niet degene die werd weggehaald bij de productie?'

'Hij kon niet omgaan met de modernisering,' antwoordde Richard gladjes. 'Maar hij is nog van nut. Nog steeds de beste docent van heel Pincent Pharma. Al jaren is hij het hoofd van de herscholingsafdeling. Hij is meer op Lang Leven gesteld dan wie dan ook. Als iemand Peter kan overhalen de Wet te tekenen, dan is het wel Edwards. Hij ziet de schoonheid ervan in. Voor hem is het een soort godsdienst.'

'Zo klinkt het alsof hij jouw Mefistofeles is.'

'Adrian, ik bied Peter het eeuwige leven aan, geen pact met de duivel.'

'En denk je nou echt dat Peter zich zal laten overhalen? Het klinkt me allemaal hoogst riskant in de oren.'

'Adrian, jij bent ambtenaar,' merkte Richard bits op. 'Ambtenaren vinden altijd alles riskant. Vertrouw me nu maar, Peter zal de verleiding van het eeuwige leven niet kunnen weerstaan. Er zijn wel mensen die hun ziel voor minder hebben verkocht.'

'Geloof je nog in de ziel?' vroeg Adrian met een nerveus lachje.

'Waarom niet? Door ons werk behouden we juist zielen, Adrian. Zielen zijn voor hun bestaan afhankelijk van Pincent Pharma.'

Adrian aarzelde, kennelijk onzeker of Richard nu een grapje maakte of niet. 'Zorg maar dat de Autoriteiten dat niet horen,' zei hij zenuwachtig. 'Ik weet zeker dat ze zich niet verantwoordelijk voelen voor zielen.'

'De Autoriteiten voelen zich overal verantwoordelijk voor,' reageerde Richard ineens op uiterst kille toon. 'Wat dat betreft zitten ze er helemaal naast.'

5

Met tegenzin kwam Jude uit bed. Hij schoof de gordijnen open en keek naar buiten. Er dreven akelig donkere wolken door de lucht. De buren lachten flauwtjes naar elkaar terwijl ze bezig waren met hun dagelijkse dingen. Wat een rotbuurt, dacht hij, een gevangenis zonder muren, een eindeloos durende levenslange straf. Niemand was gelukkig, niemand voelde iets. Ze bestonden alleen maar. Het was allemaal ongelooflijk saai.

Een poosje bleef hij naar buiten kijken met een uitdrukking van afschuw op zijn gezicht. Toen schoof hij de gordijnen weer dicht en trok twee truien aan en een jasje. Vervolgens sjokte hij de trap af. De krant lag op de deurmat. Hij keek er even in. Het ging goed met de economie, dankzij het herscholingsprogramma van de Autoriteiten. Egoïstische lui in Manchester hadden zoveel energie verspild dat er een stroomstoring was geweest. Een artikel over de nieuwste rage: van de kliffen springen. En over de gevaren daarvan als de uitrusting niet goed was. Maar niets over de overval op Pincent Pharma. Dat maken de Autoriteiten natuurlijk niet bekend, dacht hij zuur. Misschien kon hij er op internet iets over vinden. De Autoriteiten konden onlinenieuwsbronnen minder makkelijk het zwijgen opleggen. Dit soort kranten hoefde geen toestemming van de Autoriteiten te hebben omdat er niets in druk verscheen en er dus geen waardevolle grondstoffen werden verspild. Als je echt iets wilde weten, moest je naar blogs en tijdelijke websites surfen.

Terwijl hij fronsend zijn blik over de artikelen liet dwalen, merkte hij ineens dat er ook een foldertje door de brievenbus was geduwd. Reclame. Met een zucht raapte hij het op en las het terwijl hij naar de keuken liep. Het was een goedkoop foldertje, de inkt zat aan zijn vingers. Hoewel folders heel wat kostten om te maken, zag je ze steeds vaker, vol boze wartaal van ontevreden burgers over dingen die Jude weinig konden schelen. Over meer verlofdagen voor mensen van boven de honderdvijftig, over stookkostensubsidie voor de armen, over beter transport. Meestal werden ze in het holst van de nacht bezorgd, maar Jude vond ze vrij nutteloos omdat er geen oproepen tot actie in stonden, geen bijeenkomsten werden georganiseerd. Misschien ging het er maar om je mening te uiten. Al verdwenen de foldertjes meestal in de vuilnisbak.

Maar deze leek iets doelgerichter. Bovenaan stond in grote letters: LANG LEVEN IS MOORD. Dat trok zijn aandacht, dus las hij verder.

Van de kliffen springen is niet de nieuwste rage, het is zelfmoord, en dat willen de Autoriteiten niet toegeven. Lang Leven is moord. En niet alleen hier. Wereldwijd is gebrek aan energie de oorzaak van ziekte- en sterfgevallen. En dat allemaal omdat het Verenigd Koninkrijk Lang Leven niet gratis wil verstrekken.

Jude fronste zijn voorhoofd. Dat was niet erg logisch. 'Dus Lang Leven is moord, maar je vindt toch dat het gratis moet zijn?' mompelde hij voor zich uit. Hij mikte het foldertje en de krant in de vuilnisbak en deed de koelkast open. De koelkast bracht hem liefjes in herinnering dat de melk en andere zuivelproducten bijna op waren, en dat hij de deur niet te lang open moest laten staan.

Hij deed de koelkastdeur weer dicht en pakte een banaan van de fruitschaal. Toen ging hij de keuken uit en naar zijn kamer, het enige vertrek in dit huis dat hij daadwerkelijk gebruikte. Gauw zette hij de computer aan. Het opstarten duurde maar een paar tellen, want hij had alle overbodige programma's eraf gegooid, en ook alle documenten die de boel konden vertragen. Zo kon hij de computer vierentwintig uur achter elkaar laten aanstaan, en daarvoor gebruikte het ding net zoveel energie als een spaarlamp. Regelmatig kreeg Jude te horen dat het tijdperk van de computer achter de rug was omdat computers energie slurpten, en dan moest hij altijd hard lachen. Het sterkte hem in zijn mening dat bejaarden dom waren, dat ze van weinig op de hoogte waren, en dat bij het klimmen der jaren de hersenen wegrotten, wat er ook werd beweerd over Lang Leven.

Hij besloot nog even gauw een blik te werpen op Pincent Pharma. Een week geleden was hij getuige geweest van een actie van de Ondergrondse, en sindsdien keek hij elke dag of er nog nieuwe ontwikkelingen waren. Maar er was nooit iets te zien, afgezien van een beveiliger die bezig was met een kruiswoordraadsel, of een vrachtwagen die voorraden voedsel kwam afleveren. Hij vroeg zich af of Peter nog binnen zou zijn. Stond hij misschien achter een van die vele ramen naar buiten te kijken?

Een poosje bleef hij naar de beelden kijken, toen surfte hij weg van Pincent Pharma en ging op zoek naar de site van de Ondergrondse. Binnen een uur had hij die gevonden, en het verbaasde hem niet dat die er een stuk minder mooi uitzag dan die van Pincent Pharma. Wat hem wel verbaasde, en wat indruk op hem maakte, was dat de site veel moeilijker te hacken was. Dat kwam vooral omdat die zo rommelig was, een beetje als los zand, met vage verbindingen en zo te zien zonder duidelijk systeem. Zonder er verder bij na te denken waarom hij het deed, zette hij door. Het duurde drie uur, maar toen was hij dan toch eindelijk binnen, langs al die codes. Hij moest langs verborgen pagina's, maar toen was hij waar hij wilde zijn.

Ineens schoot hem iets te binnen. Plotseling wist hij waarom hij al die moeite had gedaan, wist hij wat hij wilde doen.

Hij wilde er deel van uitmaken, hij wilde ze laten zien waartoe hij in staat was. Peter had zijn hele leven vertrouwd op de hulp van de Ondergrondse. Jude zou de Ondergrondse helpen. Een-nul voor hem. Ja, dacht hij opgewonden, hij ging zijn diensten aanbieden. Het zou knap stom van hen zijn als ze hem afwezen. Per slot van rekening was er bijna niets wat hij niet wist over beveiligde netwerken. Met een glimlach opende hij een chatprogramma en begon te tikken.

Jude2124: Ik kom me melden. Hieronder mijn cv. Ik sta tot jullie beschikking. Een vriend. PS Jullie zouden wel iets meer kunnen doen aan beveiliging.

Lang hoefde hij niet op een reactie te wachten.

Hold1: Jude2124, wat doe je hier? Volgens ons zit je in Londen. Klopt dat?

Jude was onder de indruk. Hij had niet verwacht dat ze hem al in drie minuten hadden kunnen natrekken. Pech, dacht hij met een lachje, maar jullie hebben een heel ander adres te pakken, ergens aan de andere kant van de stad.

Jude2124: Niet slecht. Zeg, ik heb die overval van vorige week op Pincent Pharma gezien. Als jullie interesse hebben, ik heb alles opgenomen. Misschien hebben jullie daar iets aan.

Deze keer moest hij tien minuten op een reactie wachten.

Pip: Heb je daar opnames van? Wat ben je van plan daarmee te doen?

Jude staarde naar het scherm. Was dit echt Pip of mocht iedereen daar Pips naam gebruiken tijdens het chatten? Pip was de leider van de Ondergrondse, er was een beloning uitgeloofd voor wie hem te pakken kreeg. Nee, het is vast niet de echte Pip, dacht Jude. Dat was onmogelijk.

Jude2124: Niks. Je mag ze hebben.
Pip: En wat wil je daarvoor in ruil?
Jude2124: Meestal vraag ik voor zoiets 3000 pond. Maar jullie mogen ze voor niks hebben. Ik wil me bij jullie aansluiten.
Pip: Aansluiten? Wat bedoel je daarmee?

Geërgerd fronste Jude zijn voorhoofd.

Jude2124: Ik wil met jullie meedoen. Gewoon, me verzetten tegen de vijand, tegen Lang Leven. Ik wil lid worden van de Ondergrondse.
Pip: Daar moeten we nog even over nadenken.

Dat vond Jude niet fijn om te horen. Waarom moesten ze daar nog over nadenken?

Jude2124: Nadenken? Hoezo? Hoelang?
Pip: Ben je daar nog over een uurtje?
Jude2124: Tuurlijk.
Pip: Oké. Blijf in de buurt van je computer. Je hoort nog van ons.

Jude zuchtte kwaad. Hij had gedacht dat er bij de Ondergrondse dynamische rebellen zaten, maar nu leken ze al net zo suf als de Autoriteiten met allerlei formulieren en regeltjes. Toen zijn vader nog leefde, had hij het over niets anders gehad dan over formulieren en regeltjes. Dat waren voor hem de belangrijkste dingen geweest. Hij had nooit gesnapt dat ze volslagen nutteloos waren, bedoeld om mensen zoals hij aan een baan te helpen.

Langzaam stond Jude op en liep naar het raam. Hij schoof de gordijnen een heel klein eindje opzij. Een heel uur? Hij bood hun zijn diensten aan, waarom moesten ze daarover nadenken?

Geërgerd nam hij weer plaats achter de computer en logde in bij *MyWorld*. In *MyWorld* waren geen Autoriteiten, er was geen Ondergrondse en er bestonden geen stomme regeltjes. Alleen maar sexy grieten, jonge mensen en leuke dingen om te doen. Zijn vriendinnetje zat op het bankje op hem te wachten. Hij ging naast haar zitten en vertelde over de Ondergrondse.

'Stommelingen zijn het,' zei ze met opgetrokken wenkbrauwen. 'Ze zijn je niet waard.'

'Inderdaad,' was Jude het volmondig met haar eens. 'En, jij nog iets leuks gedaan?'

Hij liet zich door zijn vriendinnetje virtueel omhelzen. Toen gingen ze hand in hand door het park wandelen.

Toen hij ineens een arm om zijn nek voelde, verstarde hij. Hij wist niet meer hoelang hij op een dekentje had gelegen terwijl hij brokjes melkchocola in zijn mond liet smelten. Op het scherm keek zijn vriendinnetje hem lachend en vol verwachting aan.

'Je wilde ons spreken,' hoorde hij een stem. 'Nou, hier zijn we dan.'

'Druk je hand plat tegen het scherm en loop dan naar voren om je blad te halen.'

Peter aarzelde. Zoals altijd wanneer hem werd opgedragen iets te doen, al was het door een apparaat, kreeg hij de neiging zich te verzetten. Maar toen deed hij toch maar wat het blikkerige stemmetje had gezegd en wachtte totdat zijn blad in het luik zou verschijnen. Hij was nu al twee weken bij Pincent Pharma, en alles was al bijna vertrouwd.

Hij pakte zijn blad en keek naar het voedsel dat daarop lag. Vandaag was er zalm met groenten, een gepofte aardappel met veel boter, een toetje en een groot glas met iets te drinken, al kon hij niet zeggen wat het was. Bij Pincent Pharma hadden ze een voedingssensor, een zeer verfijnde versie van de identiteitskaartsensoren, en die bepaalde wat iedereen die week te eten kreeg. De voedingssensor analyseerde via de handpalm welke bestanddelen die dag benodigd waren, volgens het genetisch profiel en de huidige metabolische toestand. Net zoals elke dag van de afgelopen anderhalve week toonde de analyse aan dat Peter licht ondergewicht had, en dat hij een tekort had aan verschillende aminozuren en vitaminen. Wat niet uit het voedsel kon worden gehaald, zat in het voedzame drankje.

Met een zuur lachje keek Edwards naar zijn eigen blad. Er lag een veel kleinere moot zalm op, en ook groenten, maar geen aardappel. Ook het toetje ontbrak, maar er was wel zo'n drankje.

'Ga jij maar voor,' zei hij, en hij liep achter Peter aan de enorme kantine in.

Peter vond het daar vreselijk. Het met zijn allen eten in een enorme ruimte deed hem denken aan de Centrale Eetruimte in Grange Hall, die toch een stuk kleiner was geweest. Daar hadden de Overtolligen zwijgend moeten eten, en ze moesten goed op hun tellen passen, want als ze ook maar één regeltje overtraden, zouden ze worden bestraft met een pak slaag of zoiets. Bij Pincent Pharma werden niet zulke straffen uitgedeeld. Het personeel zat rustig te babbelen, niemand at met neergeslagen ogen, en als er iets omviel, klonken er meelevende uitroepen, geen kreten van angst. En toch kreeg Peter kippenvel elke keer dat hij hier naar binnen stapte.

Aan de andere kant van de ruimte zag hij een leeg tafeltje. Toen hij daar langs al die andere tafels naartoe liep, zag hij ineens iets waardoor hij bleef stilstaan. Of nee, hij had iemand gezien. Een vrouw in een witte jas die luidkeels aan het woord was.

'Het is heel onlogisch om Overtolligen rechten te geven.

Het primaire recht van de mens is het recht op leven, en Overtolligen hebben dat recht verbeurd. Dus is het onzin te praten over andere primaire rechten of bijstand. Echt onzin.'

'Jawel, maar een Overtollige kan er zelf toch niets aan doen dat hij of zij bestaat?' merkte een man op. 'Ik bedoel, de ouders hebben die keuze gemaakt, zij hebben zich niet aan de Wet gehouden. Volgens mij is er iets voor te zeggen om een van de ouders het recht op leven te ontzeggen, zodat dat recht wordt overgedragen op de Overtollige.'

'Maar welke ouder?' vroeg de vrouw uit de hoogte. 'Hoe moet je een keuze maken? Nee, Overtolligen zijn tegen de Wet en zij moeten boeten. Het spijt me, maar iets anders zit er niet op.'

Peter stond achter de vrouw, en een voor een keken haar tafelgenoten naar hem op. Het duurde een poosje voordat ze doorhad dat ze niet naar háár keken, maar naar iets achter haar. Langzaam draaide ze zich om, en toen zag ze wat ieders aandacht had getrokken.

Toen ze Peter opmerkte, bloosde ze, maar meteen daarna rechtte ze haar rug. 'Jij bent toch Peter?' vroeg ze op kille toon.

Peter knikte.

'Nou, Peter, het spijt me als het je niet bevalt, maar dit soort dingen kunnen maar beter worden gezegd. Regels zijn regels.'

Peter knikte gespannen. Hij besefte dat hij geen stennis mocht maken, dat hij beter kon doorlopen. Maar dat was eigenlijk niet zijn stijl, ergens voor weglopen. 'Regels, hè?' zei hij. 'O, oké.'

Hij bleef staan waar hij stond.

Edwards kwam achter hem staan en legde zijn hand op zijn schouder. Vervolgens zei zijn mentor tegen de vrouw: 'Misschien verschillen de meningen daarover. Ik geloof niet dat Overtolligen zouden moeten boeten. Ze hebben er immers niet zelf voor gekozen geboren te worden.'

Dat leek de vrouw van haar stuk te brengen. 'Zo staat het niet in de Wet,' reageerde ze geërgerd. 'Het heeft niets met een mening te maken. Dat zou u toch moeten weten, tenslotte bent u wetenschapper. In de wetenschap is toch ook alles óf zwart óf wit?'

Edwards glimlachte. 'O, maar daar draait het nu juist om. Van de wetenschap leren we dat we zelden gelijk hebben. De wetenschap bewijst juist vaak dat we ernaast zitten.'

Met opgetrokken wenkbrauwen keek de vrouw hem aan. 'U bent nogal openhartig voor een wetenschapper die is gedegradeerd naar Herscholing,' merkte ze koeltjes op. 'Maar misschien bent u juist daarom gedegradeerd. Weet u, als ik u was, zou ik eerst even goed nadenken voordat u weer allemaal opruiende taal uitslaat over Overtolligen. Niet iedereen is zo tolerant als wij.'

'Tolerant?' vroeg Edwards. 'Noemen jullie jezelf zo?'

'Ja,' zei ze bits. 'Het valt me trouwens op dat de Overtollige zelf niks zegt.'

Peter omklemde het dienblad. Hij kon zich slechts met grote moeite beheersen.

'Peter is geen Overtollige,' merkte Edwards rustig op. 'Hij is hier werknemer en verdient als zodanig respect.'

'Ja, ik weet heus wel dat hij hier werkt. Daarom kwamen we op dat onderwerp.' De vrouw keek Edwards even strak aan, toen dwaalde haar blik af naar de camera in de hoek. 'We weten allemaal dat zijn moeder in de gevangenis zit,' zei ze ineens zacht. 'Weet u wel dat hij alleen maar hier is omdat zijn grootvader Richard Pincent medelijden met hem heeft?'

'Ze is mijn moeder niet,' snauwde Peter. Kwaad zette hij een stap in de richting van de vrouw. 'En het kan me geen moer schelen wie ze wel is.'

Edwards vertrok zijn gezicht en gebaarde Peter dat hij zich koest moest houden.

'Hij is hier omdat hij ons van nut kan zijn,' zei hij zacht. 'Of twijfelt u misschien aan de motieven van meneer Pincent? Het lijkt me trouwens ook niet verstandig om lelijke dingen over Peters moeder rond te bazuinen. Per slot van rekening is ze Pincents dochter.'

Weer keek de vrouw naar de camera's die overal aan de muren bevestigd zaten, en ze bloosde diep. 'Ik heb niets lelijks over haar gezegd,' merkte ze gespannen op. 'Ik wees alleen maar op de feiten. Maar u hebt gelijk, de jongen is geen Overtollige meer. Hij is vast een aanwinst voor Pincent Pharma.' Ze glimlachte zenuwachtig en wendde zich toen tot de personen met wie ze aan tafel zat.

Peter en Edwards liepen al weg toen ze de vrouw hoorden zeggen: 'Maar voor die andere ligt het heel anders. Dat meisje, bedoel ik.' Hoewel ze zacht sprak, kon Peter haar goed verstaan. 'Moeten we voor haar ook respect hebben? We hebben net iets gedaan aan al die immigranten, en nu moeten we het maar goedvinden dat Overtolligen ontsnappen en Legaal worden verklaard? Ik zou niet weten wat er te respecteren valt.'

'Let maar niet op haar,' fluisterde Edwards.

Maar Peter hoorde hem nauwelijks, zo kwaad was hij. Voordat hij het goed en wel besefte, stond hij al naast die vrouw.

'Ik wil u nooit meer over Anna horen!' zei hij met zijn gezicht vlak bij dat van de vrouw. 'Ze heet namelijk Anna. En als ik u ooit weer over haar hoor, sta ik niet voor mezelf in.'

De vrouw keek naar hem op en lachte schril. 'Nu maak je duidelijk wat ik bedoel, Peter,' zei ze hoofdschuddend. Vervolgens keek ze met opgetrokken wenkbrauwen de man naast zich aan. 'De jeugd weet van niets. Ze willen alleen maar hebben, hebben, hebben. Agressie in plaats van discussie.' Toen richtte ze zich weer tot Peter. 'Ooit kom je er misschien nog achter, maar in jouw geval kan dat weleens heel lang duren. Eens een Overtollige...' Meewarig schudde ze haar hoofd.

Peters hart ging wild tekeer. Hij had zich het liefst op dat mens willen storten. Hij had haar dolgraag duidelijk willen maken hoe het is om het etiket Overtollige opgeplakt te krijgen, hoe het is om vernederd te worden, onderdrukt te worden, vertrapt te worden totdat je wil is gebroken. Totdat je alleen nog maar dienstbaar wilt zijn, totdat je je schuld aan de samenleving wilt voldoen, totdat je smeekt om vergiffenis, alleen maar vanwege het feit dat je bestaat. Want zo had Anna zich het grootste deel van haar leven gevoeld.

Maar hij deed niets. Hij rechtte alleen zijn rug en keek weg.

'Zie je nu wel? Nu zwijgt hij stilletjes,' zei de vrouw triomfantelijk. Ze pakte haar vork en wikkelde daar spaghetti om.

Edwards probeerde Peter mee te trekken. 'Ik denk dat Peter heel veel te zeggen heeft,' merkte hij met een droog lachje op. 'Maar dit is niet het juiste moment.' Behoedzaam leidde hij Peter naar een andere tafel, een heel eind verderop.

Ze gingen zitten en aten in stilte. Toen ze bijna klaar waren, keek Peter op naar Edwards. 'Wat bedoelde ze met uw mening over Overtolligen?' vroeg hij. 'Vindt u soms niet dat Overtolligen hun schuld aan de samenleving moeten voldoen?'

Edwards legde zijn mes en vork neer en keek aarzelend om zich heen. Vervolgens boog hij zich over tafel en zei: 'Nee, Peter, ik vind niet dat Overtolligen hun schuld aan de samenleving moeten voldoen. Integendeel zelfs. Ik vind dat we bij hen in het krijt staan.' Hij sprak zo zacht dat alleen Peter het kon horen.

Op zijn hoede keek Peter hem aan. 'Echt? Waarom vinden zij dat dan niet?'

Edwards nam weer een hap en kauwde peinzend. Toen legde hij zijn vork neer. 'Peter,' zei hij, iets harder dan eerst, 'je moet een dergelijke reactie op jou niet persoonlijk opvatten. Mensen zijn altijd al bang geweest voor de jeugd. Kinderen en jonge mensen zijn bedreigend. Ze zetten vraagtekens bij van alles, ze verwerpen de dingen zoals ze zijn. Zelfs nog voor de uitvinding van Lang Leven werden tieners al gedemoniseerd door de samenleving. Ze kregen straatverboden, ze kregen de schuld in de schoenen geschoven voor het toenemende aantal misdrijven, voor alles wat er mis was. Hoe verder je van iets af staat, Peter, des te eerder ben je geneigd dat te wantrouwen. We hebben een afkeer van het onbekende, we verwerpen alles waarmee we niet bekend zijn. Mensen die een andere mening zijn toegedaan, samenlevingen die niet zo zijn als de onze. Kinderen zijn geen volwassenen, er is een hemelsbreed verschil. Jongeren spreken ouderen altijd tegen, dat ligt in hun aard.'

'Bedoelt u dat u bang voor me bent?' Peter vroeg het spottend.

'Ik zeg alleen maar dat je hen van hun stuk brengt. Ik zeg alleen maar dat als je toenadering zoekt, je geduld moet hebben. Je moet ze bewijzen dat er geen reden is om je te vrezen.'

'Maar u bent niet bang voor me.'

'Nee, Peter, ik niet,' zei Edwards met pretlichtjes in zijn ogen. 'Ik vind het leuk om te worden tegengesproken. Dat zet me aan het denken.'

Daar moest Peter even over nadenken. Na een poosje haalde hij zijn schouders op en zei: 'Ik heb geen vrienden nodig. Ik heb nooit vrienden gehad.'

'Dat betwijfel ik, Peter. Vergeet niet dat je het opneemt tegen honderd jaar van indoctrinatie, van publiciteit, een periode waarin de jeugd zich niet liet zien,' zei Edwards ernstig. 'Je kunt niet verwachten dat ze je meteen zullen begrijpen.'

'Ik wil helemaal niet begrepen worden,' reageerde Peter kwaad. 'Ik wil dat ze ons met rust laten. Ik wil alleen maar met rust worden gelaten!'

6

Een zweetdruppeltje gleed over Judes voorhoofd naar zijn oog. Gauw schudde hij het weg. Hij had zich vaak voorgesteld hoe het zou zijn om te worden opgepakt, in de cel gegooid en gemarteld te worden. Hij kon zich de adrenaline voorstellen die door zijn lijf stroomde, de angst die hij zou voelen. Hij had zijn vader gevraagd naar de marteltechnieken van de Autoriteiten, en hij had zijn vader niet geloofd toen die beweerde dat er niet werd gemarteld.

Maar nu, terwijl hij met zijn handen op de rug gebonden op zijn stoel zat, stroomde de adrenaline niet door zijn lijf. Hij voelde alleen maar angst en wanhoop. Hij deed zijn uiterste best daar niets van te laten merken. Zo gemakkelijk kregen ze hem niet klein.

'Interessant systeem heb je hier.' De man die dat zei, was van gemiddelde lengte. Achter hem stond nog iemand, een man met een ongeschoren gezicht, warrig haar en doodgewone kleren aan. Toch had Jude hem onmiddellijk herkend. Aan zijn ogen, zo felblauw, en met zo'n doordringende blik dat het zowel beangstigend was als geruststellend. Die ogen had hij op foto's gezien, hij had erover horen praten, en ook over de man van wie die ogen waren. Dit was Pip, de man die overal werd gezocht. Pip, aan wie geheime krachten werden toegeschreven, van wie door degenen die complottheorieën aanhingen werd gezegd dat hij voor de Autoriteiten werkte om rebellen op te sporen. De man die het al jarenlang was gelukt op vrije voeten te blijven.

'Je bent hiernaartoe gekomen?' vroeg Jude met een piepstemmetje, nadat hij een paar keer zijn keel had moeten schrapen. 'Je bent zomaar hiernaartoe gekomen?'

'Ja, zomaar,' antwoordde Pip. 'Had je ons dan niet verwacht?'

Jude slikte iets weg. 'Ik had jou hier niet verwacht,' zei hij. 'Ik heb je gezicht vaak genoeg gezien. Ik bedoel, en nu sta je ineens hier, in mijn kamer...'

De andere man grinnikte. 'Hij heeft gelijk. Hij heeft ons gezicht gezien, dus nu moeten we hem maar omleggen.'

Jude verbleekte. Toen kwam hij weer tot zichzelf. 'Zeg, ik sta aan jullie kant, hoor. Ik ben de vijand niet!'

'En aan wiens kant sta je dan, Jude?' vroeg Pip. Zijn zachte stem had iets hypnotiserends.

Weer schraapte Jude zenuwachtig zijn keel. Hij wilde dolgraag Pips goedkeuring, hij wilde worden geaccepteerd, maar hij was ook bang. 'Jullie zijn van de Ondergrondse,' zei hij. 'Van het verzet.'

'Vrijheidsstrijders, hè? En waar strijden we dan precies voor?' Pip glimlachte, en dat vond Jude nog beangstigender.

'Jullie zijn toch tegen Lang Leven? Tegen bejaarden?' Zijn stem trilde een beetje.

'Tegen bejaarden.' De lach op Pips gezicht verbreedde zich. 'Interessant. En waarom wil je je bij ons aansluiten?'

Onzeker keek Jude naar hem op. 'Ik dacht dat jullie wel blij zouden zijn met mijn hulp.'

'Hoe oud ben je?' Toen Pip zich naar Jude toe boog, kon die zijn adem op zijn gezicht voelen.

'Oud genoeg.' Hij moest echt zijn best doen om niet te gaan jammeren.

Plotseling trok Pip zich terug, en toen zei de andere man: 'Wie heeft je geleerd te hacken?'

Jude ontspande een beetje. Dit was bekend terrein. Over hacken kon hij uren praten. 'Ik heb het mezelf geleerd. Toen ik klein was, kreeg ik een computer, en toen...'

'Mooi huis,' viel de man hem in de rede. 'Groot voor iemand in z'n eentje.'

Hier was Jude niet op bedacht geweest. 'Het was van mijn moeder, ze...'

'En jij bent Legaal,' viel de man hem alweer in de rede.

'Als ik dat niet was, zouden de buren me wel hebben aangegeven, toch?'

De man, zich bewust van Judes sarcastische toon, keek hem koeltjes aan en ging toen zo dicht bij Jude staan dat hun neuzen elkaar bijna raakten. 'Je vindt jezelf heel slim, hè? Maar weet je, wij vinden het niet zo fijn als we worden gehackt. Dat kan sporen achterlaten.'

'Ik heb geen sporen achtergelaten,' protesteerde Jude. 'Dat doe ik nooit.'

'En toch wisten we je te vinden,' zei Pip zacht. 'Iedereen laat een spoor achter, of hij dat nu wil of niet.'

Jude werd knalrood. Blijkbaar had hij iets verkeerd gedaan met de proxyverbinding. Stom.

'Je bent niet naar Zuid-Amerika gegaan. Waarom niet?'

Met open mond keek Jude Pip aan. 'Hè?'

'Toen je moeder ging, had je mee kunnen gaan.'

'Hoe weet je...' Judes stem stierf weg. 'Dus jullie weten wie ik ben. Waarom stellen jullie me dan al die vragen?'

Pip glimlachte. 'We horen het graag uit de eerste hand.'

Jude slaakte een zucht. 'Ik had echt geen zin om de halve wereld over te reizen,' zei hij. 'Trouwens, ik vond die nieuwe echtgenoot van haar ook niks.' Terwijl hij dat zei, rees het beeld van zijn moeder voor hem op. Gauw drukte hij dat weg. Hij gaf niets om haar. Het kon hem niets schelen dat nadat zijn vader was gestorven, ze met die engerd naar Zuid-Amerika was vertrokken. Hij kon best voor zichzelf zorgen.

'Dus zo ziet je nieuwe leven eruit. Hacken en bedrijven chanteren.' Dat zei de andere man.

Verontwaardigd zei Jude: 'Ik chanteer niemand, ik bied mijn diensten aan. Ik hack om ze te laten zien dat hun netwerk niet goed is beveiligd.'

'Niet goed beveiligd tegen lui zoals jij?'

Jude hield zijn mond maar. Dit ging helemaal niet zoals hij had gedacht.

'Laat me die opnamen zien,' zei de man. 'Nu.'

Jude liet het laatje van de dvd openschuiven en gaf de man het schijfje.

'Is dit de enige?'

'Uhhuh.'

'Als we erachter komen dat je kopieën hebt gemaakt, zul je het berouwen.'

Veel minder zelfverzekerd dan normaal vroeg Jude met hese piepstem: 'Heb ik nu een plaatsje bij jullie verdiend? Ben ik geslaagd voor de test?' Hoopvol keek hij op naar Pip.

'Test?' vroeg Pip lachend. Hij liep naar de deur. 'Dit is geen examen. We slagen nergens voor, we doen alleen ons best onze plannen te laten slagen.' Hij draaide zich nog even om. 'Je mag zelf je pad bepalen. Misschien leidt dat je naar ons. Hoe dan ook, ik vermoed dat we elkaar nog weleens zullen treffen. Wees ondertussen voorzichtig, Jude. Heb je ooit van Icarus gehoord?'

Jude knikte heftig, in de hoop dat deze kennis Pip op andere gedachten zou kunnen brengen. 'Tuurlijk. Vlieg nooit te hoog, te dicht bij de zon.'

Pip knikte en liep vervolgens tot Judes grote teleurstelling de kamer uit. 'Zorg dat je je vleugels niet verbrandt, Jude,' zei hij nog waarschuwend.

Edwards roerde het incident in de kantine niet meer aan. In het lab leerde Peter alles over enzymen en hun rol in het lichaam, en Edwards ging verder met zijn onderzoek. Stilletjes werkten ze gestaag door, ze zeiden alleen iets tegen elkaar wanneer dat strikt noodzakelijk was.

Maar later die middag riep Edwards hem bij zich.

'Peter, kom eens kijken?' Edwards keek op van de enorme

microscoop waarover hij gebogen zat en maakte plaats voor Peter, zodat die kon kijken.

Langzaam drentelde Peter naar Edwards toe en keek.

'Wat zie je?'

Peter haalde zijn schouders op. 'Kweenie,' zei hij achteloos. Hij was nog steeds kwaad, en hij had niets of niemand om zijn woede op te richten.

'Kijk nog eens goed,' spoorde Edwards hem aan. 'Misschien moet je de lens anders instellen om het goed te kunnen zien.'

Tegen zijn zin keek Peter nog eens, en hij gaf zijn ogen de tijd om te wennen aan het sterk vergrote beeld.

'Zie je de cel?' vroeg Edwards. 'Je zou de kern moeten kunnen zien.'

Peter keek naar het bijna doorzichtige rondje dat een paar duizend keer werd vergroot. Toen hij nog eens goed keek, viel het hem op dat het eigenlijk twee rondjes waren. Het kleine links had een duidelijke donkere kern, en het rechterrondje was iets groter. Hij knikte.

'Beschrijf wat je ziet.'

'Het is een transparante blob. Eh...' Peter keek naar de linkse terwijl hij zich afvroeg hoe hij die moest beschrijven.

'De vorm?'

'O, rond. Nee, een beetje langwerpig, met een onregelmatige rand.'

'Heel goed. En nu de kleur. Zie je een kleur?'

Peter fronste zijn voorhoofd. 'Gelig,' zei hij. 'Een beetje gelig. Donkergeel.'

'Ziet het er gezond uit?'

'Dat weet ik niet, ik heb niet geleerd hoe...'

'Wat je hebt geleerd, doet er nu niet toe. Vind jij dat het er gezond uitziet? Zeg maar wat je denkt.'

'Nee, eigenlijk niet. Het ziet er vermoeid uit.'

'Heel goed,' reageerde Edwards bemoedigend. 'Vermoeid is

goed uitgedrukt. En kijk nu eens naar wat er gebeurt als ik dit doe?'

Peter zag een lang, glazen instrument in beeld verschijnen. Er kwam een druppeltje uit, op het kleine, ziekelijke rondje. Toen verdween het instrument weer. Meteen veranderde het blobje. Het was niet langer gelig, maar werd kleurloos en doorschijnend. De randen werden glad, en in het midden werd een kern zichtbaar, net een eierdooier, maar dan ook kleurloos en heel helder. Het hele proces had slechts een paar tellen geduurd.

'Dat,' zei Edwards ademloos, 'is nou Vernieuwing.'

'Vernieuwing,' herhaalde Peter toonloos.

'Ja, Peter. Vernieuwde cellen, als herboren. Lang Leven zorgt er niet voor dat oude cellen langer meegaan, het maakt ze weer jong. Dat is het wonder, Peter, daar draait het allemaal om. Je hebt het nu met eigen ogen gezien. Cellen die als herboren zijn, die in een paar tellen terugkeren tot hun oorspronkelijke staat. Indrukwekkend, hè?'

'Ik dacht dat u aan de kant van de Overtolligen stond. Ik dacht dat u gesteld was op jongeren,' mompelde Peter.

Een hele poos keek Edwards hem aan, toen zei hij zacht: 'Peter, er bestaat een groot verschil tussen een vinding en wat ermee wordt gedaan. Het Lang Leven-medicament, het proces van Vernieuwing, dat zijn zo'n beetje de opwindendste uitvindingen die ooit zijn gedaan. Het is prachtig in zijn eenvoud. Overtolligen hebben met de politiek van de Autoriteiten te maken. Die twee dingen hebben niets met elkaar gemeen.'

'En toch bestaat er een verband,' merkte Peter op. Hij ontmoette Edwards' blik, en die vertrok zijn gezicht een beetje. Vervolgens richtte hij zijn blik weer op de microscoop. 'Dus het werkt met alle cellen? Waarom zijn er dan nog mensen met rimpels?'

'Het werkt het best met organen,' zei Edwards na een korte stilte. 'Andere cellen kunnen ook vernieuwen, maar alleen in kweekbakjes, niet in het lichaam zelf. Vooral de huid is erg lastig. Maar organen zijn belangrijker, organen houden ons in leven.'

Peter bleef nog een poosje turen, en toen hij opkeek, vroeg hij: 'Mijn cellen lijken zeker op die kleurloze, toch?'

Edwards knikte. 'Inderdaad, jong, dynamisch en gezond.'

'De natuur maakt ook nieuwe cellen aan. Maar dan door nieuwe mensen te maken, niet door oude te vernieuwen.'

Edwards glimlachte flauwtjes. 'Jawel, maar wat je hier ziet, is de kracht van de natuur die wordt aangewend.'

'En dat vindt u wel goed.' Peter keek even naar de microscoop, en vervolgens naar Edwards om diens reactie te zien. 'U hebt nooit kinderen gewild.' Het was een vaststelling van een feit, geen vraag.

Toch deinsde Edwards achteruit, en onwillekeurig vloog zijn blik naar de camera's aan het plafond. 'Kinderen? Ik? Nee, die heb ik nooit gewild. De wetenschap is mijn kindje, daar heb ik al mijn energie in gestoken, al mijn tijd.'

'Wetenschap?' Het kwam er ongeloviger uit dan Peter bedoelde.

Edwards haalde zijn schouders op. 'Jaren gelegen werd er gesproken over het wonder van de geboorte, het wonder van nieuw leven. Maar dat wonder zie ik dagelijks gebeuren: het wonder van Vernieuwing, van het herboren worden. En volgens mij is het veel veiliger dan nieuw leven. Kinderen zijn veeleisender dan de wetenschap. Ze maken je tot hun slaaf, ze beroven je van je vrijheid.'

Peter keek weg. Kinderen waren inderdaad veeleisend. Anna besteedde veel meer tijd aan Ben dan Peter had gedacht, Ben maakte haar moe door altijd aandacht te vragen. Maar dat was nog geen reden om maar geen kinderen te krijgen. Kinderen waren de toekomst. Toch?

'Wat ik je probeer uit te leggen, Peter,' ging Edwards zacht verder, 'is dat de natuur en Lang Leven elkaar niet hoeven uit te sluiten. De mens kan zich uitstekend aanpassen aan nieuwe situaties.'

Daar moest Peter even over nadenken. Hij had Lang Leven nooit beschouwd als iets moois, iets wonderbaarlijks. Hij had gedacht dat er bij Pincent Pharma alleen maar mensen zouden rondlopen zoals die vrouw in de kantine, geen bedachtzame en aardige personen zoals Edwards. Toen vermande hij zich. Hij had hier een taak en die ging hij volbrengen.

'Dus zo werkt het,' zei hij terwijl hij zich over de microscoop boog. 'Maar hoe dan? Wat zat er in die vloeistof die u op de cellen druppelde? En wat gebeurt er in die vloeistof? Ik bedoel, Lang Leven zijn toch tabletten? Hoe maken jullie tabletten van die vloeistof?'

'Nog meer vragen... Waarom wil je dat allemaal weten?' klonk een stem.

Geschrokken draaide Peter zich om en zag zijn grootvader een eindje bij hen vandaan staan.

'Door vragen wordt men wijs,' zei Edwards.

Richard Pincent haalde zijn schouders op. 'Er is tijd genoeg om te studeren,' merkte hij luchtig op. 'Want tijd hebben we in overvloed. Zo is het toch, Peter?'

Niet op zijn gemak knikte Peter maar.

'Tenminste, als je de Wet ondertekent,' ging zijn grootvader verder, zijn blik strak op Peter gericht. 'En dat ben je toch van plan?'

Peter schraapte zijn keel. In Pips dossier had gestaan dat hij deze vraag kon verwachten. Hij moest zeggen dat hij zou tekenen. Maar nu hij tegenover zijn grootvader stond, kon hij dat niet zeggen, wilde hij dat niet zeggen.

'Dat was ik niet van plan,' zei hij.

'Aha.' Zijn grootvader knikte, en in zijn ogen verscheen een duistere blik. 'In dat geval moet je maar eens met me meekomen.'

7

In stilte liep Peter achter zijn grootvader aan door de gang. Hij deed zijn best niet te letten op zijn bonzende hart. Met de lift gingen ze naar de derde verdieping, waar alleen een paar beveiligers rondliepen. Het was er luxueus, en de dikke deuren waren allemaal voorzien van zware sloten.

'Dit is mijn werkkamer,' zei zijn grootvader eindelijk. Hij toetste een code in, en de forse deur zwaaide open. 'Elke dag een andere code,' zei zijn grootvader, die Peter had zien kijken. 'Beste beveiliging van de wereld.'

Peter knikte zwijgend, en toen hij om zich heen keek, smoorde hij net op tijd een verwonderde kreet. Nog nooit had hij zo'n luxueus ingericht vertrek gezien. Op de glanzende vloer lagen dikke tapijten, het plafond was zo hoog dat drie kerels op elkaars schouders konden staan, en overal brandde licht. Er waren lampen in het plafond, er waren staande lampen, schemerlampen, verlichting in de kasten en vloerverlichting. Het was er ook warm, want in de enorme open haard knapperde een vuurtje. Meteen stelde hij zich Anna voor die opgekruld voor het haardvuur lag te lezen. Dat zou ze echt fijn vinden, dacht hij verbitterd. Maar wat vooral zijn aandacht trok, datgene wat het vertrek nog ruimer maakte, was het uitzicht. Het uitzicht over de rivier, over Londen. Achter het bureau van zijn grootvader was een enorm raam, en ongelooflijk genoeg kon dat nog open ook, iets wat zijn grootvader trots liet zien.

'Hier doen we alles anders, Peter,' zei hij met fonkelende ogen. 'De regels waaraan anderen zich moeten houden, gelden niet voor ons.'

Peter schraapte zijn keel. Hij deed zijn best een ontspannen indruk te maken, vol zelfvertrouwen, maar eigenlijk was hij heel erg bang. Hij was bang dat hij zou worden weggestuurd bij Pincent Pharma nog voordat hij iets voor de Ondergrondse had kunnen doen. Hij was bang dat zijn gevoelens het zouden winnen van zijn verstand, en dat zou reuzestom zijn.

'Nou, Peter,' zei zijn grootvader terwijl hij plaatsnam achter zijn grote bureau van mahoniehout. 'Hoe gaat het?' Hij gebaarde dat Peter moest gaan zitten op de stoel voor het bureau.

Op zijn hoede keek Peter hem aan en forceerde een glimlachje. 'Prima. Het gaat prima.'

Richard Pincent knikte. 'Fijn. Goed zo.' Hij leunde naar achteren.

Peter had nieuwsgierig rondgekeken, maar nu sloeg hij zijn ogen neer. Anna had gezegd dat hij moest oppassen omdat mensen vaak bang werden voor die blik in zijn ogen, dat ze zich dan niet op hun gemak voelden en zich tegen hem zouden keren.

'Je hebt dus besloten de Wet niet te ondertekenen,' ging Richard Pincent verder.

Peter beet op zijn lip. 'Nou, eigenlijk heb ik nog niks besloten,' reageerde hij. Zijn mond voelde droog. 'Ik moet er nog over denken.' Vanbinnen wist hij dat hij het goed deed, maar alleen al bij de gedachte dat hij zijn handtekening moest zetten, voelde hij zich onpasselijk.

'Peter, mag ik je het verhaal van Lang Leven vertellen?'

Even keek Peter op. 'Dat verhaal ken ik al,' flapte hij eruit. 'Ik heb de film gezien.'

Even keek zijn grootvader hem peinzend aan. 'Wil je me een plezier doen, Peter? Het duurt niet lang.'

Snel knikte Peter. Hij kon zichzelf wel slaan.

'Het verhaal van Lang Leven,' zei zijn grootvader. Hij stond op en liep naar het gigantische raam. 'Het begint allemaal duizenden jaren geleden, toen de eerste mensen de wereld gingen bevolken.'

Peter richtte zijn blik op het enorme raam. Hij keek naar de horizon, naar de gebouwen aan de overkant van de rivier, naar de rivier zelf. Ergens daarbuiten waren zijn vrienden, ergens daarbuiten waren de andere leden van de Ondergrondse, zijn kameraden. Zij waren buiten en ze vertrouwden op hem, net zoals Anna indertijd in Grange Hall op hem had vertrouwd. En net zoals toen wilde hij niemand teleurstellen.

'Zodra de mens leerde communiceren en werktuigen te vervaardigen, begon de strijd tegen de dood. De mens leerde zichzelf te beschermen tegen roofdieren en gebruik te maken van de omgeving. Door al deze ontdekkingen verlengde hij zijn leven. Maar dat was niet voldoende, Peter.'

Ernstig knikte Peter. 'Nee?'

'Nee. Want de mens vreesde nog steeds de dood. De mens was bang te verdwijnen in het niets, de mens was bang dat in de dood zijn leven onbelangrijk zou worden. En dus zocht hij naar middelen tegen wat een einde aan zijn leven kon maken: ziekte. Lang Leven is niet zomaar uit het niets ontstaan, Peter, het is gewoon de nieuwste ontdekking in een lange rij ontdekkingen: antibiotica, vaccinatie, röntgenonderzoek, zelfs betere hygiëne. Al die dingen waren in staat het leven van de mens te verlengen. Als je Lang Leven afwijst, waarom wijs je dan niet alle medicatie af? Als de natuur de beste middelen verstrekt, zou een verbandje, een ontsmettend middel, welke ingreep dan ook moreel verkeerd zijn, onnatuurlijk.'

Peter werd knalrood. 'Ik heb niet... Ik bedoel, ik wijs Lang Leven niet af, ik heb alleen maar nog niets besloten.'

Ongeduldig keek zijn grootvader hem aan. 'Neem dan een besluit, Peter,' zei hij. Het kwam er een heel klein beetje dreigend uit. 'Neem een besluit, Peter. Kies voor het leven. De mens is altijd al op zoek geweest naar het eeuwige leven. In religie, in filosofie. En jij krijgt het aangeboden op een presenteerblaadje.'

'Religie?' Peter fronste zijn wenkbrauwen.

'Je zult wel weinig over religie weten, Peter. Tegenwoordig heeft de mens dat niet meer nodig,' reageerde zijn grootvader. 'Maar vroeger hechtte de mens veel waarde aan het idee van een god. Of goden. Grote denkers hebben urenlange discussies gevoerd over subtiele verschillen tussen verscheidene godsdiensten. Ze beweerden dat het geloof in een hoger wezen, in een leven na de dood, in verlossing, de mens boven de dieren plaatste. Dat het hem bijzonder maakte, beter. Landen waarvan de bewoners verschillende geloven aanhingen, voerden oorlog met elkaar, ook wanneer die verschillen minimaal waren, en we ze tegenwoordig lachwekkend zouden vinden. Maar godsdiensten waren gebaseerd op de gedachte dat de mens feilbaar is, dat de mens moet sterven. Alleen goden leven voor eeuwig. Alleen het geloof kon de mens hoop bieden op verlossing en een soort leven na de dood. Nu hebben we zelf het eeuwige leven bereikt. Peter, we zijn onze eigen goden geworden. Lang Leven maakt de mens machtiger dan hij ooit heeft durven dromen.'

Peter schraapte zijn keel. 'Ik heb gehoord,' zei hij op zijn hoede, 'dat godsdienst is onderdrukt door de Autoriteiten, omdat de religieuze leiders het niet eens waren met Lang Leven.'

Er verscheen een duistere blik in de ogen van zijn grootvader.

Peter kon zichzelf wel voor het hoofd slaan omdat hij alweer had gezegd wat hij dacht.

'Het is waar dat de religieuze leiders Lang Leven hebben veroordeeld,' sprak zijn grootvader bars. 'Maar waarom denk je dat dat was, Peter? Dat zal ik je vertellen. Omdat ze hun macht en invloed wilden behouden. Denk je dat de mensen het missen als ze niet meer wordt gezegd wat ze moeten doen, als ze niet meer worden aangemoedigd om anderen te wantrouwen omdat die in een andere god geloven? Denk je dat de mensen de corruptie missen, de volkerenmoord, de oorlogen, de terroristische aanslagen uit naam van de een of andere god? Denk je dat ze blij zijn dat ze hiervan zijn bevrijd? Dat ze hun eigen beslissingen kunnen nemen?'

Peter zei niets.

Zijn grootvader lachte triomfantelijk. 'Persoonlijk ben ik religie uiteraard dankbaar,' zei hij luchtig. 'Weet je, vroeger lagen we op wetenschappelijk gebied achter op de Verenigde Staten. Iedereen verwachtte dat de wetenschappers daar met iets als Lang Leven zouden komen, niet dat het hier zou worden uitgevonden. Maar de religieuze leiders daar verboden stamcelonderzoek. Ze verboden het! Ongelooflijk, hè? Dus konden ze geen onderzoek meer doen, en wij namen het stokje over. En je weet hoe dat is afgelopen.'

Peter fronste zijn wenkbrauwen. Hij was in verwarring gebracht, hij wist niet wat hij moest zeggen. 'Vroeger waren er jonge mensen,' zei hij uiteindelijk. 'En nu niet meer.'

Zijn grootvader knikte. 'Daar heeft de mens voor gekozen, Peter. Men stond voor moeilijke keuzes, en deze was onvermijdelijk. Maar is het nu echt zo erg?' Hij schudde zijn hoofd. 'De jonge mensen over wie jij het hebt, hadden niets. Geen hoop, geen vooruitzichten. Ze gingen de misdaad in om brood op de plank te hebben, Peter. Ze terroriseerden de samenleving.'

Hij liep terug naar zijn bureau en leunde eroverheen, zodat zijn gezicht vlak bij dat van Peter kwam. 'En toen werd Lang Leven uitgevonden. Een wonder, Peter. Het geheim van het eeuwige leven.'

Peter haalde diep adem. 'En de natuur dan?'

'De natuur?' Vol afkeer schudde zijn grootvader zijn hoofd. 'De natuur is onze vijand, Peter. Die is altijd onze vijand geweest. De natuur heerste over de mens, die deed ons sterven, die verzwakte ons lichaam met kankergezwellen, die doodde vrouwen tijdens de bevalling, die veroorzaakte besmettelijke ziekten waardoor de bevolking van hele steden werd uitgeroeid. Dat zijn allemaal gaven van de natuur, Peter. De natuur is geen vriend van de mens.'

'En Lang Leven is dat wel?' vroeg Peter onzeker.

'Nou en of. Lang Leven is ontwikkeld om ons te redden, Peter,' antwoordde zijn grootvader op ernstige toon. 'Stel je eens voor dat Anna op sterven lag. Zou je haar dan geen Lang Leven willen geven? Zou je haar leven niet willen redden? Nou?'

Het duurde een poosje voordat Peter antwoord gaf. 'Ik... ik weet het niet,' stamelde hij. Terwijl hij dat zei, besefte hij dat dat de waarheid was. Toen drong het tot hem door dat dit een strikvraag was geweest. Iemands leven willen redden, wilde nog niet zeggen dat Lang Leven deugde.

'Nee,' merkte zijn grootvader met een glimlach op. 'Dat weet je uiteraard niet. Weet je, niets is helemaal zwart of helemaal wit. Er is een groot grijs gebied. Misschien wil je daar nog eens over nadenken voordat je je leven vergooit vanwege een verloren zaak.'

Zodra Peter weg was, pakte Richard de telefoon en toetste Adrians privénummer in.

'Adrian,' zei hij zodra er was opgenomen, 'hoe staat het met de onderzoeksbeurzen?'

'Beurzen?'

Richard fronste zijn voorhoofd. Dit was een vrouwenstem. 'Neem me niet kwalijk, ik dacht dat dit het nummer was van Adrian Barnet.'

'Dat was het ook. Maar nu is het mijn nummer. Ik ben Hillary Wright, de nieuwe vicesecretaris-generaal.'

Dat moest Richard even laten bezinken. 'En Adrian dan?'

'Adrian is overgeplaatst.'

Richard knikte. 'Gefeliciteerd met uw nieuwe baan,' zei hij joviaal. 'U spreekt met Richard Pincent. Van Pincent Pharma.'

'Dat dacht ik al.'

Het klonk niet koel, eerder geamuseerd. In elk geval niet

onder de indruk. De nieuwe vrouw, dacht hij geërgerd. De eerste generatie vrouwen die geen kinderen kregen, die hun carrière niet op een zijspoor hoefden te zetten, die geen moeilijke keuze hoefden te maken tussen ambitie en moederschap.

Het voor zich winnen van vrouwen was van het grootste belang geweest voor het succes en legaliseren van Lang Leven. Zoals te verwachten viel, waren de Autoriteiten er niet in geslaagd het vrouwelijk deel van de bevolking over de streep te trekken, dus had Richard spindoctors moeten gebruiken, voorlichters die overal een draai aan wisten te geven, de gewiekste die er maar te vinden waren, die op een machiavellistische manier de inwoners van het Verenigd Koninkrijk voor zich hadden gewonnen, en vervolgens de wereldbevolking. Er werd een slogan bedacht: BEVRIJD VAN DE SLAVERNIJ VAN HET OPVOEDEN, en die werd afgevuurd op vrouwen. Vrouwelijke academici van naam werden binnengehaald om Lang Leven aan te prijzen, om Lang Leven te presenteren als de ultieme triomf van de vrouw, het middel dat de emancipatie eindelijk in hun voordeel zou beslechten. Deze strategie was een groot succes, en algauw richtten de vrouwen die geen kinderwens meer hadden, hun aandacht op de werkplek. De vrouwelijke generatie van na Lang Leven kende geen glazen plafond meer. Ze kwamen in de bestuurskamer te zitten, sommigen namen het bedrijf over, ze stonden aan het hoofd van ministeries, en niemand vond dat nog opmerkelijk. Niemand behalve Richard. Hij voelde zich niet op zijn gemak bij dit soort vrouwen. Zijn eigen generatie noemde hen keihard, en dat kon Richard beamen. Deze keiharde vrouwen kenden de regels niet die onder heren gangbaar waren. Het was lastiger hen om te kopen, ze gaven minder gauw toe. Hij moest erg voorzichtig zijn.

'Nou, ik zou het prettig vinden als u een keer een bezoekje brengt aan het laboratorium. Ik leid u met alle plezier rond,' zei hij koeltjes.

'Och ja,' reageerde Hillary. 'Ik vroeg me af of u me misschien wilt vertellen wat u bedoelde met die beurzen. U wilt toch zeker niet iets onofficieels regelen?'

Dat stak Richard. 'Natuurlijk niet,' zei hij snel. 'Mijn verontschuldigingen, ik dacht dat ik het tegen Adrian had.'

'U hebt het met Adrian over onderzoeksbeurzen gehad?'

'Nee,' zei hij. De woede borrelde in hem op. 'Ik wilde hem vragen contact te leggen met de afdeling die daarover gaat.'

'O. Ik begrijp het.'

Richard voelde een zweetdruppeltje over zijn rug glijden.

'Hoe is het met uw kleinzoon?' vroeg Hillary verder.

'Met Peter? O, goed. Heel goed zelfs.'

'Dat doet me deugd. Toevallig kwam hij gisteren nog ter sprake,' reageerde ze. 'We dachten dat het een goed idee zou zijn om een persconferentie te beleggen. Over Peter Pincent die bij Pincent Pharma de Wet ondertekent. Zoiets. Dat zou mooi aantonen dat hij geen banden meer heeft met de Ondergrondse.'

Richard schraapte zijn keel en boog toen zijn hoofd naar achteren om goed te kunnen nadenken. Hij had het leven altijd beschouwd als een schaakspel, ook menselijke betrekkingen. Je moest drie zetten vooruit denken, je moest anderen gebruiken en altijd gespitst zijn op winnen. Het ging om winnen. Meestal kende hij zijn tegenstander, maar nu had hij zich op onbekend terrein begeven.

'Een persconferentie?' herhaalde hij langzaam. Hij ging rechtop zitten om een dominante indruk te maken, al was het maar op zichzelf. 'Interessant idee. Maar niet iets waartoe we onbesuisd moeten besluiten.'

'Onbesuisd?' vroeg Hillary toonloos. 'Nee, we doen niets onbesuisd. Maar ik begrijp dat een kopie van de Wet binnenkort zal worden toegestuurd aan Peter. En aan het meisje. De Autoriteiten zetten daar haast achter opdat alles eindelijk in kannen en kruiken is. Omdat ik er niet aan twijfel dat uw kleinzoon zal tekenen, kun je het niet onbesuisd noemen. Volgende week leek ons wel geschikt. Wilt u het misschien regelen?'

'Volgende week?' Het bloed trok weg uit Richards gezicht.

'Volgende week,' bevestigde Hillary kortaf. 'En er is nog iets. Volgens Adrians aantekeningen is de nieuwe versie van Lang Leven, Lang Leven 5.4, eindelijk klaar om te worden gelanceerd. Klopt dat?'

Richard, die nog niet had verwerkt dat Peter geacht werd de Wet over een week te tekenen, waar de media bij waren, knikte afwezig. 'Lang Leven 5.4,' zei hij. 'Ja, dat klopt. Maar we noemen het liever Lang Leven Plus. Lang Leven, maar dan beter.'

'Aha,' reageerde Hillary. 'De Autoriteiten zouden graag zien dat het op de markt werd gebracht.'

'We kunnen Lang Leven Plus lanceren op het moment dat Peter de Wet tekent. Maar dan zou volgende week te vroeg zijn, vrees ik. Er moeten nog een paar onderzoekjes worden gedaan, er zijn nog wat kleine details... Misschien volgende maand?'

'Uitgesloten. Volgens Adrians aantekeningen is de testfase al afgesloten. Maar ik vind het wel een goed idee om die twee dingen te combineren. Zullen we dan maar een datum prikken? Welke dag komt u volgende week goed uit?'

'De testfase is inderdaad afgesloten,' merkte Richard koeltjes op. 'Maar er zijn nog een paar dingen die nader moeten worden bekeken.'

'Dan kondigen we de lancering vast aan,' zei Hillary.

'We?'

'Ja, we. Per slot van rekening is de ontwikkeling van dit medicament mogelijk gemaakt door de licentie van de Autoriteiten. En de Autoriteiten hebben Peter de status van Legaal verleend.'

Richard werd helemaal warm. Niemand mocht Richard

Pincent zo voor het blok zetten. Niemand. 'Niemand heeft Peter de status van Legaal verleend,' merkte hij kortaf op. 'Het was een leven voor een leven. De Autoriteiten hadden geen andere optie. Volgende week is te snel. Ik heb meer tijd nodig.'

Er viel een stilte, toen dacht hij dat hij Hillary hoorde zuchten.

'Er is geen tijd,' zei ze iets minder strijdlustig. 'Over twee weken begint het Wereldenergieforum. De aankondiging moet voordien plaatsvinden, zodat we druk kunnen uitoefenen.'

Eindelijk had Richard een zwakke plek gevonden. En dus kon hij het spel naar zijn hand zetten. 'U bedoelt dat u Pincent Pharma nodig hebt om tijdens het forum druk te kunnen uitoefenen op de onderhandelingen?'

'U hebt mij nodig om het medicament te laten goedkeuren. Om uw werkwijze te laten goedkeuren.'

Even zweeg Richard. Toen herhaalde hij: 'Onze werkwijze?'

'Adrians aantekeningen zijn uiterst leerzaam. Ik hoop dat je je niet gaat verzetten tegen de wet op de bescherming van Overtolligen, Richard. Je weet toch dat de Autoriteiten niet gediend zijn van bedrijfscriminaliteit?'

Richard hapte naar adem. De wet op de bescherming van Overtolligen was als zoethoudertje voor de liberalen bedoeld toen de Overtolligenhuizen werden opgericht. Iedereen snapte dat het niks om het lijf had. Het behelsde nauwelijks meer dan een vragenlijst en een paar maatregelen die niemand toepaste. Maar er moest nog wel over worden gestemd. Als Hillary dat wilde, kon ze eisen dat alle voorschriften werden opgevolgd. Plotseling drong het tot hem door dat ze op een patstelling afstevenden. En daar hadden ze geen van beiden iets aan. 'Misschien kunnen we toch samenwerken, Hillary,' zei hij op zijn hoede. 'Een vooraankondiging kan misschien geen kwaad.'

'Volgende week? Wanneer Peter de Wet tekent?'

'Volgende week.' Richard glimlachte zuur. 'Vrijdag. Ik regel een persconferentie laat in de middag, en misschien kun jij dan eerder die dag komen om het productieproces met eigen ogen te aanschouwen.'

'In orde,' reageerde Hillary kortaf. 'Ik neem nog contact op.'

Richard verbrak de verbinding en wachtte even voordat hij een ander nummer intoetste. 'Je moet iets voor me doen,' zei hij nadat Derek Samuels had opgenomen. 'Je weet toch hoe de berichtjes van de Ondergrondse eruitzien? Er moet er zo eentje worden verstuurd. En het moet heel overtuigend zijn. Kun je dat regelen? Mooi zo. Ik dicteer je wat erin moet staan, dus luister goed.'

Met bonzend hart dicteerde hij de tekst, vervolgens legde hij uit wat Samuels ermee moest doen. Terwijl hij dat deed, liet hij zijn blik voortdurend afdwalen naar het scherm met beelden vanuit Edwards' lab. 'O, en Samuels?' zei hij nog. 'Ik heb nog iets voor je. Het is heel gevoelige materie. Ik wil een van je mensen tot mijn beschikking hebben. Het liefst iemand die Vanger is geweest. Die weten immers wel van wanten met voormalige Overtolligen, toch?'

'Een voormalige Overtollige? Je bedoelt toch niet...'

Richard schudde zijn hoofd omdat Samuels zo verbaasd klonk. Dacht hij nou echt dat Richard Pincent zich op de weg naar succes zou laten weerhouden door zoiets onbeduidends als familiebanden?

'Misschien kun je beter even hier komen. Dit bespreek ik liever onder vier ogen.'

Hij verbrak de verbinding en keek toen op de computer naar de winstcijfers. Geld en macht, daar bezat hij meer van dan hij ooit voor mogelijk had gehouden. En niets of niemand zou hem daar ooit van beroven.

8

Die nacht sliep Peter onrustig. Hoe hij ook zijn best deed, er kwamen steeds meer twijfels in hem op. De gedachten lieten hem niet met rust, en hij ging zich kwaad en schuldig voelen. Hij dacht aan godsdienst, aan de zwakke scheidslijn tussen ouderwetse geneeskunst en Lang Leven, en vroeg zich af of er dankzij hem over bijvoorbeeld vijftig jaar wel iets zou zijn veranderd in de wereld. En of hij over vijftig jaar nog wel in leven zou zijn. Nog vijftig jaar leek eigenlijk helemaal niet zo lang in een wereld waarin iedereen het eeuwige leven had. Vijftig jaar was helemaal niets.

Peter was dan ook opgelucht toen hij de volgende dag op weg naar zijn werk een briefje van Pip op de deurmat zag liggen. Dat herinnerde hem eraan dat hij een belangrijke rol te vervullen had, dat hij toch iets betekende. Eerst dacht hij dat het gewoon reclame was, afkomstig van iemand die zijn diensten aanbood als huisschilder of klusjesman of zoiets, of reclame voor vitamine-injecties, plastische chirurgie, een ruilbeurs voor energiebonnen, of permanente make-up. Maar net toen hij er een prop van wilde maken, zag hij het logo van de Ondergrondse: een duif met een olijftak in de snavel. Dat stelde de zoektocht naar eeuwig leven voor. Meteen ging hij weer naar binnen en streek het papier glad.

Bent u op zoek naar een nieuwe uitdaging? Verveelt het u dat u elke dag hetzelfde doet?

Bel dan vandaag nog onze consultants en vraag naar onze opleidingen. Bent u geïnteresseerd in technologie, vreemde talen, wetenschap of werk in een ondersteunende functie? Wij hebben een baan voor u. Onze opleidingen kunnen uw dromen verwezenlijken. Als u in uzelf gelooft, is alles mogelijk.

We wachten op uw telefoontje op 0845 389 7053

Het zag er allemaal heel gewoontjes uit, maar Peter besefte meteen dat niemand anders in de straat deze reclame had ontvangen. Gauw rende hij naar boven en haalde het mobieltje tevoorschijn dat hij van Pip had gekregen. Een computer en de normale telefoonverbinding waren niet te vertrouwen, had Pip tegen Peter gezegd. De Ondergrondse gebruikte ouderwetse mobieltjes, en wisselde zo vaak van frequentie dat de Autoriteiten hen niet konden opsporen. Eén telefoontje via een normale verbinding en de hele Ondergrondse liep gevaar.

Peter toetste het nummer in.

'Ja?'

Hij was er vrijwel zeker van dat het Pip was, maar ook weer niet helemaal. Pip klonk opgewekter dan normaal.

'Ik ben op zoek naar een nieuwe uitdaging,' zei Peter. Hij hield zich aan de tekst op het velletje papier. 'Ik geloof in mezelf.'

'Dan kunnen onze consultants je helpen. Grays Inn Road nummer 87. Achtste verdieping, kamer 24b, om zes uur vanavond.'

Peter schreef het allemaal snel op. 'Geweldig. Jullie zien me wel verschijnen,' bracht hij ademloos uit. Maar de verbinding was al verbroken.

Later die ochtend was Ben slechtgehumeurd, dus ging Anna maar met hem naar buiten. Steeds weer moest ze het dekentje goed leggen in de kinderwagen, want het was erg frisjes. Dan lachte ze naar hem, en stelde zichzelf gerust dat er niets aan de hand was. De kinderwagen die Anna's ouders voor Ben op de kop hadden getikt, zou in een museum kunnen hebben gestaan. Het ding was verweerd, het piepte en kraakte, en was behoorlijk wankel op zijn wielen. Eigenlijk groeide haar broertje eruit. Op de een of andere manier had de kinderwagen een hele eeuw overleefd, en nu moest hij ineens weer dienstdoen. Iemand had de kinderwagen bewaard voor het geval dat. En nu de kinderwagen ratelend over de stoep reed, trok hij veel bekijks van passanten. Sommigen keken verbaasd, anderen geschokt, en weer anderen snapten er niets van. Heel soms bleef iemand staan. Dat waren bijna uitsluitend vrouwen, bejaarde vrouwen, vrouwen die de ontdekking van Lang Leven nog hadden meegemaakt, en die zich nog herinnerden hoe kinderen eruitzagen. Ze vroegen altijd of ze de baby even mochten zien, en kregen tranen in de ogen wanneer ze Anna vertelden over een kind dat ze waren kwijtgeraakt, of dat ze de Wet hadden getekend zonder precies te weten wat dat inhield. Er klonk een verlangen door in hun verhalen naar iets wat ze niet durfden te noemen. Maar meestal trokken de passanten een gezicht van afschuw, of ze keken uit de hoogte naar Anna en Ben, alsof ze in het openbaar met iets vunzigs bezig waren. Alsof ze het hun kwalijk namen dat ze hen hiermee confronteerden.

Anna vond het jammer dat ze niet een beetje meer zelfvertrouwen had. Het zou fijn zijn als haar hart niet oversloeg elke keer dat iemand naar haar keek, elke keer dat de computer thuis geluid maakte, elke keer dat de telefoon ging. Ze had er zo naar verlangd weg te komen uit Grange Hall, ze had zo hard gewerkt om een Waardevol Bezit te worden en in de Buitenwereld te mogen leven. Maar ze had er steeds meer moeite mee haar schuldgevoelens te onderdrukken. Ze voelde zich schuldig omdat zij Legaal was geworden terwijl er nog zoveel Overtolligen vastzaten in de tehuizen. Elke keer dat er naar haar werd gekeken, kreeg ze het gevoel dat ze werd veroordeeld. Elke keer dat ze een Overtollige hard aan het werk zag als huishoudster, gevangen in het huis van haar werkgever, werd ze overmand door gevoelens van schuld. En die Overtolligen boften nog. Zij werden als Waardevol beschouwd, niet gewoon maar als nutteloos en slecht.

Ze deed haar best niet op de blikken van de voorbijgangers te letten terwijl ze naar het winkelcentrum liep. Maar toen zag ze een groot scherm in de etalage van een elektronicawinkel. Een hoop mensen stonden geboeid naar het enorme, glanzende plasmascherm te kijken. Door de energiebonnen was zoiets slechts bereikbaar voor een handjevol gelukkigen.

Anna was zonder tv of computer opgegroeid, en ze vond die koppen op tv die propaganda spuiden maar niks. Ze vond het niet fijn als haar werd verteld wat ze moest doen, en dat deden die lui die op tv kwamen altijd.

Maar nu wilde ze eens dapper zijn. In plaats van erlangs te lopen, stuurde ze de kinderwagen naar rechts en voegde zich een beetje onhandig bij de menigte. Zo kon ze de zwijgende voorstelling ook volgen.

Het was een actualiteitenprogramma. Anna zag de camera inzoomen op een vrouw die iets vertelde. Toen zag ze een man die voor zijn huis werd gearresteerd. Er verscheen een telefoonnummer onder in beeld, met de tekst: ENERGIEPOLITIE – MELD VERSPILLING ANONIEM! Toen de man werd meegenomen, werd Anna helemaal koud vanbinnen.

Een bejaarde vrouw naast Anna zei hoofdschuddend: ‘Het lijkt de Koude Oorlog wel. Mensen die elkaar aangeven... Ik heb het er niet zo op.’

‘Je kunt het misschien niet leuk vinden,’ zei een iets jongere vrouw met kastanjebruin geverfd haar, ‘maar als iemand misbruik maakt van het systeem, moeten daar strenge maatregelen tegenover staan. Ik slaap tegenwoordig met drie dekens en twee dekbedden, en die gozer gebruikt illegaal elektriciteit? Echt hoor, ik zou zo iemand meteen aangeven. Daar zou ik niet eens over hoeven nadenken.’

Anna beet op haar lip en richtte haar blik weer op het scherm. Zij had er moeite mee anderen te veroordelen. Totdat ze Peter had leren kennen, had ze heel goed geweten wat fout was en wat niet, ze kende toen het verschil tussen goed en kwaad. Maar sindsdien was alles anders geworden, ze was anders over dingen gaan denken, haar ogen waren opengegaan. In Grange Hall had ze geleerd dat wie iets verkeerds uithaalde, moest worden bestraft. Maar nu, in de Buitenwereld, was ze erachter gekomen dat het soms moeilijk was te bepalen wat verkeerd was, en dat iets wat verkeerd leek, soms juist goed was.

De bejaarde vrouw draaide zich terug naar de etalage. 'Wat heeft die man eigenlijk gedáán?'

'Waarschijnlijk gehandeld in energiebonnen,' zei een man. 'Daar zijn ze erg op gespitst.'

'Handel in energiebonnen!' riep de vrouw met het kastanjebruine haar verontwaardigd uit. 'Alsof we al niet genoeg problemen hebben!'

De bejaarde vrouw lachte. 'Is dat alles? Leven en laten leven, zeg ik altijd maar.'

De vrouw met het kastanjebruine haar keek haar kwaad aan. 'Is dat alles? Is dat alles? Misschien bezit u ook wel energiebonnen die niet in de haak zijn,' zei ze. 'Misschien moet ik de energiepolitie maar eens bellen. Dan vindt u het vast niet meer zo lollig.'

'Ik zei alleen maar...' begon de bejaarde vrouw, maar de vrouw met het kastanjebruine haar lette al niet meer op haar. Ze keek nu naar Anna, die meteen verbleekte.

'En wat hebben we hier?'

Iedereen draaide zich om om naar Anna te kijken, die knalrood werd.

'Dat is nou net wat we nodig hebben, toch? Wij doen ons best er iets van te maken, wij werken ons uit de naad om het 's nachts maar warm te hebben, en die misdadigers zetten

Overtolligen op de wereld.' Ze keek Anna kwaad aan. 'Je bent zeker wel trots op jezelf, hè? Ja, ik weet dat je Legaal bent geworden. Dat heb ik in de krant gelezen, net zoals iedereen. Ik durf er iets onder te verwedden dat je alles uit het systeem haalt wat er maar te halen valt. Je vindt jezelf vast heel slim. En wíj zijn de klos. Maar daar maak je je vast niet druk om.'

'Nee,' zei Anna. 'Ik vind mezelf niet slim. Maar...'

'Daarom kan ik natuurlijk geen Overtollige als huishoudster krijgen,' viel een andere vrouw haar in de rede. 'Straks gaan ze ze nog allemaal Legaal maken. Ik wacht al vier maanden. Víér maanden! En nog steeds niks!'

Anna schudde haar hoofd. Dacht iedereen dat? 'Nee, u hebt het helemaal bij het verkeerde eind,' reageerde ze bang. 'Ze maken ze niet Legaal. Ze zitten in Overtolligenhuizen, waar ze dag en nacht moeten werken om te boeten voor de zonden van hun ouders. Ook al begingen hun ouders geen zonde. Het is geen zonde om kinderen te krijgen. Het is geen...'

Haar stem stierf weg. Ze besefte dat ze te ver was gegaan, dat door wat ze had gezegd, kon ze de aandacht trekken van de politie, van de Autoriteiten. Maar toen keek ze naar Ben, die net wakker werd. Meteen welde er een groot gevoel van liefde in haar op. Als een tijgerin zou ze hem beschermen. Hoe kon zijn bestaan ooit zondig zijn?

'Is het geen zonde?' tierde de vrouw met het kastanjebruine haar. Ze sneed Anna de pas af. 'Hoe dúrf je? Je komt hier, je pronkt met dat afschuwelijke wezen, je eet ons voedsel op, je verbruikt onze energie, en nu beweer je dat daar niets mis mee is?'

Geschokt keek Anna de vrouw aan. Toen rechtte ze haar rug. 'Hij is niet afschuwelijk. Hij is een baby. Overtolligen vragen er niet om om te worden geboren. En trouwens, ik ben nu Legaal. En Ben ook. Onze ouders zijn gestorven.'

Ze omklemde de stang van de kinderwagen. Haar woede

maakte haar sterk, sterker dan ze zich in maanden had gevoeld.

'O, dus dan is alles in orde,' zei de vrouw spottend. Haar stem trilde van emotie. 'Overtolligen vragen er niet om om geboren te worden, dus is het niet hun schuld. Zeker net zoals al die immigranten die er ook niet om hebben gevraagd om het land in te worden gesmokkeld.'

Anna schudde haar hoofd.

De vrouw had rode wangen gekregen, en dat vloekte bij haar haar. 'Ze denken dat het een spelletje is, dat ze alleen maar ons land in hoeven te komen en dat ze dan ons voedsel kunnen opvreten, in onze huizen kunnen wonen en onze energie kunnen gebruiken. En wij dan? Wie moet al het geld voor de energie opbrengen?'

'Dat weet ik allemaal niet,' reageerde Anna toonloos. 'Dat kunt u beter aan de Autoriteiten vragen.'

'Alsof die er iets aan kunnen doen,' zei de vrouw giftig. 'Die zouden er alleen maar nog meer grenspolitie op af sturen. Maar dat werkt niet erg, hè? Nog steeds komen ze binnen, elke dag weer. Het is niet onze schuld dat er elders overstromingen zijn. Het is niet onze schuld dat elders rivieren droogvallen. Sorry, hoor, maar dit is óns land, en al die lui hebben hier niets te zoeken.'

'Zeker weten,' zei iemand op kalmerende toon. 'Ik hoop echt dat u succes boekt. U moet zich blijven verzetten. Geef nooit op!'

De vrouw met het kastanjebruine haar fronste haar wenkbrauwen. 'Natuurlijk geef ik nooit op,' reageerde ze luidkeels. 'Ik ken mijn rechten. We moeten allemaal vechten voor datgene waar we recht op hebben. We moeten voorkomen dat die lui hiermee wegkomen. Laatst werd er een folder onder mijn deur door geschoven, en daarin stond dat we energie stelen uit landen in Afrika...'

Er kwam een hand neer op Anna's schouder. 'Misschien is

dit het juiste moment om maar weg te gaan?' hoorde ze die geruststellende stem. Toen ze opkeek, zag ze een lief gezicht met grijs haar dat in een knotje zat.

'Ja,' zei ze, en een beetje onhandig trok ze de kinderwagen achteruit. 'Ja, volgens mij hebt u gelijk.'

Ze baande zich een weg door de menigte, waarbij ze erg haar best deed niet tegen schenen te stoten of over tenen te rijden.

De vrouw met het grijze haar kwam achter haar aan. 'Wat een schattig joch,' zei ze een poosje later. 'Hoe oud is hij?'

Anna schrok. Niemand vroeg ooit hoe oud Ben was. Het leek wel alsof leeftijd er niet toe deed als die slechts in maanden uit te drukken was.

'Hij is bijna een jaar,' antwoordde ze op haar hoede.

'Een leuke leeftijd. En hij gedraagt zich zo goed.'

'Ja, hij is lief.' Anna had alles wat ze van baby's wist, opgestoken in Grange Hall, op de verdieping van de Kleinen. Daar werden de kinderen van nog geen vijf jaar ondergebracht, en daar krijsten ze totdat iemand van het personeel er niet meer tegen kon en tegen haar zin naar binnen ging om hen te voeren of te verschonen. De herinnering aan die gruwelijke ellende was er de oorzaak van dat ze zoveel aandacht aan Ben besteedde. Wanneer hij begon te huilen, was ze altijd meteen bij hem.

'Jij bent Anna, hè?' vroeg de vrouw opeens. 'Jij bent toch Anna Covey? Zeg, heb je soms zin in een kopje thee? Ik woon hier om de hoek. Ik ben een bewonderaar van je. Ik heet trouwens Maria, Maria Whittaker.'

Toen ze haar hand uitstak, schudde Anna die een beetje weifelend. 'Nee, dank u,' zei Anna. 'Ik moet nog boodschappen doen.'

'O ja,' reageerde Maria vriendelijk. 'Mag ik dan een eindje met je mee lopen?'

Anna knikte dankbaar. Meestal zocht ze geen ander gezelschap dan dat van Peter en Ben. Bij andere mensen voelde ze zich onzeker, niet op haar gemak. Maar deze vrouw leek erg aardig, en na de aanvaring met de vrouw met het kastanjebruine haar was ze blij met vriendelijk gezelschap. Samen liepen ze door de winkelstraat, eerst zwijgend, maar toen kon Anna de vraag niet meer voor zich houden die op het puntje van haar tong lag.

'U... u zei dat u een bewonderaar van me was?' Aarzelend keek ze om zich heen, bang voor camera's, politie, iemand die achter haar aan kwam. Maar er was verder niemand.

De vrouw lachte. 'Ik heb altijd al bewondering gehad voor de jeugd,' zei ze zacht. 'En jouw verhaal ontroerde me diep. Jullie klonken zo dapper. Jij en je vriend Peter. En je zorgt zo goed voor je broertje. Dat vereist moed, en daar heb ik bewondering voor. Daar heb ik grote bewondering voor.'

Anna glimlachte een beetje onhandig. Ze was niet gewend aan vriendelijke woorden, afgezien van die van Peter.

'Het was niet dapper,' zei ze snel. 'Peter, die was dapper. Ik niet.'

'Ik weet zeker dat jij ook dapper was,' reageerde Maria warm.

Nu verscheen er een echte lach op Anna's gezicht. 'Weet u,' zei ze terwijl ze de hoek om sloegen, 'misschien heb ik toch wel tijd voor een kopje thee. Als dat nog mag.'

Maria lachte ook. 'Dat mag zeker. Ik beschouw het als een hele eer.'

Maria woonde in een modern appartement een paar minuten lopen van de winkelstraat vandaan. Het lag op de vierde verdieping, dus lieten ze de kinderwagen beneden en droeg Anna Ben de trappen op.

'Het spijt me van al die trappen,' zei Maria met een zuur lachje. 'De lift is buiten werking gesteld om energie te besparen. Met een hoop boodschappen is het een ramp.'

'O, het geeft niet, hoor,' stelde Anna haar gerust. Ze hield Ben dicht tegen zich aan en klampte zich stevig vast aan de leuning.

'Suiker?' vroeg Maria toen ze de deur van het appartement had opengezet. Het woonkamertje werd zichtbaar, evenals een keukenblok en een smalle gang, waarvan Anna vermoedde dat die naar de slaapkamer leidde.

'Ja, graag,' antwoordde Anna. 'Eén schepje.'

Achter Maria aan liep ze de woonkamer in en bleef staan naast de bank. Ondertussen was Maria naar het keukenblok in de hoek gegaan om water op te zetten. Op de schoorsteenmantel stonden foto's van kinderen, en Anna keek daar nieuwsgierig naar. Toen Maria haar een kopje dampende thee gaf, keek ze snel weg van de foto's.

Maria maakte een uitnodigend gebaar naar de bank. 'Het is hier niet groot,' zei ze terwijl ze plaatsnam op een hoekje. 'Maar zo gaat dat tegenwoordig, hè? Vroeger, jaren geleden, woonde ik in een heel huis, maar dat werd erg duur, ook met de stijgende energieprijs, en uiteindelijk moedigden de Autoriteiten me aan kleiner te gaan wonen.' Ze glimlachte zuur.

Anna glimlachte terug. Ze wist heel goed hoe de Autoriteiten je konden 'aanmoedigen'. 'Het is wel een aardig appartement,' merkte ze beleefd op.

'Dank je. Ja, het is heel comfortabel,' reageerde Maria peinzend. 'De Autoriteiten vinden dat een belangrijk doel. Comfort, gezondheid, rijkdom en kennis. Nobele doelen om na te streven.'

Anna glimlachte weer. Ze voelde zich niet op haar gemak omdat ze hier weinig van wist, en ze vond het vervelend om zo slecht geïnformeerd te zijn. Peter volgde altijd het nieuws. Hij las alles over de persconferenties en nieuwe wetten van de Autoriteiten. Daar gebruikte hij de kostbare energiebonnen voor, om de computer aan te kunnen zetten en het nieuws te volgen en analyses te lezen. Zelf kon het haar niet zoveel schelen, zolang het maar goed ging met Peter, Ben en haarzelf. Dat was het allerbelangrijkste. Maar nu speet het haar dat ze niet beter had opgelet, want dan had ze ook een duit in het zakje kunnen doen.

'Jullie zijn uiteraard niet echt fan van de Autoriteiten,' ging Maria verder. 'Volgens mij zijn de bewoners van de Overtolligenhuizen sowieso geen fan van de Autoriteiten.'

Anna schudde haar hoofd. Op Grange Hall waren de Autoriteiten een soort vage en verre macht geweest. Het echte gezag daar lag bij de Matrone.

'Nu we daar weg zijn, gaat het beter,' zei ze zacht. Ze hoopte maar dat het Maria niet zou opvallen dat ze een beetje ontwijkend reageerde. 'Op Grange Hall was het niet erg... comfortabel.'

Weer verscheen die zure glimlach op Maria's gezicht. 'Dat kan ik me voorstellen. Weet je, toen de Overtolligenhuizen werden gesticht, werd ons verteld dat het een soort kostscholen zouden zijn. Men vond het noodzakelijk dat kinderen werden gescheiden van hun ouders. Dat moest voorkomen dat mensen ze nog kregen. Overtolligen, bedoel ik. Bovendien werd er verschil aangebracht. Om het goed duidelijk te maken dat jullie... Dat ze anders waren. Maar het is nooit de bedoeling geweest dat de Overtolligen wreed werden behandeld. Het was de bedoeling dat ze daarna aan het werk konden. Maar niet als slaaf. Dat kwam pas later.'

'Later?' vroeg Anna, nieuwsgierig geworden. Niemand praatte ooit openlijk over Overtolligen, over kinderen, uit angst aangemerkt te worden als rebel, een bedreiging voor de Autoriteiten.

'Toen het niemand meer kon schelen. Eerst gebeurde dat wel, moet je weten. Ze maakten zich druk om burgerrechten, om het welzijn van de Overtolligen, over de behandeling van illegale immigranten, zelfs over de behandeling van criminelen. Tegenwoordig maken ze zich alleen druk over hun uiterlijk, over hoe ze zich voelen, over hoeveel uur de verwarming aan mag, hoeveel hobby's ze mogen hebben. Ze houden niet van kinderen, ze zijn bang van ze. Je hebt toch gezien hoe ze naar dat mannetje keken?'

Anna keek naar Bens gezichtje met de bolle wangetjes, en trok hem toen tegen zich aan.

'De foto's,' zei ze blozend. Ze vond het moeilijk om een vraag te stellen. 'Op de schoorsteenmantel. Bent u niet bang wat anderen daarvan zullen denken?'

Maria keek naar de foto's, en meteen verscheen er een verdrietige blik in haar ogen.

'Ik ben voortdurend bang, maar dat is nog geen reden om ze te verbergen. We moeten geen willoze angsthazen worden, toch?'

Anna was het met haar eens. 'Nee,' zei ze. 'Maar de Autoriteiten...'

'Die hebben veel te veel macht,' onderbrak Maria haar. 'En die macht misbruiken ze. Daar zou eens iets aan moeten worden gedaan.'

Maria schoof dichter naar Anna toe en pakte haar hand. Terwijl ze hoopvol naar haar opkeek, zei ze: 'Anna, hopelijk vind je het niet erg, maar... De kinderen op de foto... Daarom heb ik je hier uitgenodigd. Vanwege deze...' Ze stond op en pakte een van de foto's. Even drukte ze die tegen haar boezem, toen gaf ze hem aan Anna. 'Dit is mijn kind. Ik was nog jong en onnozel, ik dacht dat ik haar bestaan wel geheim kon houden. Maar de Vangers... Nou ja, ze hebben haar gevonden. Ze hebben haar meegenomen. Dat was in het begin, toen ze nog weleens iets door de vingers wilden zien, mits je nederig je excuses aanbood. Ik kreeg een boete en een waarschuwing. Ze dachten dat ik mijn lesje wel had geleerd. Maar zo werkt dat niet.'

Met tranen in de ogen keek Anna naar de foto van een baby in een dekentje.

'Is ze nu Overtollige?' vroeg ze zacht.

Maria knikte. 'Weet je,' zei ze met tranen in haar stem, 'toen ze haar net hadden weggehaald, ging het nog wel. Ik had een baan, ik had het druk. En ik was blij dat ik niet naar de gevangenis hoefde. Ik hield mezelf voor dat ik had geboft, dat het maar een haartje had gescheeld. Maar naarmate de jaren verstreken, merkte ik dat ik steeds vaker aan haar dacht. Ik miste haar. Dat is natuurlijk gek, want ik kende haar nauwelijks. Ik had haar slechts een paar weken bij me gehad. Ik kocht spullen voor kinderen op rommelmarkten, oude spullen, speelgoed en dekentjes en zo. Ik breide jasjes voor haar, inwendig zong ik wiegeliedjes. En tegen die tijd was ze al vijftig! Waarschijnlijk zag ze er ouder uit dan ik er nu uitzie. Misschien leeft ze al niet meer...'

Anna zag de tranen in Maria's ogen blinken toen haar stem wegstierf. Ze keek weer naar de foto, en dacht aan al die Overtolligen in Grange Hall, al die Overtolligen, verspreid door het hele land...

'Heel anders dan het jou is vergaan,' zei Maria, die zichzelf blijkbaar had vermand. 'Jij mag nu zeker Lang Leven slikken.'

Anna schudde haar hoofd. Omdat Maria zo openhartig was, durfde zij dat nu ook te zijn. 'Ik ben niet... Ik bedoel, we zijn niet... We willen ons eraan onttrekken,' zei ze. 'We willen niet voor eeuwig leven.'

Bewonderend knikte Maria. 'Ik snap het. Zie je wel, ik wíst dat jullie dapper zijn. Dat begreep ik meteen toen ik voor het eerst jullie foto in de krant zag staan. Jij bent heel anders dan ik, Anna. Ik was niet dapper, ik was zwak. Ik heb mijn dochter in de steek gelaten.'

Anna nam een slokje thee. 'Dat was niet uw schuld,' zei ze. Dat had ze al zo vaak gezegd, elke keer dat ze op straat werd aangesproken door onder schuldgevoelens gebukt gaande vrouwen. Het is niet uw schuld, uw kind is vast heel gelukkig, u zou een geweldige moeder zijn geweest...

'Dat is lief van je, Anna, maar ik ben bang dat het toch wel mijn schuld is. Zowel het krijgen van een kind als het verdriet waar ik me niet overheen kan zetten. Maar ik heb een manier gevonden om er iets aan te doen.'

Ze keek naar de foto's op de schoorsteenmantel, en Anna volgde haar blik.

'Wie zijn al die kinderen?' vroeg Anna.

'Net zulke kinderen als het mijne,' antwoordde Maria. 'Baby's, peuters, jonge kinderen die uit de armen van hun moeders zijn gerukt. Ik kan mijn dochter niet meer opsporen, daarvoor is er al te veel tijd verstreken. Maar ik kan anderen wel helpen hun kinderen op te sporen. Ik praat met iedereen die misschien iets weet. Ik dacht... Ik dacht dat jij misschien een van hen zou herkennen. Alles wat maar een beetje helpt...'

'Zijn dat allemaal Overtolligen?' vroeg Anna geschokt. 'Hoe komt u aan al die foto's?'

'Van hun moeders, van hun vaders, van degenen die van ze houden,' zei Maria zacht.

Anna legde Ben tussen twee kussens en stond op. Ze moest zich vasthouden aan een stoel omdat het bloed uit haar hoofd trok. Voorzichtig liep ze naar de schoorsteenmantel en keek naar de foto's. Ze begon aan de rechterkant en ging door naar links. Tot haar grote schrik herkende ze een paar gezichten.

'Overtollige Sarah,' zei ze terwijl ze een tinnen lijstje oppakte met daarin een zwart-witfoto van een jong meisje. 'Zij is drie jaar geleden weggegaan. Ze zal nu wel huishoudster zijn. En dit...' Ze pakte een grotere zwarte lijst waarin een foto zat van een jongen met een stralende lach. 'Overtollige Patrick. Hij...' De tranen van woede sprongen in haar ogen toen ze dacht aan Overtollige Patrick en zijn eeuwige vragen. Hij had altijd ontkend dat hij Overtollige was, en beweerde dat zijn ouders hem binnenkort zouden komen halen. 'Patrick is naar de gevangenis gebracht,' vertelde ze zacht. 'Hij kon zich niet aanpassen. Hij kon niet accepteren dat hij Overtollige was.'

Maria stond op en pakte de foto uit Anna's handen. 'En jij kon dat wel?'

'Ik was Overtollige,' antwoordde Anna toonloos. 'Er viel niets te accepteren.'

Ze richtte haar blik weer op de schoorsteenmantel. Het ene gezicht na het andere, met een hoopvolle blik. Opeens kreeg ze het benauwd. Helemaal aan het eind stond een houten lijst met daarin de foto van een kleuter. Een klein meisje met rossig haar en helderblauwe ogen.

'Hebt u nog een andere foto van dit meisje?' vroeg ze met bonzend hart. 'Van toen ze een beetje ouder was?'

Maria schudde haar hoofd. 'De ouders hebben deze foto genomen een paar jaar voordat ze werd weggehaald. Ze durfden er niet nog een te nemen, dat was te gevaarlijk. Foto's dienen immers als bewijsmateriaal. Waarom vraag je dat eigenlijk? Herken je Sheila?'

'Sheila?' De adem stokte in Anna's keel. Ze voelde zich misselijk en moest zich vasthouden aan de schoorsteenmantel. 'Sheila was mijn vriendinnetje. Ik heb haar moeten achterlaten op Grange Hall. Ik heb haar in de steek gelaten...'

Maria ving haar op toen ze viel.

Even later kwam Anna bij op de bank. Maria stond bezorgd over haar heen gebogen.

'Ik... ik weet niet wat er ineens was,' zei Anna niet op haar gemak. 'Het spijt me, ik...'

'Je bent flauwgevallen,' zei Maria zacht. 'Gaat het nu weer een beetje, Anna?'

Anna knikte. 'Het gaat prima,' antwoordde ze dapper. Op Grange Hall had ze geleerd nooit zwakte te tonen.

'Je moet goed oppassen, Anna. Zonder Lang Leven is je gezondheid zwakker dan die van anderen. En dat kleine mannetje is van jou afhankelijk.'

Bezorgd keek Anna naar Ben, toen ging ze zitten. 'U bent heel vriendelijk voor me geweest, maar nu moet ik gaan.'

'Zien we elkaar nog?' vroeg Maria.

Anna beet op haar lip. Wat zou Peter ervan vinden? 'Ik weet het niet,' zei ze zacht. Toen viel haar blik op de foto van Sheila. 'Misschien wel,' zei ze. 'Misschien kan ik iets voor u doen.'

9

Bijna was Peter niet op tijd voor zijn afspraak met Pip. Edwards had hem de hele ochtend laten lezen over iets wat Synthetisch PirB heette, en de hele middag had hij hem de resultaten van een belangrijk onderzoek laten archiveren. Pas om kwart over drie had hij weg gekund, en toen duurde het nog minstens een kwartier totdat hij zeker wist dat hij niet werd gevolgd. Het gevoel dat hij in de gaten werd gehouden, was de laatste tijd sterker geworden. Zoals altijd wanneer hij met Pip had afgesproken, was het adres lastig te vinden. Nummer 87 lag niet echt aan Grays Inn Road, maar net om de hoek. Het was een oud gebouw dat een beetje verstopt zat achter een groot kantoorgebouw. Vanbuiten zag het pand er vervallen uit. Binnen zat een portier te suffen achter een balie. Maar toen Peter naar binnen stapte, stond de man erop dat Peter het boek tekende. Het viel Peter op dat hem niet naar zijn identiteitskaart werd gevraagd. In het boek krabbelde hij snel het huidige wachtwoord van de Ondergrondse, en de portier knikte. Peter mocht doorlopen.

Toen bleek dat hij helemaal niet zo'n haast had hoeven hebben; Pip was tien minuten te laat. Het vertrek was klein en grauw met in het midden een vergadertafel met een hoop goedkope, metalen stoeltjes eromheen geschaard. Peter trok er eentje uit en ging zitten. Vervolgens keek hij om zich heen. Er was weinig te zien. Het vale behang hing van de muren en er stond een scheef whiteboard. Voor de ramen hingen geen jaloezieën. Dat hoefde ook niet, want de ruiten waren zo smerig dat er toch niemand naar buiten kon kijken. Of naar binnen.

'Over een maand worden hier appartementen gebouwd,' hoorde hij Pip zeggen. Met een ruk draaide hij zich om. Pip kondigde zijn komst nooit aan, hij leek uit het niets te verschijnen, onopgemerkt, en dan fonkelden zijn ogen wanneer hij anderen verraste.

'Appartementen zijn energie-efficiënter,' reageerde Peter.

Daar leek Pip tevreden mee te zijn. 'Zo, en hoe gaat het bij Pincent Pharma?'

Schouderophalend antwoordde Peter: 'Prima. Ik begin al te wennen. Dus je hebt nog geen ander hoofdkwartier kunnen vinden?'

Pip sloeg geen acht op die vraag. 'En je grootvader, zie je hem regelmatig?'

Geërgerd dacht Peter aan het gesprek van de dag daarvoor. 'Hij vertelt me steeds dat Lang Leven zo geweldig is. Hij doet zijn best me over te halen de Wet te tekenen.'

'Heb je gezegd dat je dat niet wilde?' vroeg Pip ongelovig. 'Heb je dat zomaar gezegd?'

Peter aarzelde. 'Je zei dat ik zo eerlijk mogelijk moest zijn. En ik heb alleen maar gezegd dat ik nog niets had besloten.'

'Ik zei dat je niet te veel moest liegen, omdat je dan in de war kunt raken. Ik heb ook gezegd dat je moest zeggen dat je van plan was te tekenen... O, Peter.' Hij schudde zijn hoofd.

Peter voelde zich totaal niet op zijn gemak. 'Ik flapte het er ineens uit,' zei hij. 'Maar het geeft niet. Heus, vertrouw me nu maar.'

'Natuurlijk vertrouw ik je,' zei Pip, maar de bezorgde blik verdween niet uit zijn ogen.

Daardoor voelde Peter zich schuldig, en dat maakte hem prikkelbaar. 'Nee, je vertrouwt me helemaal niet. Je vindt me nog maar een kind. Je denkt dat ik van niets weet. Maar dat is niet zo, ik weet precies wat ik doe.'

Pip knikte en keek toen naar het vieze raam. 'Dat weet ik, Peter. Maar jij weet niet hoe goed je grootvader anderen kan overhalen iets te doen wat ze niet willen. En dat weet ik wel.'

'Mij kan hij toch nergens toe overhalen,' kwam Peter voor zichzelf op. 'Ik vind dat hij uit zijn nek praat. Hij heeft een hekel aan jongeren.'

'Jongeren vormen een bedreiging voor hem.' Pip glimlachte flauwtjes. 'Weet je, Peter, een paar eeuwen geleden werd in veel landen slavernij nog de beste manier gevonden om bedrijven of het huishouden te runnen. Een dergelijke houding zien we nu tegenover Overtolligen. Vroeger hadden maar weinigen stemrecht, en vrouwen werden beschouwd als het bezit van de echtgenoot.'

Peter keek naar de grond. 'Heb ik soms gevraagd om een lesje geschiedenis?' mompelde hij. 'Je bent de tweede al die dat doet.'

Pip trok zijn wenkbrauwen op. 'Velen hebben hun leven gegeven toen ze voor deze rechten streden. Het recht om te mogen stemmen, het recht op vrijheid, op werk, het recht om in een bus te zitten waarmee degenen worden vervoerd die als meerderen werden beschouwd. De volgende generaties hebben die rechten uitgebouwd. Vrouwen werden als gelijkwaardig aan mannen beschouwd, huidskleur werd als onbelangrijk gezien. Jongeren kunnen de toekomst veranderen. Zonder jongeren blijft alles bij het oude.'

'Dat weet ik,' zei Peter iets te snel.

'Mooi zo,' zei Pip op ernstige toon. 'Want mensen zoals jouw grootvader zien dat heel anders. Zij vinden dat het beter is zonder jongeren, dat de wereld daar niet onder lijdt.'

'Weet ik.' Peter zag Anna voor zich, stervend omdat ze geen Lang Leven slikte. Gauw zette hij dat beeld uit zijn hoofd. 'Ik weet dat Lang Leven verkeerd is. Maar Edwards denkt er heel anders over, hij vindt Lang Leven geweldig.'

'Edwards?'

Peter knikte. 'Meneer Edwards leert me van alles. Ik werk in zijn lab.'

'Je werkt in het lab van Edwards?' vroeg Pip geschokt.

'Ken je hem? Hij staat aan het hoofd van de herscholingsafdeling.'

'Herscholing.' Met een frons knikte Pip. 'Weet je, Edwards was vroeger een van de machtigste wetenschappers van Pincent. Pas goed op, Peter. Edwards is gevaarlijk.'

'Gevaarlijk? Edwards? Hij zou nog geen muis bang kunnen maken,' merkte Peter vol ongeloof op.

'Gevaar komt in vele gedaanten, Peter. Een briljante geest kan net zo gevaarlijk zijn als een doorgeladen wapen.'

'Nou, volgens mij zit je er helemaal naast,' zei Peter. 'Edwards is niet gevaarlijk. Eigenlijk is hij wel oké. Hij is gewoon een nerd, geobsedeerd door de wetenschap. En hij zei zelf dat hij op jongeren gesteld is omdat die weerwoord geven.'

Toen Pip niets terugzei, bloosde Peter. Hij had nog nooit tegen Pip gezegd dat die ernaast zat. Aarzelend keek hij op om te zien hoe Pip reageerde.

'Een nerd, geobsedeerd door de wetenschap,' zei Pip op felle toon. 'Ja, misschien heb je wel gelijk. Maar weet je, Peter, het probleem met zulke nerds is dat alles moet wijken voor hun ontdekkingen. Een nerd heeft de allereerste atoombom uitgevonden. Het was niet zijn bedoeling massamoorden te veroorzaken, maar toch deed hij dat. Geloof me, Edwards is niet te vertrouwen. Je kunt helemaal niemand vertrouwen.'

'Afgezien van jou?' vroeg Peter met opgetrokken wenkbrauwen. Toen haalde hij zijn schouders op en zei met een schaapachtig lachje tegen Pip: 'Hoor eens, ik doe heel voorzichtig. En ik kan Edwards heus wel aan. Hij is oké.'

'Oké?' Pip sprak nog steeds op die felle toon. 'Peter, Edwards staat niet aan onze kant. Wie niet voor ons is, is tegen ons, en dus een gevaar.'

Het maakte Peter ongeduldig. 'Dat zeg je nou altijd, maar het is niet waar,' reageerde hij geërgerd. 'Iemand die zich niet heeft aangesloten bij de Ondergrondse, hoeft nog niet slecht te zijn. Niet alles is zo zwart-wit, hoor.' Hij bloosde nog dieper toen hij besefte dat zijn grootvader ook zulke dingen zei, en uitdagend sloeg hij zijn armen over elkaar.

Pip zei niets. Toen knikte hij met een bezorgde blik in zijn ogen en legde zijn hand op Peters schouder. 'Misschien ben ik overbezorgd, Peter. Maar je bent ook erg belangrijk voor ons. Anna en jij zijn een nieuw begin, onze hoop voor de toekomst.' Hij keek Peter strak aan, waardoor Peter een beetje van slag raakte, zo doordringend was die blik. 'Peter, je bent heel belangrijk voor de Ondergrondse,' ging hij zacht verder. 'En ook voor mij persoonlijk. Ik heb je zien opgroeien, binnenkort zul je een man zijn. Ik wil je alleen maar helpen, ik wil je op de gevaren wijzen, meer niet.'

Peter keek naar de grond. 'Weet ik. En ik pas heus goed op mezelf,' voegde hij er snel aan toe.

'Dat weet ik. Ik neem gauw weer contact met je op,' zei Pip. Vervolgens liep hij naar de deur en verdween.

10

Anna was aan het koken toen Peter die avond thuiskwam. Zodra hij de ernstige uitdrukking op haar gezicht zag, de geconcentreerde frons, moest hij denken aan de eerste keer dat hij haar had gezien. Toen had ze haast smekend opgekeken naar een instructeur op Grange Hall, ze wilde het zo graag goed doen.

Zodra ze hem hoorde binnenkomen, ontspande haar gezicht en lachte ze.

Meteen sloeg Peter zijn armen om haar heen, om haar daarna los te laten en Ben op te tillen. Ben had een heerlijk glad huidje, en hij kirde toen Peter zijn neus tegen het bolle buikje drukte. Peter vond het jammer dat Edwards dit niet kon zien. Echt jong zijn was heus beter dan Vernieuwing. Geen medicament of synthetische proteïne kon de jeugdige opwinding en pret veroorzaken die Ben van nature tentoonspreidde.

'Hoe ging het vandaag?' vroeg Anna terwijl ze roerde in iets wat eruitzag als soep.

Peter haalde zijn schouders op en zette Ben neer. 'Best,' antwoordde hij ontwijkend.

'Heb je Pip nog gesproken?' vroeg Anna heel zacht.

Peter knikte.

'En?'

'Niks,' antwoordde hij net zo zachtjes. 'Niks nieuws.'

Anna knikte. 'Kom eens hier? O, wat ben je stout!' Dit laatste was gericht tegen Ben, die over de keukenvloer kroop. Anna liet haar pan in de steek om achter hem aan te gaan. 'Hij heeft meer plek nodig om te kruipen,' zei ze met een zucht voordat ze weer ging roeren. 'Hadden we maar een tuin...'

Peter grijnsde breed. 'Als je dat nog harder zegt, horen ze je nog,' zei hij ondeugend. Vervolgens bracht hij zijn hoofd vlak bij het hare. Hij snoof de geur van haar haar op, en net zoals altijd wanneer hij bij haar in de buurt was, werd hij helemaal blij.

Toen Ben ging huilen, duwde Anna Peter van zich af. Ben was onder een stoel door gekropen, waardoor die was omgevallen. Nu zat hij gevangen tussen de stoelpoten.

'Och, Ben, mannetje toch! Kom hier. Het is niet erg, alles komt goed,' troostte ze hem. 'Hij is de hele dag al uit zijn humeur, misschien is hij moe.'

'Moet hij dan niet in bed worden gestopt?' vroeg Peter.

Anna schudde haar hoofd. 'Als hij nu gaat slapen, wordt hij voor dag en dauw wakker. Ik wacht liever nog even. Bovendien heeft hij nog niet gegeten.'

Peter zette de stoel goed en plofte erop neer. Hij keek naar het tafelblad met de knoesten en ringen. Die waren ontstaan toen de boom groeide. Het was een oude tafel die nog van Anna's ouders was geweest. Het was een stevige tafel van eikenhout. Eiken konden honderden jaren oud worden, dacht hij. Daar was niets mis mee, het was de natuur. Bestonden er voor verschillende soorten verschillende regels?

'Misschien heeft Ben honger. Ik kan hem vast iets geven voordat wij aan tafel gaan. Wil je het fornuis uitzetten?'

Peter stond op en knipte het fornuis afwezig uit.

'Kijk eens? Lekkere yoghurt,' hoorde hij Anna zeggen. Zachter zei ze vervolgens: 'Wat zei Pip?'

Peter haalde zijn schouders op. Hij deed zijn best zich niet te storen aan het feit dat hij tegenwoordig nooit meer haar volledige aandacht kreeg. 'O, niks bijzonders,' fluisterde hij zacht. 'Maak je maar niet druk. Zeg, was er nog post?'

Anna wees naar de stapel op tafel. Ze had er niet meer naar omgekeken omdat ze bezig was geweest met andere dingen:

met Maria, met de Overtolligen die overal verspreid door het land woonden.

Peter werkte zich door de stapel heen. Het meeste was reclame, en die gooide hij ongeopend weg. Ineens schrok hij. 'Zijn deze vandaag gekomen?' vroeg hij terwijl hij twee grote enveloppen met het stempel van de Autoriteiten erop liet zien.

Anna zette grote ogen op. Ze waren haar eerder niet opgevallen.

Peter draaide de envelop met zijn naam erop een paar keer om. 'Denk jij wat ik denk?'

Anna zweeg, maar aan de blik in haar ogen te zien dachten ze inderdaad hetzelfde.

Langzaam stak Peter zijn duim in de envelop, scheurde die open en haalde de brief eruit.

Beste Peter,

Aangezien je zestiende verjaardag met rasse schreden nadert, stuur ik je met grote vreugde de Wet zodat je die kunt tekenen. Zoals je weet geeft het tekenen van de Wet je het recht Lang Leven te gebruiken, waardoor je je leven eindeloos kunt verlengen.
De Wet is een belangrijk document, en ik hoop dat je de tijd neemt alles aandachtig door te lezen. Lang Leven heeft de wereld veranderd voor de mens. We kunnen nu in goede gezondheid genieten van een onbegrensde hoeveelheid tijd. Het is wonderbaarlijk, maar er staat wel iets tegenover...

Peter kreeg er kippenvel van. Dit was dé brief.

Snel las hij verder, maar slechts gedeelten drongen tot hem door. ... door de Wet te tekenen, en zodoende te kunnen genieten van een verlengd, gezond leven, stem je in met het nemen van alle mogelijke voorzorgen om geen Overtolligen op de wereld te zetten ... mocht je pas later ontdekken dat je verantwoordelijk bent voor het op de wereld zetten van een Overtollige, dan moet je onmiddellijk contact opnemen met de Autoriteiten ... door mee te werken kan de straf worden verminderd...

De brief was getekend door de secretaris-generaal van de Autoriteiten. Maar Peter was niet zozeer in de brief geïnteresseerd als wel in het bijgevoegde document. Hij gaf de brief aan Anna, die hem met steeds groter wordende ogen las, en hem toen teruggaf. Vervolgens richtte Peter zijn aandacht op het document. Erboven stond gedrukt: DE WET. Hij had veel over de Wet gehoord, hij had die de schuld gegeven van alles wat er mis was op de wereld. En nu had hij een kopie ervan in zijn handen. Met bonzend hart ging hij lezen.

Toen het na wetenschappelijke ontwikkelingen en vooruitgang duidelijk werd dat de functie en de rol van de mens fundamenteel waren veranderd, dat de basisvoorwaarden met betrekking tot de voortplanting en het voortbestaan van de mens niet meer voldeden aan de realiteit, zag de mens zich gedwongen in te grijpen.

Al duizenden jaren vertrouwde de mens op de natuur om zich te vermeerderen, en tegelijkertijd vreesde hij de natuur vanwege haar wispelturigheid, de besmettelijke ziekten, hongersnoden en andere plagen waardoor de mens in groten getale omkwam.

De cyclus van geboorte, leven en dood resulteerde in andere lasten. De mens werd net zoals het dier een slaaf, zonder invloed te kunnen uitoefenen op de toekomst. De mens raakte zelfs zo gewend aan deze slavernij dat hij meesters schiep om te aanbidden en te volgen: de goden die regels en wetten oplegden die in tegenspraak waren met de menselijke aard.

Dankzij de wetenschap is de mens de natuur voorbijgestreefd. Dankzij de wetenschap heeft de mens Lang Leven ontwikkeld, de belangrijkste ontdekking sinds de mens op aarde verscheen. Lang Leven stelt de mens in staat te leven als de goden, in vrijheid, niet gebukt onder de verwoestingen die de natuur aanricht. Lang Leven, middels het proces van Vernieuwing, heeft een nieuw tijdperk ingeluid voor de mens, een tijdperk van comfort, blijdschap, voorspoed en kennis. Een tijdperk van vrijheid.

Vrijheid brengt echter ook verantwoordelijkheden met zich mee, verantwoordelijkheden ten opzichte van de aarde, de medemens en de natuur zelf. Daarom zweer ik, als verantwoordelijk burger van het Verenigd Koninkrijk, geregeerd door de Autoriteiten, dat ik alle maatregelen zal nemen om te voorkomen dat er nieuw leven op de wereld wordt gezet, bekend staande als Overtolligen. Ik accepteer elke maatregel die de Autoriteiten gedwongen zijn te nemen, en ik verleen toestemming aan de door hen benoemde artsen om implantaten of andere middelen in te brengen of toe te dienen. Eveneens ben ik mij ervan bewust dat mocht ik mij niet aan de Wet houden, met opzet of per ongeluk, of als ik ontdek dat een medeburger namens mij de Wet heeft overtreden, ik onmiddellijk contact moet opnemen met de Autoriteiten en anderen die zullen worden aangewezen door de Autoriteiten, in het volle besef dat het natuurlijk evenwicht behouden moet blijven, dat de methode van een leven voor een leven bij wet is vastgelegd, en dat dit een moreel recht is.

Door het bovengenoemde te onderschrijven, bevestig ik mijn dankbaarheid voor de onbegrensde levensduur die ik met Lang Leven kan bereiken. Ik zweer plechtig dat ik mij aan het bovenstaande zal houden.

Getekend: *Getuige:* *Datum:*

Hij legde het vel papier neer. Het koude zweet was hem uitgebroken, zijn voorhoofd voelde klam en zijn handen trilden.

‘Er staat niet eens iets in over de mogelijkheid van weigeren,' zei hij. Hij had het luchtig willen laten klinken, vol zelfvertrouwen, alsof het hem niets deed dat hem de Wet was toegestuurd. Maar zijn keel was samengeknepen en daardoor kwam het er gesmoord en gespannen uit. 'Ga jij de jouwe nog openmaken?'

Met op elkaar geknepen lippen schudde Anna haar hoofd. 'Waarom zou ik?' zei ze. 'Die hele Wet interesseert me geen klap.'

Met een frons vroeg Peter: 'Ben je dan niet nieuwsgierig?'

'Nee. Ik teken toch niet, dus waarom zou ik het dan allemaal doornemen?'

'Dat ik de Wet wil lezen, betekent nog niet dat ik ga tekenen.' Hij flapte het eruit voordat hij er goed over had nagedacht, en meteen drong het tot hem door hoe agressief het klonk.

Verbaasd keek ze naar hem op. 'Dat weet ik toch? Dat hoef je mij toch niet te vertellen?'

'Pip is bang dat ik toch ga tekenen.' Hij had nog niet eerder beseft hoe hem dat stak, hoe erg hij in de war was geraakt doordat Pip hem niet helemaal vertrouwde.

'Echt? Waarom zou hij dat denken?' Ongelovig trok ze haar wenkbrauwen op.

Het drong tot Peter door dat zij hem volledig vertrouwde. Het zou nooit in haar opkomen dat hij in de verleiding zou komen te tekenen.

Hij haalde zijn schouders op. 'Weet ik het? Misschien maakt hij zich zorgen omdat het bloed van de Pincents door mijn aderen vloeit. Of misschien vindt hij me te jong om goed te weten wat ik wil.'

Anna sloeg haar armen om zijn hals. 'Luister maar niet naar hem. Jij zou nooit de Wet tekenen,' fluisterde ze op heftige toon. 'Dat weet ik gewoon.'

Even keek Peter haar aan, en hij dacht aan vroeger, toen ze elkaar hadden leren kennen, en ze ervan overtuigd was geweest dat Overtolligen een last waren voor de natuur, dat het de plicht van Overtolligen was om heel hard te werken voor de Legalen, om boete te doen voor het zondige feit dat ze bestonden. Hij drukte een kus op haar hoofd. 'Natuurlijk niet,' zei hij terwijl hij haar haar streelde. 'We worden samen oud en gerimpeld, en we krijgen kinderen. En we maken ook een eind aan Lang Leven. Dat beloof ik.'

11

Jude lag in bed. Er stond een diepe frons in zijn voorhoofd. De Ondergrondse had geen contact met hem opgenomen, en dat vrat aan hem. Hij had er zichzelf van weten te overtuigen dat hun bezoekje onderdeel was van een inwijdingsproces, dat hij zichzelf alleen maar had hoeven te bewijzen en dat ze binnenkort van zich zouden laten horen om hem te vertellen wat hij kon doen om te helpen. Dus had hij gewacht, starend naar het computerscherm, waarop maar geen berichtje verscheen. Voortdurend had hij zijn mobieltje met internetverbinding bij zich gehad voor het geval ze contact opnamen wanneer hij niet achter zijn computer zat. Maar er was niets gekomen. Geen enkele aanwijzing dat hij indruk op hen had gemaakt. Peter Pincent hadden ze geholpen, Peter Pincent hadden ze uit Grange Hall gehaald. In Jude daarentegen, die over kennis en vaardigheden beschikte die nuttig voor hen konden zijn, toonden ze geen interesse. Geen wonder dat zijn vader had gezegd dat de Ondergrondse uit een stelletje losers bestond.

Hij deed zijn best zijn teleurstelling weg te slikken. Hij stond op en zette de computer aan. Het was elf uur, tijd om aan de dag te beginnen. Die hele Ondergrondse kon hem geen klap meer schelen, hield hij zichzelf voor, hij had hen niet nodig. Tot voor kort had hij nauwelijks van hun bestaan geweten. Tot voor kort had hij niet eens geweten dat Peter bestond. Hij had niet eens geweten dat hij een halfbroer had. En hij vond het best om zowel de Ondergrondse als die halfbroer te vergeten. Prima.

Zonder erbij na te denken zakte hij onderuit in zijn stoel en hackte het beveiligingssysteem van Pincent Pharma. Beelden van Pincent Pharma verschenen op het scherm. Die Peter toonde zijn dankbaarheid aan de Ondergrondse wel op een merkwaardige manier door voor de vijand te gaan werken. Net goed, vond Jude. Dan moesten ze maar beter opletten bij het uitkiezen van hun vriendjes.

Terwijl hij naar het beeld op het scherm keek, dacht hij aan Peter die daar binnen was. Hij vroeg zich af wat hij aan het doen was. Soms had hij echt de pest aan hem. Die arme pechvogel van een Peter die ineens niet meer Legaal was geweest, die met niets was opgegroeid, die zo dapper en onbevreesd was, over wie de kranten steeds maar weer hadden geschreven. Alsof hij een bedreiging vormde of zoiets. Alsof hij over verborgen krachten beschikte. Hij was gewoon maar een Overtollige. Als hij een paar maanden eerder zou zijn geboren... Nou ja, dan zou alles heel anders zijn geweest. Heel, heel anders. Volgens Jude was het helemaal niet zo fijn om Legaal te zijn als werd gezegd. Peter zou eens moeten zijn opgegroeid met een vader die een hekel aan hem had en een moeder die je alleen maar had gekregen om de vrouw van haar minnaar een poepie te laten ruiken. Dan zou Peter er wel achter komen wat het echt inhield om een pechvogel zijn.

Gauw schoof hij die gedachten opzij en richtte zijn aandacht op het scherm. Op de gevel van het gebouw stond in grote letters: PINCENT PHARMA. Niet op zijn gemak schoof Jude op zijn stoel heen en weer. Pincent. De Pincents. Die naam was over de hele wereld bekend. Pincent Pharma, het machtigste bedrijf ter wereld. En nu was daar ineens Peter Pincent, de Overtollige die was ontsnapt.

Ineens nieuwsgierig geworden klikte Jude verder in het beveiligingssysteem. Hij zocht naar meer beelden, beelden van in het gebouw. Misschien kon hij Peter door de gang zien lopen, of ergens aan het werk, wat hij daar binnen ook deed. Jude kon zich niet voorstellen dat het aantrekkelijk was om daar te werken, in zo'n doolhof vol camera's. Eigenlijk vond Jude geen enkel soort werk aantrekkelijk. Dan moest je elke dag vroeg opstaan en doen wat je werd gezegd. Jude vond de lol van volwassen-zijn juist dat je kon doen en laten wat je wilde.

In snel tempo bekeek hij meer beelden, in de hoop Peter te zien te krijgen. Maar het had geen zin. In Pincent Pharma waren net zoveel camera's als er voorschriften van de Autoriteiten waren met betrekking tot energiegebruik. Het zou uren duren voordat hij ze was afgegaan. Met een zucht besloot Jude het maar op te geven. Maar toen hij met de muis het venster wilde wegklikken, fronste hij ineens zijn wenkbrauwen. Er was een meisje in beeld verschenen. Een meisje van zijn leeftijd of misschien iets jonger. Meisjes zag hij eigenlijk nooit, alleen heel soms op een foto in de krant, of door het raam, wanneer ze als Overtollige ergens als huishoudster werkten. Zelf kon Jude zich geen huishoudster veroorloven. Soms had hij erover gedacht meer te gaan verdienen om er wel eentje in huis te kunnen nemen, gewoon om te ervaren hoe het zou zijn om met iemand van zijn eigen leeftijd te praten.

Met grote ogen keek hij naar het scherm. Het meisje had rood haar. Ze lag op bed. Ze zag bleek en hield haar ogen gesloten. Sliep ze? Waarom? En wat deed ze daar bij Pincent Pharma? Die vragen kwamen allemaal tegelijk in hem op, maar het antwoord erop wist hij niet. Hij kon alleen maar kijken en zich verbazen. En hopen, besefte hij plotseling. Hij hoopte dat ze haar ogen open zou doen. En dat ze in de camera zou kijken. Jude wist donders goed dat ze hem dan niet zou kunnen zien. Ze zou niet eens weten dat hij naar haar keek, ze kon niet van zijn bestaan op de hoogte zijn. Maar toch hoopte hij dat ze wakker zou worden.

Op een balk onder in het venster stond waar ze was: afdeling X. Toen hij weer naar haar gezicht keek, kreeg hij een vreemd gevoel in zijn maag. Ze had haar ogen geopend, maar er stond geen vredige blik in, eerder een doodsbange. Waar ze bang voor was, kon Jude niet zien, maar hij voelde wel haar angst, als een ijskoud, wanhopig gevoel in zijn buik. Ineens werd het beeld vervangen door een ander, van een gang waar beveiligers wachtliepen.

'Nee!' riep Jude uit. Verwoed ramde hij op het toetsenbord, in de hoop het meisje weer te zien te krijgen. Hij kon haar echter niet vinden. Geërgerd ging hij door het beveiligingssysteem, hij klikte de ene camera na de andere aan, maar zonder resultaat. Het was net alsof hij zich het meisje maar had verbeeld, alsof ze niet bestond. Maar hij wist dat ze wel degelijk bestond. En hij wist ook dat hij haar daar niet kon laten, niet in doodsangst.

Een poosje dacht hij diep na, toen zocht hij verder in het beveiligingssysteem en kwam op een nieuwe pagina. Hij scrolde naar beneden totdat hij de informatie te pakken had die hij wilde hebben. Vervolgens pakte hij de telefoon en toetste een nummer in.

'Welkom bij Pincent Pharma. Als u verbonden wilt worden met onze vierentwintiguurshelpline, toets 1. Als u meer wilt weten over de nieuwste producten, toets 2. Als u informatie wilt over de juiste dosering, toets 3. Als u advies wilt over het voorkomen van verouderingsverschijnselen, toets...'

Jude drukte op 'hekje' en toetste vervolgens 349 in.

'U bent verbonden met de voicemail van Richard Pincent. Spreek alstublieft een bericht in.'

Met bonzend hart schraapte Jude zijn keel. 'Dit bericht betreft problemen met de beveiliging van Pincent Pharma, en informatie met betrekking tot de recente overvallen van de Ondergrondse. Ik ben u goed gezind, en ik ben bereid u te helpen. Als u interesse hebt, laat dan een bericht achter op www.LogBook.290.' Zonder op zijn trillende handen en het misselijke gevoel te letten sloot hij de computer af en ging naar beneden om koffie te zetten.

Peter vond het briefje in zijn jaszak pas toen hij op zijn werk was gekomen. Hij wist niet of het er de avond daarvoor in was gestopt, of toen hij onderweg was naar zijn werk. Het deed er ook niet toe, het ging erom dat hij zijn eerste echte opdracht had gekregen. De boodschap was geprint in een klein lettertype in de vertrouwde opmaak van de Ondergrondse. Er stond: We willen dossier 23b hebben, uit de werkkamer van RP. Zorg dat je dat in handen krijgt en vernietig dit bericht.

Peter prentte het dossiernummer in zijn geheugen en stopte het briefje terug in zijn zak. Zodra hij in het lab was, wilde hij het verbranden. Nooit eerder had hij zo'n duidelijke mededeling van de Ondergrondse gehad, dacht hij terwijl hij keek naar de vlammetjes die het papier verteerden. Misschien was Pip hem dan toch echt gaan vertrouwen. Misschien beschouwde Pip hem eindelijk als een man, en niet meer als een jongen.

'Peter, heb je even?'

Het was zijn grootvader. Geschrokken blies Peter de as van de werkbank. Hij durfde er niet eens aan te denken wat er zou zijn gebeurd als zijn grootvader een paar tellen eerder was verschenen. 'Tuurlijk,' antwoordde hij onverschillig, maar zijn schouderspieren verstrakten.

Samen liepen ze door de gang naar de lift, in stilte, net zoals de vorige keer. Voor de deur van Richards werkkamer waren beveiligers gestationeerd die hun blik door de gang lieten flitsen, op zoek naar iemand die daar niet thuishoorde. Naast de deur was een cijferslot. Zijn grootvader drukte een achtcijferig getal in. Peter hield het goed in de gaten, terwijl hij deed alsof hij op zijn horloge keek. Eenmaal binnen gebaarde Peters grootvader dat hij moest plaatsnemen in de gemakkelijke stoel voor het bureau.

'Zo,' zei zijn grootvader toen die achter het bureau was gaan zitten en Peter een kopje koffie had aangeboden. 'Ik vroeg me af of je nog had nagedacht.'

'Nagedacht?'

'Of je gaat tekenen.'

Het viel Peter op dat zijn grootvader nerveus was. Hij roffelde op het bureaublad, zijn ene ooglid trok een beetje, en hij zag behoorlijk grauw. Een week geleden was dat nog niet het geval geweest.

Peter keek om zich heen. Waar zou dat dossier zijn? 'Eigenlijk heb ik er nog niet zo over nagedacht,' zei hij voorzichtig, om meteen daarna gauw een slok koffie te nemen.

Zijn grootvader zette zijn kopje neer. Met een klap kwam het op het schoteltje terecht. Vervolgens schoof hij zijn stoel naar achteren, pakte een dossier op dat voor hem lag en bladerde daar een beetje in.

Aan zijn ogen kon Peter zien dat hij niet echt las. Hij vroeg zich af wat voor dossier het kon zijn, en ook of het systeem van archivering lastig zou zijn uit te vogelen.

De telefoon ging, en zijn grootvader nam op. 'O,' zei hij na een poosje. 'Ik begrijp het. In orde.' Hij legde de hoorn terug, pakte die weer op en drukte op een knopje. 'Ik wil graag een auto bestellen... Om vijf uur, naar het West End. Dank u.' Toen hij ophing, viel zijn blik op Peter, alsof het hem verbaasde dat die er nog was. 'O ja, Peter,' zei hij afwezig. 'Sorry. Waar waren we gebleven?'

Met opgetrokken wenkbrauwen keek Peter hem aan. 'U wilde weten of ik al had besloten de Wet te tekenen.'

'O ja.' Hij bleef Peter aankijken, met uitdrukkingsloos gezicht.

Peter had graag willen opstaan en weglopen, maar dat deed hij maar niet. 'Is dat alles?' vroeg hij. 'Is dat alles wat u wilde weten?'

Met een glimlach stond zijn grootvader op. 'Het zou een grove fout zijn als je niet tekende,' merkte hij peinzend op. Hij liep om het bureau heen en ging op een hoekje zitten. 'Dat weet je zelf ook wel.'

'Om heel eerlijk te zijn heb ik geen tijd gehad om er goed over na te denken.' Peter hield zijn grootvader als een havik in de gaten.

'Dan valt er verder niets te zeggen,' reageerde Richard gladjes.

Deze keer zei Peter niets terug, hij stond alleen maar op, klaar om te vertrekken.

'Weet je, we lijken sterk op elkaar, Peter,' merkte zijn grootvader op.

Met tegenzin ging Peter weer zitten.

'Ik zie het aan je ogen,' ging Richard verder. 'Allebei willen we veel bereiken, we willen iemand zíjn. Misschien vind je dat je bijzonder bent als je weigert te tekenen, dat dat je uniek maakt. Maar weigeren betekent niet alleen een standpunt innemen. Het betekent ook dat je je leven te grabbel gooit. Letterlijk.'

'We lijken helemaal niet op elkaar!' flapte Peter eruit voordat hij er erg in had.

Er verscheen meteen een brede grijns op het gezicht van zijn grootvader. 'O jawel! We houden allebei wel van een woordenwisseling, we willen allebei dolgraag winnen. Allebei willen we niets liever dan het laatste woord hebben, toch?'

Peter kneep zijn ogen tot spleetjes.

'Zeg eens, Peter, hoeveel leden van de Ondergrondse hebben geweigerd te tekenen?' vroeg zijn grootvader, die zich er niets van aantrok dat Peter bleef zwijgen. 'Hoeveel waren er bereid het offer te brengen dat ze van jou verlangen?'

Peter haalde zijn schouders op. 'Hoe moet ik dat nou weten? Ik ken niemand van de Ondergrondse.'

'Sorry, uiteraard ken je daar niemand van,' reageerde zijn grootvader gladjes. Hij glimlachte. 'Weet je, vroeger wisten terroristen hartstochtelijk aangelegde jongemannen over te halen zich voor het een of andere doel op te blazen. Revolutionairen zijn altijd op zoek naar slachtoffers. Als hen zelf maar niets overkomt.'

'Daar weet ik niets van.'

'Nee, dat zal wel niet. Maar denk erom dat het geen goede eigenschap is om moeite te hebben met het nemen van beslissingen. Anderen moeten weten waar je voor staat. Ik moet weten waar je voor staat.'

Peter stond weer op. 'Hoor eens, ik wil zo'n beslissing niet overhaast nemen,' zei hij. Hij moest zijn best doen zijn stem vlak te houden.

Heel even keek zijn grootvader hem onderzoekend aan, toen knikte hij. 'Dat begrijp ik.'

Peter draaide zich om en liep naar de deur.

'O, en Peter...' zei zijn grootvader toen Peter de deur al had opengezet.

'Ja?'

'Bijna had je het laatste woord. Goed gedaan.'

Peter deed zijn mond open om iets te zeggen, sloot die toen geërgerd en beende de werkkamer uit.

12

'Zo, dat was het weer voor vandaag. Ben je klaar om naar huis te gaan?'

Afwezig schudde Peter zijn hoofd. Hij deed net alsof hij helemaal opging in het experiment dat Edwards hem had gevraagd af te maken. 'Ik? Nee, ik wil... Ik moet nog een paar dingen doen.'

'Oké, wat je wilt.'

Ongeduldig wachtte Peter totdat Edwards klaar was met rondlopen, dingen uitzetten, nog even naar een apparaat kijken en het alarm afstellen. Eindelijk was dat allemaal gebeurd en vertrok hij met een jolige zwaai. Nog ongeduldiger bleef Peter een kwartier wachten. Edwards zou zomaar kunnen terugkomen, of hij kon buiten het lab een praatje staan te maken. Eindelijk trok Peter zijn jas aan en glipte de gang op. Hij had zijn grootvader een auto horen regelen. Op dit moment moest hij door de verlaten straten rijden, op weg naar het West End. Dit was Peters kans om dat dossier in handen te krijgen, misschien wel zijn enige kans.

Gehaast liep hij door de helder verlichte witte gangen, kijkend naar de hoge plafonds en de kleurige affiches met afbeeldingen van cellen erop. Overal waar hij keek was het licht en verleidelijk, zoals overal binnen de muren van Pincent Pharma. Je kon je nauwelijks voorstellen dat er iets slechts werd gemaakt in zo'n heldere, zuivere omgeving.

Eindelijk bereikte Peter de liften. Links daarvan was een deur en die opende hij. Zoals hij al had verwacht, zag hij een trappenhuis. Dat lijkt me een stuk veiliger, dacht hij, en hij stormde met twee treden tegelijk de trap op naar boven. Nadat hij had gekeken of hij op de goede verdieping zat, opende hij de deur op een kiertje. De gang was verlaten. Net zoals alle gangen was deze goed verlicht, maar Peter wist dat er in tegenstelling tot de gang bij het lab beveiligers de ronde deden. Met gespitste oren en zijn ogen goed open sloop hij op zijn hoede naar de werkkamer van zijn grootvader. Ondertussen repeteerde hij inwendig de smoesjes die hij had bedacht voor het geval hij zou worden betrapt: ik wilde mijn grootvader spreken... Ik twijfel of ik echt wel zal weigeren de Wet te tekenen... Ik geloof dat ik iets heb laten liggen toen ik hier eerder vandaag was...

Hij wist niet precies hoe hij langs de beveiligers bij de deur zou moeten komen, maar hij hield zich voor dat dat wel moest lukken. Af en toe moesten ze toch worden afgelost, of een koffiepauze houden. Als hij maar lang genoeg wachtte, moest er zich een mogelijkheid voordoen. Dat kon niet anders.

Toen hij echter de hoek om liep, zag hij tot zijn verrassing dat de beveiligers die dat stuk gang in de gaten hielden, waren verdwenen. De camera's stonden uiteraard aan, maar na die een poosje goed te hebben bekeken, besefte hij dat ze om de paar minuten wel een halve minuut niet op de deur gericht stonden.

Hij kon nauwelijks geloven dat hij zo bofte. Omdat hij het goed moest timen, wachtte hij geduldig het juiste moment af en sprintte toen stilletjes naar de deur. Zijn hart bonsde wild. Heel zachtjes klopte hij aan, vervolgens ietsje harder. Nadat hij angstvallig om zich heen had gekeken, toetste hij het getal van acht cijfers in dat hij uit zijn hoofd had geleerd. Meteen sprong de deur van het slot en kon Peter naar binnen. Gauw keek hij om zich heen of er niet toch iemand was, maar de ruimte was verlaten. Het licht brandde nog, maar er was geen spoor van zijn grootvader. Op het bureau stond een kopje koud geworden koffie, en dat kon betekenen dat er hier al minstens een uur niemand meer was geweest.

Terwijl zijn ogen alle kanten op vlogen, overwoog hij wat hij het best kon doen. In elk van de kasten en archiefkasten, op elke plank kon het dossier liggen dat hij moest hebben. Op het bureau stond ook de computer van zijn grootvader, en daarin zou het geheim van Lang Leven weleens te vinden kunnen zijn. Het liefst had hij alles eens grondig doorzocht, maar dat kon uiteraard niet. Daar was geen tijd voor, en bovendien mocht hij niets veranderen. Er hingen hier dan wel geen camera's, maar er waren vast andere beveiligingsmaatregelen die Peter niet kende, die hij niet kon zien.

Hij moest op zoek gaan naar dat dossier en dan stilletjes weer vertrekken. En hij moest opschieten.

Maar toen hij naar het bureau liep, raakte hij geïntrigeerd door de stoel van zijn grootvader. Het was een grote stoel met een bekleding van bruin leer die kon draaien en op wieltjes stond. Toen Peter erop ging zitten, besefte hij dat hij helemaal om zijn as kon draaien. Hij leunde ontspannen tegen de zachte rugleuning. Deze stoel zat haast onbeschaamd lekker. Peter voelde zich belangrijk in deze grote, zachte stoel, een man met gezag. Dit was geen stoel voor bedeesde types, dit was een stoel die macht uitstraalde.

Langzaam rolde hij langs het bureau, het imponerende mahoniehouten geval dat hij alleen van de andere kant kende. Het was een gigantisch bureau, zeker drie meter lang en twee meter breed, met forse poten, versierd met houtsnijwerk. Op het blad lag donkerrood leer met een goudkleurige rand. Midden op dat leer lag een dossier waarop stond gedrukt: SCHEIKUNDIGE COMPONENTEN EN HUN HERKOMST. Gauw sloeg hij het open en bladerde erin. Hij snapte er niets van, het was een lijst met afkortingen en namen van leveranciers.

Hij kwam weer tot zichzelf en stond op uit de stoel. Vervolgens stapte hij naar de planken aan de wand. Op die planken stonden met leer beklede dozen, allemaal keurig genummerd: 1-3a; 4-7a; 8-10a. Algauw had Peter de b gevonden, en even later had hij dossier 23b te pakken. Er stond op: PINCENT PHARMA: TERMINOLOGIE EN AFKORTINGEN. Hij verstopte het onder zijn shirt.

Met een frons keek hij om zich heen. Hij had gedaan waarvoor hij hier was gekomen. Hij had het dossier te pakken gekregen. Eigenlijk was het helemaal niet moeilijk geweest.

Gejaagd keerde hij terug naar het bureau en zette alles terug zoals het was geweest toen hij hier binnenkwam. Terwijl hij dat deed, zag hij ineens iets. Op een wit vel papier tussen allerlei andere paperassen links op het bureau zag hij OVERTOLLIGEN staan.

Omdat hij zich altijd kwaad maakte wanneer hij dat woord hoorde of las, trok hij het vel tussen de andere uit. Het was geen los vel, merkte hij, het zat geniet aan nog twintig andere. Op de eerste bladzij, die waarop dat woord Peters aandacht had getrokken, stond in grote letters: OVERTOLLIGENBEHEER. Daaronder stond in potlood gekrabbeld: *Richard, heb je dit al gezien? Ik vind dat je...*

Met een frons sloeg Peter de bladzij om en ging lezen. Het was taaie kost, en heel erg weerzinwekkend. Er werden maatregelen in opgesomd die werden gebruikt om het Overtolligenprobleem in de hand te houden. Het ging over de Overtolligenhuizen, de rol van de Overtolligenpolitie, oftewel de Vangers, en een programma om burgers aan te moedigen meteen aangifte te doen wanneer ze ergens een kind hoorden of zagen. Er waren spreadsheets waarin de kosten per Overtollige waren uitgerekend, en een analyse om die kosten terug te brengen. Ook was er iets over de kleur van de overalls, en of grijs gepaster zou zijn dan marineblauw. Grijs was minder vrolijk, en je zag er vlekken minder op. Kwaad sloeg Peter de bladzijden om, met een misprijzende uitdrukking op zijn gezicht. En toen kwam hij bij een bladzijde waarop stond: OVERTOLLIGENSTERILISATIEPROGRAMMA. De frons in zijn voorhoofd werd nog dieper.

Hij las over clausule 54.67d in het Overtolligenprogramma van 2124. Hij las over een programma voor onomkeerbare sterilisatie van alle Overtolligen, meteen bij aankomst in een Overtolligenhuis. Hij las over het voorkomen van de productie van Overtolligen. Hij las over geslaagde proeven waarbij geen problemen waren opgetreden. Hij las over mannelijke Overtolligen die minder agressief waren dankzij een lager testosterongehalte, en dat er geen bijwerkingen waren bij vrouwelijke Overtolligen.

De woorden gingen door elkaar heen lopen. Langzaam drong de betekenis ervan tot hem door, en dat maakte hem nog kwader dan hij al was. Onomkeerbare sterilisatie? Stond dat daar echt? Hij sloeg de bladzij om en zag toen een lijst namen. Honderden namen, met daarnaast een datum, een plek en een leeftijd. Hij durfde nauwelijks te kijken. Toch moest hij dat doen. Gejaagd bladerde hij verder totdat hij had gevonden wat hij zocht en wat hij had gehoopt niet te vinden. En toen hij het dan toch had gevonden, sloeg zijn hart over en trok het bloed weg uit zijn gezicht. Daar stond het, zwart op wit: *Overtollige Anna (v), 2127 (2), Grange Hall (Zuid).* Met trillende vingers sloeg hij de bladzijden om, op zoek naar zijn eigen naam. Eindelijk vond hij die, op een van de laatste vellen papier: *Overtollige Peter (m), 2140 (15), Grange Hall (Zuid)**.

Twee bladzijden verder kwam hij achter de betekenis van dat sterretje: laat binnengekomen. Meteen kwamen er beelden in hem op van de injecties die hem in Grange Hall waren toegediend. Pip die hem vertelde dat het zijn verantwoordelijkheid was nieuw leven op de wereld te zetten. De Wet die Anna en hij bijna hadden geweigerd te tekenen. Nu had dat geen zin meer.

Hij moest tegen het bureau leunen omdat zijn knieën zo knikten. De muren leken op hem af te komen, en het werd zwart voor zijn ogen. Er zou geen nieuwe generatie komen. Hij was niet de hoop van de Ondergrondse.

Nog één keer keek hij verwilderd om zich heen. Gelukkig dacht hij eraan eerst te kijken of er geen beveiligers op de gang stonden, en te wachten totdat de camera's waren weggedraaid. Pas toen rende hij weg.

13

Peter ging niet meteen naar huis. Hij durfde Anna niet onder ogen te komen, hij durfde haar niet te vertellen waar hij net achter was gekomen. Het was nog te vers, hij had het nog niet kunnen laten bezinken, hij wist nog niet hoe hij erop moest reageren. Dus doolde hij maar een beetje rond door Zuid-Londen. Hij vond een kroeg waar de gasten hun identiteitskaart niet door de scanner hoefden te halen, en daar bestelde hij een wodka met jus d'orange, en toen nog eentje. Het was er druk. Blijkbaar was Peter niet de enige die iets wilde vergeten. Er oud uitziende mannen en vrouwen zaten over de tafeltjes gebogen met hun glas in de hand. Ze mompelden tegen elkaar of in zichzelf.

Nieuwsgierig keek de barman hem aan, maar hij zei niets. Hij pakte gewoon Peters geld aan en gaf hem zijn drankje.

Nadat Peter het met een paar grote slokken had opgedronken, bestelde hij nog een glas.

'Drink je niet een beetje te snel?'

Peter draaide zich om en zag dat er een man bij hem aan de bar was komen staan. Hij had een rood, pafferig gezicht, met uitpuilende ogen, alsof ze uit hun kassen wilden ontsnappen.

'Waar bemoei je je mee?' Peter dronk het glas leeg en bestelde nogmaals. Hè ja, weer een volwassene die hem vertelde wat hij moest doen en laten. Weer een volwassene die dacht dat hij alles beter wist.

'Wat drink je eigenlijk?'

Peter keek de man aan en antwoordde toen schouderophalend: 'Wodka.'

Met tot spleetjes geknepen ogen vroeg de man. 'En hoe oud ben je?'

Peter nam een grote slok en negeerde de man, die hem op zijn zenuwen begon te werken. Hij wilde met rust worden gelaten zodat hij kon nadenken en de opkomende woede bedwingen tot iets wat hij beter aankon.

Maar de man liet hem niet met rust. Hij herhaalde zijn vraag, zodat Peter zich gedwongen voelde zich weer naar hem om te draaien.

'Wat maakt het jou uit?' vroeg Peter.

Daar moest de man even over nadenken, toen antwoordde hij hoofdschuddend: 'Niks, denk ik.' Vervolgens leek hij zijn interesse in Peter te verliezen.

Peter nam nog een fikse slok en staarde toen in het glas. Hij kon er zijn gezicht in zien, merkwaardig verwrongen alsof hij misvormd was. Een idioot. Had hij zich als een idioot gedragen? Was de Ondergrondse op de hoogte van het sterilisatieprogramma? Nee, onmogelijk. Echt onmogelijk. Pip zou er niet zo op hebben aangedrongen dat Peter zou weigeren de Wet te tekenen als hij zou hebben geweten dat het toch niets uitmaakte. Dat Peter sowieso geen kinderen kon krijgen.

'Volgens mij heb ik je hier nog niet eerder gezien.'

Tegen zijn zin keek Peter de man aan die naast hem stond. 'Pardon?' Deze keer klonk hij minder strijdlustig. De alcohol verwarmde hem en maakte zijn gedachten wazig.

'Volgens mij heb ik je hier nog niet eerder gezien,' herhaalde de man.

'Nee,' antwoordde Peter vaag. 'Dat kan kloppen.'

Zijn grootvader had gezegd dat de Ondergrondse wilde dat hij zijn leven te grabbel gooide om hun doel te dienen. Had hij gelijk gehad? Waarom had Pip niet geweigerd de Wet te tekenen? Waarom gold voor hem het ene, en voor zijn aanhangers het andere?

'Dacht ik al,' zei de man ernstig. 'Ik kan me niet herinneren dat ik je ooit eerder heb gezien, en mijn geheugen doet het nog best. Meestal.'

'Mooi,' reageerde Peter. Ineens werd hij kwaad op Pip. Pip had van het Overtolligensterilisatieprogramma op de hoogte moeten zijn. Pip had het hem moeten vertellen.

De man vertrok zijn gezicht tot een grimas. 'Hoe oud zei je ook alweer dat je was?'

'Dat heb ik niet gezegd,' antwoordde Peter. 'Is dat nou echt zo belangrijk?'

De man schudde zijn hoofd. 'Meestal niet. Niet voor de meeste mensen. Maar jij bent anders, hè? Jij bent die Overtollige over wie de kranten hebben geschreven.'

Peter slaakte een diepe zucht. 'Nou, dan weet je ook hoe oud ik ben,' zei hij.

'Hm...' De man knikte peinzend. 'Zo jong. Zo nieuw.' Hij legde zijn hand op die van Peter. 'Wacht nog maar een paar jaar, dan merk je het vanzelf,' merkte hij somber op.

'Bedankt,' zei Peter kortaf. 'Bedankt voor de tip.' Hij leegde zijn glas, keek op zijn horloge en dacht aan Anna. Eigenlijk zou hij eens naar huis moeten. Maar toen haalde hij zijn schouders op en bestelde nog een glas. Wat maakte het ook uit?

De man lachte. 'Graag gedaan,' zei hij terwijl hij deed alsof hij tegen zijn pet tikte.

Peter deed zijn mond open om nog iets te zeggen, en sloot hem toen weer. Pip wilde dat Anna en Peter weigerden de Wet te tekenen. Pip wilde dat Anna en Peter hun leven bekortten. Waarom? Om iets te bewijzen? Vond Pip hen alleen daar goed voor? Kwaad zette Peter zijn glas met een klap terug op de toog. Pip had hem verraden, de Ondergrondse had hem verraden. Ze hadden ook Anna verraden. Ze deden net alsof ze om hen gaven, terwijl eigenlijk...

'Ik zou me er maar niet druk om maken,' zei de man naast hem op luchtige toon. 'Waar je ook kwaad om bent... Zo erg zal het vast niet zijn.'

'O nee?' Met een ruk draaide Peter zich om en keek de man

strak aan. Hij voelde zich een beetje duizelig, en hij merkte dat zijn tong niet echt wilde. 'Hoe weet jij dat nou, hè?'

Lachend haalde de man zijn schouders op. 'Eigenlijk doet niks ertoe. De dingen gaan zoals ze gaan. Wat maakt het uit?'

'Dat zie je dan toch heel verkeerd,' reageerde Peter woedend. 'Sommige dingen maken heel veel uit. Sommige dingen zijn belangrijk. Anna is belangrijk, ons leven is belangrijk.'

'Als jij het zegt...' zei de man.

'Ja, dat zeg ik.' Peter vergat bijna dat hij het had tegen iemand die hij niet kende. 'Als je vindt dat niks ertoe doet, is het oké om anderen te gebruiken. En om te geloven in mensen die je in de steek hebben gelaten. Maar het is niet oké.' Hij wiebelde op zijn kruk en greep zich net op tijd vast, zodat hij er niet af viel.

'Iemand laat jou in de steek, jij laat die in de steek, en de volgende keer dat je hem ziet, zijn jullie weer de dikste vrienden,' zei de man. Het klonk bijna poëtisch, alsof het een oud liedje was. Even keek hij Peter aan, toen haalde hij zijn schouders op. 'Het maakt allemaal niks uit,' mompelde hij. 'Daar kom je nog wel achter. Je kunt geen slechte keus maken, en ook geen goede.'

'Onzin,' zei Peter. Hij rechtte zijn rug, en schrok toen alles begon te draaien. 'Natuurlijk kun je wel een slechte keus maken. Je kunt de verkeerden vertrouwen. Je kunt ervoor kiezen in ze te geloven...' Zijn stem stierf weg en de tranen sprongen hem in de ogen.

De man boog zich naar hem toe, en bijna moest Peter kokhalzen toen hij die naar alcohol stinkende adem rook.

'Vertrouw maar wie je wilt. Het maakt toch geen moer uit, of ze nou goed zijn of slecht.' Met zijn uitpuilende ogen keek hij Peter zo doordringend aan dat die zich slecht op zijn gemak begon te voelen. Toen barstte de man opeens in rauw gelach uit. 'Dus jij wilt een betere keus maken? Ben je daarom hiernaartoe gekomen?'

Peter liet zich van de kruk glijden en legde geld op de toog. 'Ik weet het niet,' zei hij zacht. Hij stond een beetje wankel op zijn benen, alles draaide, en zijn hart bonkte. 'Ik weet niet wat de juiste keus is. Ik weet niet eens of ik nog wel een keus heb.'

'Niemand heeft het voor het kiezen,' zei de man wijs. Hij dronk zijn glas leeg. 'We denken dat we kunnen kiezen, maar dat is niet zo. Niet echt. Je kunt je het best maar gewoon koest houden, en dan overkomt het je allemaal toch.' Hij gaf een vette knipoog. 'Je moet de dingen niet overhaasten, weet je.'

'Het zal wel,' zei Peter achteloos. 'Je hoeft dingen ook niet te overhaasten. Je hebt een hele eeuwigheid voor je om slechte keuzes te maken, toch?'

Daar moest de man erg om lachen. Hij sperde zijn mond wijd open, en zijn gezicht liep nog roder aan. Toen bracht hij zijn gezicht heel dicht bij dat van Peter, en toen hij hees in Peters oor fluisterde, kreeg die kriebel in dat oor. 'Je hebt het steeds over keuzes,' fluisterde de man samenzweerderig. 'Er is echter slechts één keuze die ik zou willen maken, maar dat is onmogelijk. Ik wil niet dood. Maar ik snap ook niet wat er nou zo leuk is aan het leven.' Hij trok een grimas, lachte en zette zijn glas vervolgens met een klap op de toog. 'Nog eentje!' riep hij naar de barman, en die schonk nog eens in.

Na een poosje schoof Peter de kruk weg. 'Jij hebt misschien geen keus, maar ík wel,' zei hij boos. 'En die ga ik nu maken.'

Hij rechtte zijn rug, waarbij hij zich moest vasthouden aan de toog. Opeens werd zijn blik getrokken door de ring aan zijn vinger, met de bloem erin gegraveerd. Die bloem had voor hem altijd symbool gestaan voor iets belangrijks: niet alleen voor zijn geboorte, maar voor het leven zelf. Steeds weer hadden de Coveys hem verteld over de natuurlijke levenscyclus. Planten groeiden, raakten in bloei, verspreidden hun stuifmeel via vlinders, bijen en andere insecten om nieuw leven te creëren, en dan stierven ze. Hun taak was volbracht. Ze hadden hem boeken gegeven over natuurlijke historie, over natuurlijke selectie, over de ontwikkelingen van de soorten tijdens de levenscyclus, de voortplanting en de dood. Maar nu wist Peter dat die ring zijn beste tijd had gehad. De cyclus was verbroken, die was niet meer van belang. Natuurlijke selectie was vervangen door iets anders, iets heel verschillends, en er was geen weg terug meer mogelijk. Toch ging het nog steeds om het overleven van de sterksten, en Peter wilde koste wat het kost overleven. Zonder nog naar de man te kijken strompelde Peter de kroeg uit. Hij moest met Anna praten. Hij moest weten hoe ze zonder hem zou overleven.

'Peter!' Anna begroette hem als een held die terugkwam van het slagveld, hoewel het bijna middernacht was, hij naar alcohol stonk en zwaaide op zijn benen.

Daardoor voelde hij zich schuldig en niet op zijn gemak. Hij had liever gezien dat ze kwaad op hem was. 'Hoi,' zei hij met dikke tong. 'Sorry dat ik zo laat ben.'

Ze glimlachte, op haar hoede. 'Dat geeft niet,' zei ze. 'Ik wist wel dat je niets was overkomen. Waar was je eigenlijk?'

Peter haalde zijn schouders op. Hij had zich voorgenomen om zodra hij thuis was Anna te vertellen wat hij had ontdekt. Maar nu hij dat bezorgde gezichtje zag, haar ogen die met een blik vol vertrouwen op hem gericht stonden, kon hij het niet over zijn lippen krijgen. Dus wrong hij zich maar langs haar heen en liep wankel naar de keuken.

'Ben slaapt, en ik heb een ovenschotel gemaakt,' zei Anna. 'Het eten zal wel koud zijn, maar ik kan het opwarmen. Heb je gedronken?'

'Een ovenschotel,' zei Peter terwijl hij zich zwaar op een stoel liet ploffen. Alles draaide. 'Lekker!'

'Was je bij de Ondergrondse?'

Even keek Peter op, en hij zag de hoopvolle blik in Anna's ogen. Toen ze zwijgend op antwoord bleef wachten, schoot hem iets te binnen, en meteen begon hij te bladeren door de papieren die op tafel lagen. Eindelijk vond hij wat hij zocht.

'De kopie van de Wet die we moeten tekenen,' zei hij op ernstige toon, hoewel zijn tong niet erg wilde meewerken.

Anna knikte, nog steeds zwijgend.

Een paar keer moest Peter met zijn ogen knipperen, toen kon hij pas zijn exemplaar doorlezen. Maar na een paar regels gaf hij het op. Hij zag toch alles dubbel.

Aarzelend zette Anna een bord dampend eten op tafel.

'Je weet toch dat iedereen de Wet tekent?' vroeg Peter. Hij pakte zijn vork op en legde die toen weer neer. 'Maar weet je ook dat Pip ons alleen maar onzin verkoopt?'

'Het is geen onzin,' reageerde Anna.

Peter trok zijn wenkbrauwen op. Hij wilde haar liever niet kwetsen, maar om de een of andere reden kon hij zich daar niet van weerhouden. 'Zelfs je ouders hebben getekend.'

Anna trok wit weg. 'Ze wisten niet wat ze deden. Ze waren nog jong. Later hadden ze er spijt van.'

'Maar ze hebben wél getekend.'

'Wat heb je toch, Peter? Waarom doe je zo? Je klinkt als een...'

'Als een Pincent? Nou, dat ben ik ook. Ik ben de kleinzoon van Richard Pincent, en de achterkleinzoon van Albert Fern. Mijn familie heeft Lang Leven uitgevonden, Anna. Misschien zit het me in het bloed.'

Anna zette grote ogen op. 'Het zit je niet in het bloed. Je hebt de pest aan de Pincents. Peter, we gaan weigeren te tekenen. Dat hebben we toch afgesproken?'

Hij vond het vreselijk dat hij zo wreed tegen haar deed. Gauw stopte hij eten in zijn mond. 'Wat bereiken we daarmee? Dat we jong sterven, voordat we onze stempel op de wereld hebben kunnen drukken? Waarom zouden we weigeren? Waarom blijven we niet gewoon rondhangen, net zoals iedereen?'

'Ik snap niet wat je bedoelt,' zei Anna. Ze had die uitdrukking op haar gezicht gekregen die Peter zich herinnerde van Grange Hall. Gedeeltelijk koppig, gedeeltelijk bang.

'Natuurlijk snap je het niet. Hoe zou je ook?' snauwde hij. Zijn woede veranderde in verbittering, en in zelfhaat omdat hij zijn woede afreageerde op de enige die totaal onschuldig was. 'Jij weet van niks. Weet je wat het is met jou? Je bent te naïef. Je gelooft alles wat je wordt verteld. Je gelooft wat mevrouw Pincent je vertelde, je gelooft wat ik je vertel. Maar Anna, het slaat allemaal nergens op. Ik snap niet dat je dat nog steeds niet doorhebt.'

Anna slikte iets weg, en hij zag tranen in haar ogen blinken.

'Het is geen onzin,' bracht ze gesmoord uit. 'En ik ben niet naïef. Je hebt gedronken, je weet niet wat je zegt. Ik wou dat je je mond hield.'

'Misschien zou ik dat inderdaad beter kunnen doen,' zei hij. Zonder haar aan te kijken stond hij op. 'Dat is wat Pip wil. Dat ik mijn mond hou en doe wat me wordt gezegd. En dat ik geen lastige vragen stel.'

'Pip? Maar die staat aan jouw kant... Hij helpt ons.'

'Ja hoor,' merkte Peter spottend op. 'Denk je nou echt dat hij ons zal helpen als we de Wet tekenen? Denk je nou echt dat hij dan ook aan onze kant zal staan?'

'Nee!' Anna sprong op, met die vurige blik in haar ogen die Peter al zo lang niet meer had gezien. 'Nee, hij zal ons nooit laten vallen! Want we tekenen niet. Zulke dingen moet je niet zeggen, Peter, die maken me bang. We tekenen niet. Nooit. We krijgen kinderen, en dat worden geen Overtolligen.'

Peter keek haar aan terwijl de gedachten door zijn hoofd spookten. Hij kende de waarheid. Er zouden geen kinderen komen. Ze zouden met zijn tweetjes blijven. Met Ben. Er was geen reden meer om niet te tekenen, er was geen reden om te sterven. Maar dat kon hij haar niet vertellen. Niet nu.

'Als je echt om me gaf, zou je tekenen,' beet hij haar toe voordat hij zijn stoel omgooide en de keuken uit stormde.

'Peter!' riep Anna hem nog na.

Maar hij hoorde het nauwelijks. Hij beende de woonkamer in, liet zich op de bank vallen en viel in een diepe, droomloze slaap.

'Peter?'

Peter keek op. Heel even wist hij niet waar hij was. Hij tuurde in een vertrouwd gezicht. 'Pip?'

'Anna heeft me gebeld. Ze zei dat je had gedronken. Ze klonk erg bezorgd.'

'Heeft ze jou gebeld?' Peter ging zitten en keek Pip vol ongeloof aan. 'En toen ben je gekomen? En de codenamen dan? De veiligheidsmaatregelen?'

'Het was een noodgeval. En maak je geen zorgen, ik heb goed opgepast,' zei Pip.

Er klonk muziek. Peter keek om zich heen en zag dat de radio aanstond. Uiteraard staat die aan, dacht hij met iets van verbittering, Pip maakt geen fouten.

'Anna zei dat je behoorlijk in de war was,' ging Pip verder. 'Ik wil je graag helpen.'

'Nou, dan heeft ze het helemaal verkeerd,' snauwde Peter. Toen hij zijn hoofd bewoog, merkte hij dat hij nog aangeschoten was. 'Ik ben niet in de war. Ik heb tegen haar gezegd dat we de Wet gingen tekenen. Trouwens, wat doe je hier? Ik dacht dat je je alleen vertoonde in duistere ruimten, om je belangrijk te voelen.'

'Ben je van plan de Wet te tekenen?' Pip vroeg het toonloos, en dat maakte Peter nog kwader dan hij al was.

'Geef me één reden waarom ik dat niet zou doen,' zei hij verbitterd. Plotseling stond hij op, en toen moest hij zich vasthouden aan de armleuning van de bank. 'Wil je me soms vertellen dat er geen sterilisatieprogramma voor Overtolligen bestaat? Je hebt het er altijd over dat wij een revolutie kunnen ontketenen, en dat we kinderen kunnen krijgen die de toekomst van de wereld zullen veranderen. En ga je Anna nu vertellen dat ze nooit een kind kan krijgen? Omdat er vanbinnen van alles uit haar is gehaald, of uitgezet of in slaap gemaakt, of wat ze ook met haar hebben gedaan? Weet je, ik kan haar dat niet vertellen...'

Pip keek hem bevreemd aan. 'Dat programma, bestaat dat echt? Hoe weet je dat? Hoe ben je daarachter gekomen?'

Even wist Peter niet wat hij moest zeggen. Ondanks zijn woede had hij toch een beetje hoop gekoesterd, hoop dat er een verklaring zou zijn, dat Pip er niet van op de hoogte was geweest. 'Ik heb het dossier gezien,' zei hij na een poosje. Het kwam er verbitterd uit. 'Onze namen stonden op de lijst.' Vol walging keek hij naar Pip. 'Weet je,' zei hij hoofdschuddend, 'ik dacht dat je het wist, want je zegt altijd dat je alles weet. Maar toen dacht ik dat je het niet kón weten, want als je ook maar iets had vermoed, zou je het ons wel hebben verteld. Je zou ons niet hebben toegestaan te weigeren de Wet te tekenen, om ons leven te richten op het krijgen van kinderen, als je had geweten dat kinderen toch niet voor ons zijn weggelegd. Ik had niet gedacht dat je zo'n klootzak kon zijn. Maar nu denk ik dat ik het bij het verkeerde eind had. Misschien heb jíj wel je houdbaarheidsdatum overschreden, Pip, misschien deug jij wel nergens meer voor. Heb je daar weleens over nagedacht?'

Hij zag dat Pip zijn ogen een beetje opensperde, ook al was het nog schemerig in de woonkamer, die slechts werd verlicht door het maanlicht dat naar binnen viel door het raam. Hij voelt zich zeker schuldig, dacht Peter. Of misschien is hij geschrokken omdat de waarheid nu op tafel ligt.

'Peter, luister. Er is over een dergelijk programma gesproken, maar wij hebben begrepen dat er nooit daadwerkelijk actie is ondernomen. Zelfs als dat wel het geval is, is er toch een reden om te weigeren de Wet te tekenen. Je zou een duidelijk standpunt innemen. Vooral als jij dat doet, betekent dat iets. De mens is niet bedoeld om eeuwig te leven. We moeten strijden tegen het dogma dat sterven verkeerd is, dat de cyclus van de natuur zomaar opzij kan worden gezet.'

'Strijden zoals jij?' vroeg Peter vinnig. 'O nee, jij hebt de Wet wel getekend, hè? Jij wilde de mogelijkheid eeuwig te leven niet aan je zien voorbijgaan, hè? Jij offerde je niet op. Maar Peter Pincent moet zich wel opofferen.'

Niet op zijn gemak fronste Pip zijn voorhoofd. 'Peter, je weet best dat ik mijn leven niet wil rekken. Ik wil niet steeds getuige zijn van de ellende om me heen. Maar vanwege mijn rol binnen de Ondergrondse moest ik wel tekenen, om ervoor te zorgen dat de verzetsbeweging van de grond kwam. Ik kon het risico niet lopen dat de beweging uitstierf. Ik leef voor dat doel, meer niet.'

'Je bedoelt dat je niet het risico kon lopen dat de volgende generatie het van je overnam. Je was bang dat zij je idealen zouden verwerpen,' snauwde Peter. 'Je bent al net zo erg als de Autoriteiten. Het draait allemaal om jou. Nou, je kunt de pot op! Ik heb er mijn buik van vol. Trouwens, je doet toch nooit iets. Volgens mij is Pincent Pharma niet bepaald bang voor je.'

Pip fronste nog dieper. 'Het spijt me dat je er zo over denkt. Ik heb nooit belangrijk willen zijn, ik wilde alleen maar de mens beschermen voor de afschuwelijke verleiding van het eeuwige leven, ik wilde strijden voor het nieuwe, het jonge. Peter, ik was sowieso van plan morgen contact met je op te nemen omdat ik informatie over Pincent Pharma in handen heb gekregen. Ik wilde je vragen daarnaar onderzoek te doen. Op de zesde verdieping moet zich een afdeling X bevinden. We maken ons zorgen over wat daar gebeurt.'

'Afdeling X?' Peter stak zijn handen in zijn zakken. 'Wekenlang vertel je me niks, en nu ik je eindelijk heb doorzien, kom je met afdeling X. Ik ben niet achterlijk, hoor. Ik heb er genoeg van. Je kunt maar beter oprotten.'

Hij zette de deur al open om zelf weg te lopen.

Pip stond op. 'Peter, loop nou niet weg. Je begaat een grove fout. Daar zul je niet alleen zelf de dupe van zijn, maar Anna ook.'

Met fonkelende ogen draaide Peter zich om. 'Tegen mij kun je het maar beter niet over Anna hebben,' zei hij met hese stem. 'Niet na alles wat er is gebeurd. En neem geen contact meer met haar op. We gaan de Wet tekenen, en we worden heel gelukkig. Als jij ook maar iets uithaalt, stap ik naar de Autoriteiten en doe ik een boekje over je open. Ik wil dat je ons met rust laat, Pip. Gesnopen? Laat ons met rust!'

'Goed.' Pip zei het zacht, eerder verdrietig dan kwaad. 'Maar ik ben er voor je, Peter. Ik zal er altijd voor je zijn.'

'Ja hoor,' reageerde Peter. Hij ging de deur uit en vervolgens de trap op naar de slaapkamer. 'Je laat jezelf wel uit, hè?'

Ineens schoot hem iets te binnen, en halverwege de trap draaide hij zich om. 'Trouwens, ik heb je bericht ontvangen. Dossier 23b, toch?' Achteloos haalde hij het onder zijn shirt vandaan en gooide het naar beneden.

'Mijn bericht?' Pip was achter Peter aan de gang in gelopen. 'Welk bericht?'

'Beschouw het maar als mijn laatste klus voor de Ondergrondse. Zo staan we quitte.'

'Peter, wacht! Ik weet niet waarover je het hebt. Ik heb niet om een dossier gevraagd!' riep Pip hem na.

Maar Peter had de overloop al bereikt. Terwijl hij zachtjes naar de slaapkamer sloop, veranderde zijn woede in wanhoop. De tranen die hij met zoveel moeite had binnengehouden, biggelden nu over zijn wangen.

'Het spijt me,' fluisterde hij toen hij in bed kroop en Anna tegen zich aan trok. 'Ik ben je niet waard. Het spijt me.'

'Natuurlijk ben je me wel waard,' fluisterde ze terug. Ze draaide zich om en sloeg haar armen om hem heen. 'Het komt allemaal goed.'

Peter trok haar stevig tegen zich aan, steviger dan ooit tevoren, want hij wist dat het helemaal niet goed zou komen, nu niet en nooit niet.

14

Voorzichtig manoeuvreerde Anna Bens gebutste kinderwagen de treetjes naar de winkelstraat af en liep verder totdat ze bij Angler's Way was gekomen, waar de koffietent Bright Days was gevestigd. Daar had ze afgesproken met Maria. Het was een nare, grauwe dag, somber, ook al deed de zon haar best om door de bewolking te komen. Peter was die ochtend vroeg weggegaan, zonder iets te zeggen over de avond daarvoor. Hij had haar niet gerustgesteld, niet gezegd dat alles in orde zou komen, dat alles gauw weer gewoon zou worden. Pip had haar ervan verzekerd dat hij alles goed in de gaten zou houden en dat ze zich geen zorgen hoefde te maken. Maar ze maakte zich wel zorgen, ze was voortdurend aan het tobben. Ze voelde zich net een ballonnetje. Als Peter haar niet goed vasthield, zou ze wegzweven in het niets, alleen en hulpeloos in een eindeloze hemel.

Toen ze de koffietent in stapte, zag ze Maria al zitten aan een tafeltje bij het raam. Ze wuifde, blij een vriendelijk gezicht te zien, een gezicht zonder teleurgestelde of kwade uitdrukking erop. Meteen stond Maria op en hielp haar de kinderwagen tussen de tafeltjes door te krijgen. Ze lachte lief naar Ben. 'Wat een knappe jongeman is hij toch,' zei ze een beetje bedroefd. 'Jammer dat hij geen vriendjes zal hebben om mee te spelen.'

De lach op Maria's gezicht was zo lief en hartverwarmend dat de tranen in Anna's ogen sprongen. Ze wilde dolgraag met iemand over Peter praten, ze wilde dolgraag een troostende stem horen. Ze wilde horen dat zijn woedende woorden niets hadden betekend. Gauw wiste ze haar tranen en nam plaats.

Vervolgens bestelde ze thee voor zichzelf, en voor Ben een glaasje melk.

'Ik ben blij dat je bent gekomen,' zei Maria zodra de ober weg was. 'Je hebt al zoveel meegemaakt, waarom zou je je nog druk maken om andere Overtolligen?'

Anna schudde haar hoofd. 'Natuurlijk ben ik begaan met hun lot,' zei ze. Langzaam kwam haar zelfvertrouwen terug. 'Peter en ik hebben geboft. Maar er zijn heel veel Overtolligen die minder geluk hebben. Die zitten nog in tehuizen, die...' Ze vertrok haar gezicht in een grimas. Ze kon de vieze instellingslucht van Grange Hall bijna ruiken.

'We hebben je hulp nodig,' fluisterde Maria. Ze schoof haar stoel dichter bij die van Anna. 'Ik wil je iets vragen, Anna, en je mag weigeren. Dat moet je goed begrijpen, je hoeft niks. Ik verwacht niets van je. Je hebt al genoeg meegemaakt, en ook nu heb je veel aan je hoofd, met Ben en zo.'

Anna knikte ernstig. De haartjes in haar nek gingen overeind staan, zoals altijd wanneer er iets belangrijks stond te gebeuren.

'Weet je, Anna, overal in het land zitten kinderen verborgen. Bij hun ouders, bij familie, bij sympathisanten. En het wordt steeds lastiger.'

'Verbergen jullie kinderen? Overtolligen?'

Maria knikte. 'Maar we hebben het liever over kinderen en jonge mensen,' zei ze.

'Net zoals mijn ouders,' reageerde Anna ademloos. 'Werk je... Werken jullie voor de Ondergrondse?'

Maria fronste haar wenkbrauwen. 'Nee, Anna. We houden ons liever afzijdig van de Ondergrondse.'

'Maar de Ondergrondse zou jullie kunnen helpen! Ze hebben Peter en mij ook geholpen. En mijn ouders... Als je wilt, zou ik contact met ze kunnen leggen.'

Maria schudde haar hoofd. 'Anna, als je bij zoiets gevaarlijks als dit bent betrokken, moet je ervoor zorgen dat zo weinig mogelijk mensen ervan af weten. Het is een kwestie van vertrouwen.'

'En jullie vertrouwen de Ondergrondse niet? Wat raar. Zij zijn juist degenen die je wél kunt vertrouwen.'

Maria's mond vertrok. 'Misschien. Ik weet dat ze jou en je ouders goed hebben geholpen. Maar andere Overtolligen over wie ze zich hadden ontfermd, zijn gevonden. Ze stellen vast hun prioriteiten, maar eerlijk gezegd zijn we niet geïnteresseerd in revolutie. We willen alleen maar de kinderen beschermen.'

De moed zonk Anna in de schoenen. 'Denk je dat de Ondergrondse dat niet doet?'

Maria beet op haar lip. 'Ik denk dat het soms veiliger is om in je eentje te opereren.'

Het duurde even voordat Anna dat allemaal had verwerkt. 'Wat doen jullie dan? En hoe kan ik helpen?'

Op haar hoede keek Maria om zich heen. Het was druk in de koffietent, maar niemand leek op hen te letten.

'We willen inbreken in Overtolligenhuizen,' zei ze zodra ze zich ervan had overtuigd dat ze niet werden afgeluisterd. 'We willen de kinderen helpen te ontsnappen.'

Met bonzend hart sperde Anna haar ogen wijd open. 'Willen jullie inbreken op Grange Hall? Dat kan helemaal niet. Er zijn bewakers, Vangers...'

'Dat weet ik, Anna. Daar ben ik me goed van bewust. Maar we dachten... Als jij eruit kon komen, kunnen wij erin. We moeten voor afleiding zorgen, en dan, wanneer er niet wordt opgelet, halen wij de Overtolligen eruit.'

'Eruit?' Plotseling rees het beeld van Grange Hall voor Anna op, met de sombere, koude gangen, de slaapzaaltjes, de lage plafonds. Ze huiverde. 'Maar... maar...'

'We hebben een plattegrond nodig. We willen weten hoe jij eruit bent gekomen, Anna,' zei Maria.

Anna schudde haar hoofd. 'Dat lukt jullie nooit,' fluisterde ze. 'Ze krijgen jullie te pakken, en dan worden jullie naar de gevangenis gestuurd.'

'Misschien. Toch willen we het erop wagen. Iemand moet iets doen, Anna. Zelfs als we falen, zullen de mensen ervan horen. De Autoriteiten zullen beseffen dat ze ons bestaan niet langer kunnen negeren.'

Anna haalde diep adem. Maria had gelijk. Die niet waagt, die niet wint. Dat had ze van Peter geleerd, dat je het toch moet proberen... Als ze niet naar hem had geluisterd, zou ze nu nog op Grange Hall zitten. 'Peter had een plattegrond,' zei ze aarzelend. 'Die had hij van de Ondergrondse gekregen. We zijn ontsnapt via de isoleercellen in de kelder. Maar de tunnel zal nu wel dichtgegooid zijn.'

'Ongetwijfeld. Toch is dit al waardevolle informatie. Weet je misschien hoe de Ondergrondse aan de plattegrond is gekomen? Heeft Peter die plattegrond nog?'

'Ik weet niet hoe ze eraan zijn gekomen. Misschien van iemand van de Autoriteiten. Volgens mij heeft Peter hem nog. Dat weet ik bijna zeker.' Bezorgd keek Anna Maria aan. 'Maar waar willen jullie met de Overtolligen naartoe? Waar willen jullie ze verstoppen?'

'Je bedoelt: de kinderen,' wees Maria haar terecht. Ze boog zich over de kinderwagen en streelde over Bens bolletje. 'Er zal voor hen worden gezorgd door mensen zoals wij.' Ze stond op om te gaan. 'Dank je wel, Anna. Ik wist wel dat je een goed mens bent, en ook dapper. Ik zag meteen al aan je gezicht dat ik je kon vertrouwen. Je hoort nog van me. Pas ondertussen goed op dit manneke.'

Ze kneep in Anna's hand, draaide zich vervolgens om en vertrok. Anna keek haar na. Dit is pure waanzin, dacht ze. Je kon niet zomaar inbreken bij Grange Hall. Je kon niet stiekem vijfhonderd Overtolligen mee naar buiten nemen en hen allemaal verbergen.

Maar indertijd had ze tegen Peter gezegd dat het geen zin

had om een ontsnappingspoging te doen, en toch was het hen gelukt. In gedachten verzonken pakte ze haar theekopje en nam een slokje. Ze vroeg zich af hoe ze tegenover Peter over de plattegrond moest beginnen, zeker nu hij zo'n slechte bui had. Misschien kon ze er voorlopig maar beter niet over beginnen. Misschien moest ze nog maar niets zeggen over Maria's plannetje.

15

Na wat een wel heel onmogelijk lange ochtend leek, keek Peter lusteloos naar zijn kippenragout met extra ijzer, en de rustgevende smoothie die hij had gekregen nadat zijn handpalm was gescand. Die gerechten waren goed voor zijn weerstand, en ze werkten bloeddrukverlagend. Maar wat hij eigenlijk nodig had, was iets tegen de hoofdpijn en het misselijke gevoel dat hij kreeg wanneer hij aan Anna dacht, aan de Wet en aan de keuze die hij moest maken.

'Ik wist niet dat je aan stress leed,' zei Edwards toen die naast hem kwam zitten en de smoothie zag. 'Wil je erover praten?'

Peter schudde zijn hoofd. 'Er is niks aan de hand met mij,' reageerde hij toonloos. 'Die apparaten snappen er geen bal van.'

Edwards glimlachte. 'Aha, honderden jaren van onderzoek en technologische ontwikkelingen worden zomaar aan de kant gezet. Nou, misschien heb je wel gelijk. Aan de andere kant, je hebt vergrote pupillen, je fronst en je zit al vijf minuten naar je eten te kijken zonder ook maar een hapje te nemen. Misschien heeft dat apparaat het toch goed gezien.'

Er dansten pretlichtjes in zijn ogen, maar Peter was niet in de stemming voor grapjes.

'Oké,' zei hij stijfjes, 'dan werk ik de rustgevende smoothie wel naar binnen.' Hij pakte het glas en nam een slokje. Tot zijn verrassing was het ontzettend lekker. Eigenlijk had hij maar twee slokken willen nemen, maar even later was het glas toch leeg. Hij zette het glas neer en leunde naar achteren. Ineens had hij het lekker warm gekregen. Hij voelde zich goed doorvoed, en een beetje licht in het hoofd, net zoals toen hij jaren geleden de Coveys had leren kennen en ze hem in bed hadden gestopt en voorgelezen, en gezegd dat hij bij hen veilig was.

Hij nam een hap van de ragout.

'Blijkbaar heeft je stemming niets te maken met de codes die ik je vanochtend uit je hoofd heb laten leren?' vroeg Edwards. Hij leunde naar achteren. 'Sorry. Eigenlijk zijn het mijn zaken niet. Als je het er niet over wilt hebben, is dat prima.'

'Ik wil het er inderdaad niet over hebben,' zei Peter. Hij legde zijn lepel neer en keek tersluiks op naar Edwards. Het verbaasde hem dat hij er juist wel graag over zou praten.

Een poosje later zei hij: 'U bent toch bekend met het sterilisatieprogramma voor Overtolligen?'

Edwards fronste zijn voorhoofd. 'Sterilisatieprogramma? Nee, Peter, daar weet ik niets van. Is het iets nieuws?'

'Nee, het is niet nieuw.' Even zweeg Peter. Hij keek op naar de camera's en fluisterde toen: 'Voor mij was het nieuw.' Weer zweeg hij even terwijl hij zijn best deed de brok in zijn keel weg te slikken. 'Klaarblijkelijk zal ik niet van nut zijn bij het voortbestaan van de menselijke soort. En Anna ook niet. Wanneer Overtolligen worden opgepakt, worden ze meteen gesteriliseerd. Dat hangen ze alleen niet aan de grote klok.' Hij wilde achteloos lachen, maar het kwam er verbitterd en boos uit.

'O, Peter, wat erg. Dat wist ik niet.' Edwards zag er echt meelevend uit.

Peter haalde zijn schouders op. 'Het is nu eenmaal zo,' zei hij, waarna hij de lepel weer oppakte en een hap ragout naar binnen werkte. 'Ik had zoiets kunnen verwachten.'

'Hoezo had je zoiets kunnen verwachten? Goh, het moet heel naar voor je zijn.'

Een poosje dacht Peter diep na. 'Ja,' zei hij toen. Hij legde de lepel weer neer en keek Edwards aan, Edwards met zijn vriendelijke lach en de bezorgde blik in zijn ogen. 'Voor Anna is het het ergst,' ging hij zachtjes verder. 'Zij wil per se kinderen krijgen, dat vindt ze haar taak hier op aarde. Of zoiets.'

'En jij?'

'Ik?' Om tijd te rekken schraapte Peter zijn keel. 'Ik weet niet wat mijn taak is. Of het doel van mijn leven,' zei hij na een poosje. 'Misschien heb ik wel geen doel.'

'Natuurlijk wel. En Anna zal ook een nieuw doel vinden, dat weet ik zeker.'

'Anna weet het nog niet.'

'Aha, nu begrijp ik de uitslag waarmee het apparaat kwam.'

'Ik wil dat ze het begrijpt.'

'Begrijpt?'

Peter beet op zijn lip. 'Dat het niet mijn schuld is. Dat ik niet wilde dat...'

'Je voelt je schuldig?'

'Nee. Of misschien ook wel. Ik weet niet hoe ik het haar moet vertellen. Ik weet niet eens waar ik moet beginnen.'

'Daar kom je pas achter als je het probeert. Waarom niet nu?'

'Echt?' Hoopvol keek Peter op.

'Echt. Je leert snel, Peter, maar je bent nog niet van onschatbare waarde. Nog niet.'

Tot Peters verrassing grijnsde hij opeens breed. Hij voelde zich een stuk lekkerder. Opgelucht. Warm, op een prettige, doezelige manier. 'Dank u wel, meneer Edwards. Dank u wel. Dan... dan zie ik u morgen weer.' Hij stond op en liep de kantine uit, een beetje wankel op zijn benen. Toen hij langs de tafels liep, en zelfs tegen een paar aan stootte, drong het tot hem door dat hij de mensen die daaraan zaten te eten niet langer als vijanden beschouwde. Een paar van hen lachten naar hem. Als hij de Wet tekende en Lang Leven ging slikken, zou hij hier dan over honderd jaar nog zijn, of heel ergens anders? Die vragen kwamen bij hem op, maar hij stoorde zich er niet aan. Hij voelde zich heel rustig, vol zelfvertrouwen, en dat was voor het eerst in lange tijd. Hij was ervan overtuigd dat hij Anna zou kunnen bepraten. Per slot van rekening, dacht hij toen hij Pincent Pharma uit liep en zwaaide naar de lachende beveiliger, had hij alle tijd van de wereld.

Neuriënd liep Peter naar huis. De wanhoop van de vorige avond leek nu ver weg, iets uit een nachtmerrie. Hij wist zeker dat Anna hetzelfde zou denken als hij, dat ze ook de kans zou omarmen om eeuwig te leven. Zodra ze zich over de teleurstelling heen had gezet. Zelfs dit huis zag er niet meer zo rottig uit als het in de ochtend had geleken. Goed, het was geen paleisje, eerder een krot, maar het was hún krot. Het was hun thuis, tot op het moment waarop ze zouden besluiten te verhuizen. En dat zouden ze doen, dat wist hij zeker. Hij wilde in zijn leven iets bereiken. Hij wilde genoeg geld verdienen zodat ze over een paar jaar weg konden uit deze buitenwijk. Wat de Autoriteiten daar ook over mochten zeggen. Hij zou een ruimer huis kopen, waar Ben meer plek had om te spelen, en dat zou hij vol boeken zetten voor Anna. Misschien gingen ze ook wel reizen. Anna had vaak gezegd dat ze de woestijn graag wilde zien, en nu de eeuwigheid zich voor hen uitstrekte, konden ze daarnaartoe gaan voor zo lang ze maar wilde. Ze konden met de boot gaan, of met de trein. Het zou een echt avontuur zijn. Een van hun vele avonturen. Ze zouden zich nooit vervelen, want er zou altijd wel iets nieuws te ontdekken zijn. Lang Leven zelf was niet slecht, het was alleen dat veel mensen dom en saai waren, en niet goed wisten hoe ze hun tijd moesten gebruiken. Ze zaten maar te tobben over rimpels in plaats van hun lange leven als een enorme kans te beschouwen. Anna en hij zouden alles heel anders aanpakken. Anna en hij zouden elke minuut goed benutten. Anna en hij zouden iets maken van hun leven.

Peter haalde de sleutel uit zijn zak, deed de deur open en

slenterde de keuken in. Daar keek Anna, die op de grond aan het spelen was met Ben, geschrokken op.

'Ben je ontslagen?' vroeg ze met grote ogen. 'Wat is er gebeurd? Hoe durven ze?'

Peter grijnsde breed. 'Maak je niet druk, ik ben niet ontslagen. Ik heb gewoon een paar uurtjes vrij gekregen vanwege goed gedrag.'

'Goed gedrag?' Anna keek hem niet-begrijpend aan.

'Hé, kleintje!' Peter tilde Ben op en hield hem hoog in de lucht. Hij lachte toen Ben opgetogen kraaide. Vervolgens gaf hij Ben aan Anna en haalde hij een doosje uit zijn tas. 'Chocola,' zei hij. 'Ik dacht dat je dat wel lekker zou vinden.'

'Dank je wel!' Anna nam het cadeautje aan, maar in haar ogen stond een onzekere blik. 'Weet je zeker dat alles in orde is?'

'Hartstikke zeker.' Hij pakte een stoel en ging aan tafel zitten. Toen keek hij Anna ernstig aan. 'Hoor eens, het spijt me van gisteren. Ik gedroeg me als een halvegare idioot.'

Anna bloosde. 'Nee hoor, je was gewoon moe. Het moet vreselijk zijn om voor Pincent Pharma te werken. Maar Peter, je moet je niet laten kisten. We hoeven de Wet niet te tekenen. Er zijn nog genoeg mensen die zich verzetten. Er zijn nog mensen die geven om Overtolligen en om de natuur. Echt waar.'

'Daar gaat het niet om,' reageerde Peter met een flauw glimlachje. 'Ik bedoel, ik weet best dat er mensen zijn die zich verzetten. En dat vind ik geweldig. Maar dat betekent niet dat iedereen... Het betekent niet dat weigeren de Wet te tekenen de enige manier is.'

Anna fronste haar voorhoofd terwijl ze dat tot zich liet doordringen. Ze drukte Ben tegen zich aan. 'Ik snap het niet,' zei ze. 'Als je de Wet tekent, verklaar je dat je niet zult... Het betekent dat je je eigen leven verlengt in plaats van nieuw leven op de wereld te zetten. Dat is tegennatuurlijk. Het is... het is verkeerd, Peter. Juist vanwege de Wet bestaan er Vangers, en huilen moeders zichzelf in slaap omdat hun kinderen zijn afgepakt. Juist vanwege de Wet bestaan er tehuizen zoals Grange Hall...' Haar stem stierf weg en haar gezicht zag rood.

Peter haalde diep adem. 'Weet je, Anna, soms heb je geen keus. En dat verandert alles.' Waarom was hij toch zo'n watje? Waarom kon hij het haar niet gewoon vertellen?

'Iedereen heeft een keus,' zei Anna. Haar stem klonk zacht, maar ook vastberaden.

'Niet iedereen.' Hij schraapte zijn keel, die ineens was toegeknepen.

Toen Ben ging huilen, stond Anna op om hem te troosten. 'Hebben ze dat bij Pincent Pharma tegen je gezegd?' vroeg ze met Ben op de arm. Ze wilde Peter niet aankijken. 'Heeft je grootvader dat tegen je gezegd? Peter, je weet toch dat hij niet te vertrouwen is? Je kunt niemand vertrouwen. Zelfs de Ondergrondse niet. Tenminste, niet altijd.'

Bevreemd keek Peter haar aan, en toen herinnerde hij zich weer de woordenwisseling die hij de vorige avond met Pip had gehad. Hij vroeg zich af wat ze allemaal had opgevangen. 'Vertrouw je mij?' vroeg hij. Het effect van de rustgevende smoothie raakte uitgewerkt. Hij voelde zijn spieren zich aanspannen, en hoorde dat zijn stem geknepen en onzeker klonk.

Anna knikte. 'Natuurlijk vertrouw ik je. Honderd procent.'

'Zou je de Wet tekenen als ik je dat vroeg?'

'Zoiets zou je me niet vragen,' zei Anna, haar blik op Ben gericht. 'Je hebt de pest aan Lang Leven. Je hebt de pest aan Pincent Pharma. Je hebt de pest aan...'

Peter keek naar haar, naar haar bleke huid en de vurige vastberadenheid in haar ogen. Op dat vurige was hij verliefd geworden, meteen de eerste keer dat hij haar had gezien. Zelfs opgesloten in Grange Hall had ze haar waardigheid weten te behouden. Ze had gezag uitgestraald. En nu kon hij het niet verdragen haar haar waardigheid alsnog te ontnemen. Hij verborg zijn gezicht in zijn handen.

'Ik heb er de pest aan dat jij de waarheid niet kent. Anna, we hebben geen keus,' zei hij. 'De Ondergrondse heeft tegen ons gelogen.'

'Ik weet niet wat je bedoelt,' zei Anna hoofdschuddend. 'We moeten weigeren te tekenen. Wij zijn de nieuwe generatie, wij worden de ouders van de volgende generatie. Wij leven door in onze kinderen. Zo is het bedoeld, Peter. Dat is wat jij hebt gezegd, dat weet je best.'

'Anna, wij kunnen geen kinderen krijgen.' Hij zei het heel zacht, er eigenlijk niet helemaal zeker van of hij het wel hardop had gezegd.

In verwarring gebracht keek Anna hem aan, met een hulpeloze blik in haar ogen.

'Wij kunnen geen kinderen krijgen. Vanwege het sterilisatieprogramma voor Overtolligen,' ging hij verder. Eindelijk haalde hij ergens de moed vandaan om haar in de ogen te kijken. 'Ik heb het gisteren pas ontdekt, ik...'

Langzaam veranderde de uitdrukking op Anna's gezicht van niet-begrijpend naar ongelovig.

Peter haalde het dossier tevoorschijn, het dossier dat hij had gestolen van zijn grootvader, en overhandigde dat haar.

Ze legde het voor zich op tafel en keek er met een lege blik naar.

'We kunnen er niets meer aan doen,' zei Peter. 'De Autoriteiten hebben het gedaan, en Grange Hall.'

'Nee.' Anna's stem was onherkenbaar. 'Nee. Het is niet waar.'

'Het geeft niet, Anna,' zei Peter zacht. 'Want we blijven gewoon bij elkaar. En we hebben alle tijd om dingen te veranderen.'

'Ik wil geen eeuwig leven,' fluisterde ze. Ze trilde, en haar ogen waren glazig.

'Je moet er gewoon even aan wennen,' zei Peter snel. Hij pakte haar handen, in een poging haar tot rust te brengen. Hij moest haar tot inzicht brengen, hij moest haar de ogen openen, zodat ze de dingen kon beschouwen zoals hij dat deed. 'Lang Leven is geweldig. Ongelooflijk zelfs. We zullen alle tijd van de wereld hebben om alles te doen wat je altijd graag hebt gewild. We kunnen naar de woestijn gaan. We kunnen een wereldreis maken. Je kunt elk boek lezen dat ooit is geschreven, en er zelf duizenden schrijven.'

'Ik snap het niet,' zei Anna nauwelijks hoorbaar. 'Waarom zeg je dit allemaal?'

'Anna, je moet de waarheid weten. Ik was ook kwaad, maar gebeurd is gebeurd. Zelfs Pip wist ervan. Hij wilde dat we zouden weigeren de Wet te tekenen, ook al kunnen we geen kinderen krijgen. Dat wilde hij omdat we op die manier ons verzet tegen de Autoriteiten konden tonen. De Ondergrondse heeft tegen ons gelogen.'

Weer keek Anna naar het dossier dat voor haar lag, toen liet ze haar blik door de keuken dwalen. Vervolgens opende ze haar mond en kreunde zo hartverscheurend dat Peter nauwelijks kon geloven dat zíj dat intens verdrietige geluid had gemaakt. 'Nee!' krijste ze. 'Nee! Nee, alsjeblieft, nee! Toe...' Haar gezicht was helemaal rood en vertrokken tot een griezelige grimas.

Peter werd er bang van. 'Het spijt me,' fluisterde hij. 'Ik vind het net zo erg als jij...'

Maar ze knikte niet, zoals hij had gehoopt. In plaats van haar lot te verdragen, zoals hij had gedaan, schoof ze haar stoel naar achteren en stond op met een minachtende uitdrukking op haar gezicht. Haar ogen schoten vuur. 'Het spijt je helemaal niet,' tierde ze in haar wanhoop. 'Je bent blíj! Peter, je bent veranderd. Je bent net zo geworden als zíj. Je verlangt van me dat ik de Wet teken... Nou, ik weiger! Ik teken nooit, zo lang als ik leef niet! Ik doe het niet...' Een poosje keek ze hem aan, alsof ze naar de juiste woorden zocht, bevend over haar hele lichaam.

'Ik ben niet veranderd,' reageerde Peter op smekende toon. Hij deed zijn best om ook zichzelf daarvan te overtuigen, niet alleen haar. Hij vroeg zich af wie er allemaal meeluisterden naar hun gesprek, en wat die ervan dachten. 'Ik ben alleen maar tot inkeer gekomen. Toe, Anna, gebruik je verstand. Alsjeblieft. Ik kan niet zonder jou, ik heb je nodig. Jij en ik, samen. Toe, Anna, laat me niet in de steek.'

'Jij laat míj in de steek,' zei Anna. Hoofdschuddend keek ze Peter aan, waardoor hij zich nog onzekerder ging voelen. Hij kreeg echt de pest aan zichzelf. 'Ik teken niet, Peter. Nooit. Wat je ook zegt.'

Toen Peter naar haar keek, kwam er een stille, donkere woede in hem op, omdat ze het niet wilde begrijpen, om wat hij haar aandeed.

'Weet je,' zei hij, en het klonk verbitterd, 'ik heb nooit iemand vertrouwd. Pas toen ik jou leerde kennen, durfde ik dat. Ik dacht dat ik op jou kon bouwen. Echt waar. Maar nu... Ik had kunnen weten dat je me uiteindelijk toch in de steek zou laten. Je wordt bedankt, Anna.'

Hij keek weg omdat hij de gekwetste blik in haar ogen niet wilde zien. Een poosje bleef ze daar staan. Seconden, minuten? Hij zou het niet kunnen zeggen. En toen stormde ze met Ben stijf tegen zich aan gedrukt de keuken uit, de trap op en de slaapkamer in. De deur sloeg ze met een klap achter zich dicht.

16

De volgende dag werd Peter moe wakker, niet uitgerust, lusteloos. Anna was al op, hij hoorde haar in de keuken rommelen, hij hoorde haar praten tegen Ben. Ze klonk op haar gemak, maar hij wist donders goed dat wanneer hij naar beneden zou gaan, ze dit niet meer zou kunnen volhouden en haar woede tegen hem zou uiten. Terwijl hij haar toch alleen maar had verteld hoe de vork in de steel zat... Hij voelde zich erg in de steek gelaten.

Uiteindelijk dwong hij zichzelf uit bed te stappen, maar hij stelde het moment uit dat hij haar onder ogen moest komen door een uitgebreide douche te nemen en zich langzaam aan te kleden. Tegen de tijd dat hij de keuken in liep, had hij zijn jas al aan. Hoe eerder hij de deur uit was, des te beter.

Anna keek op, en hij kon zien dat ze had gehuild.

'Wil je niet ontbijten?' vroeg ze. Ze keek hem niet aan, en het klonk verwijtend.

'Ik ben al laat,' antwoordde hij hoofdschuddend. 'Ik moet naar mijn werk.'

Anna knikte en richtte haar aandacht toen weer op Ben.

'Tot straks dan maar,' zei Peter. Hij moest zichzelf dwingen zijn blik van haar los te rukken.

'Ja, tot straks dan maar.' Ze draaide zich niet om.

Peter haalde zijn schouders op en liep naar de voordeur. Die sloeg hij hard achter zich dicht. Tegen de tijd dat hij bij Pincent Pharma was aangekomen, was zijn stemming nog verder gedaald. En het maakte het er niet beter op dat zijn grootvader hem in het lab stond op te wachten.

'Ik hoorde van Edwards dat je bereid bent de Wet te tekenen.'

Peter schrok ervan. Met gefronste wenkbrauwen keek hij naar Edwards, die uitdrukkingsloos terugkeek.

'Heeft hij dat gezegd?' Peter trok zijn jas uit en hing die aan een haakje. Hij moest zijn best doen zichzelf in bedwang te houden, en niets te zeggen waarvan hij later spijt kon krijgen.

'Dat is een goed besluit.'

'Ik had weinig keus.'

Een poosje keek zijn grootvader hem aan. 'Peter,' zei hij toen, 'ik heb begrepen dat je informatie hebt opgeduikeld. Ik had gehoopt dat ik je dat pas zou hoeven vertellen nadat je de Wet om de juiste redenen had getekend. Ik weet niet hoe je erachter bent gekomen. In de gegeven omstandigheden denk ik echter dat we daar maar niet moeilijk over moeten doen.'

'Oké.' Tersluiks wierp Peter een blik op Edwards, die hem nieuwsgierig aankeek.

'Dus het staat vast dat je tekent?' Zijn grootvader keek hem doordringend aan, en Peter moest iets wegslikken. 'In dat geval moeten we het vieren. Misschien met een persconferentie?'

'Ik teken niet,' zei Peter toonloos.

'Je tekent niet?'

'Nee.'

Er viel een stilte. 'O.' Zijn grootvader keek hem uitdrukkingsloos aan. 'Nou, dat is dan jammer. Heb je daar een speciale reden voor?'

Peter zweeg.

Maar zijn grootvader had Peters reden al geraden. 'Het is dat meisje, hè? Zij heeft je opgestookt om te weigeren.'

Peters zwijgen was voldoende. Richard Pincent glimlachte gespannen en liep vervolgens het lab uit.

'Ik wist niet dat jullie zo vertrouwelijk met elkaar omgingen,' zei Peter tegen Edwards terwijl hij zijn witte jas aantrok.

17

Het was halverwege de ochtend en in het huis in Surbiton was het stil. Soms hoorde je in de verte een auto rijden, of de schrille stemmen van de buren wanneer die elkaar op straat begroetten. Maar in het huis zelf was het stil. Ben deed een dutje. De gordijnen waren dicht om de kou buiten te houden, en buiten was het somber en grauw. Anna zat in kleermakerszit op de bank, haar gezicht in haar handen verborgen. Ze wiegde zich zoals ze dat ook had gedaan toen ze nog klein was en in Grange Hall opgesloten zat. Daar moest je jezelf troosten. Ze was nog heel klein toen ze naar Grange Hall werd gebracht, nog niet eens drie jaar oud, en ze herinnerde zich er dan ook niet veel van. Ze wist nog wel dat ze in de war was geweest, dat ze zich wanhopig eenzaam voelde toen het langzaam tot haar doordrong dat deze kille, vochtige slaapzaal op de bovenste verdieping haar nieuwe thuis was. En dat niemand haar zou komen ophalen.

Terwijl ze zich nu wiegde, probeerde ze zich op dezelfde manier te troosten. Urenlang leefde ze al in een verlaten, lege hel. Haar baarmoeder had geen functie meer, Peter en zij hadden niets om naartoe te leven. Er zou geen nieuw leven komen waarover zij zouden waken. Maar Anna had lang geleden al geleerd dat wanhoop nergens toe leidt. Als je wilde overleven, moest je je aanpassen. Je moest de nieuwe regels onder de knie krijgen nog voordat ze waren uitgevaardigd. Het was nu niet anders. Ze wist dat ze zich eroverheen kon zetten. Ze zou zich richten op een nieuw doel nu deze nieuwe werkelijkheid een feit was.

Naast haar op de bank lag de Wet, klaar om te worden getekend. Daar had ze zich nog niet toe kunnen zetten. Elke keer dat ze ernaar keek, welde er zo'n grote weerzin in haar op dat ze haar blik moest wegrukken. Het was alsof wanneer ze tekende, ze haar ziel zou verkopen, haar diepste wezen. En toch, hield ze zich voor, door te tekenen zou haar een beter lot wachten dan was weggelegd voor het meisje dat zich op de bovenste verdieping van Grange Hall had gewiegd, het kleine meisje dat het stempel Overtollige opgedrukt had gekregen en dat elke dag moest aanhoren dat Lang Leven de beste uitvinding ooit was, en dat zij op een onwettige manier op de wereld was gezet, en dus geen recht had op dat fenomenale medicijn. Een paar keer had ze de pen al gepakt om te tekenen. Een paar keer had ze de pen al op het papier gezet, en dan dacht ze aan Peter. Ze had haar best gedaan te tekenen, maar elke keer weer barstte ze in huilen uit en liet ze de pen vallen. Ze kón het niet. Diep vanbinnen was er iets wat haar dwong de pen los te laten, een geheimzinnige kracht die haar ervan weerhield te tekenen. Peter had gelijk. Ze liet hem in de steek, en bij die gedachte werd ze onpasselijk.

Dus zat ze zich daar maar te wiegen. Op die manier kon ze haar hoofd leeg maken. Het wiegen bood haar troost, ze voelde zich er veiliger door, en na verloop van tijd was ze zich nauwelijks meer bewust van de wereld om haar heen.

Pas toen de deurbel ging, schrok ze op uit haar trance. Alleen dat doordringende gerinkel had haar doen terugkeren naar de werkelijkheid. Ben sliep nog. Nadat ze op haar horloge had gekeken, kwam ze tot de conclusie dat hij nog zeker een kwartier onder zeil zou blijven. Dan zou hij om zorg en liefde vragen, dan zou hij in het middelpunt van haar belangstelling willen staan, en dat gunde ze hem graag. Hij stelde slechts weinig eisen, en die waren altijd makkelijk in te willigen. Peter daarentegen stelde veel lastiger eisen, ingewikkeld en gevaarlijk. Hij was net een mijnenveld waar zij liever bloemetjes op wilde laten groeien. Eén verkeerde beweging en alles kon in de lucht vliegen.

In de voordeur zat melkglas. Pas toen ze de deur opende, kon ze zien wie er had aangebeld. En meteen trok ze wit weg. 'Is... is er iets met Peter?' stamelde ze.

Richard Pincent glimlachte welwillend. 'Er is niets met Peter aan de hand, Anna. Het gaat zelfs erg goed met hem. Ik ben hier voor jou. Mag ik binnenkomen?'

Voordat Anna kon beslissen of ze dat wel wilde, stapte hij al over de drempel. Voordat ze kon aanbieden zijn jas aan te nemen, stak hij die al naar haar uit. Even later zat hij in de woonkamer op de bank.

Gauw zwiepte Anna haar kopie van de Wet eraf, zodat het papier met de tekst naar beneden op de vloer bleef liggen. 'Wilt u... wilt u misschien een kopje thee?' vroeg ze. Ze had Richard Pincent slechts één keer eerder gezien, op de dag dat haar ouders waren gestorven. Toen was hij gekomen om Peter weg te halen. Tot haar grote blijdschap had Peter toen bij haar willen blijven, maar het gezicht van Richard Pincent stond in haar geheugen gegrift. Iets om doodsbang voor te zijn.

'Nee, dank je wel. Dus hier wonen jullie?'

Anna knikte en nam plaats op de stoel links van de bank. Op zo'n vraag wist ze geen toepasselijk antwoord te verzinnen. Ze was veel te bang dat wanneer ze haar mond opendeed, er iets totaal verkeerds uit zou komen.

Weer glimlachte Richard Pincent. 'Weet je, er schuilt een wetenschapper in Peter.'

Op haar hoede knikte Anna. Ze wist zeker dat hij hier niet was om een babbeltje te maken over Peter.

'Ja, hij is een intelligente jongeman,' ging Richard Pincent gladjes verder. 'Je bent vast trots op hem.'

Anna knikte maar weer. Haar gevoelens voor Peter gingen verder dan trots. Het was de zuiverste vorm van liefde, maar niet het soort liefde dat je kon omschrijven met trots, respect of aanbidding. Peter maakte deel uit van haar. Peter was de reden dat ze ademhaalde, dat ze elke ochtend opstond, dat ze toch nog hoop voelde in deze merkwaardige, harde wereld, en zich niet voortdurend in gevoelens van wanhoop wentelde. Tenminste, dat alles was hij voor haar geweest.

'Ik ben heel trots op hem,' zei ze.

Richard Pincent stond op met een bedroefde en peinzende uitdrukking op zijn gezicht. 'Hij geeft heel veel om je, Anna. Dat heeft hij tegen me gezegd. Ik begrijp dat jullie het niet makkelijk hebben gehad in Grange Hall.'

Anna keek zwijgend naar hem toen hij zich omdraaide om het schilderij aan de muur te bekijken, het schilderij van de zonnebloemen dat Peter op de markt voor haar op de kop had getikt. Het deed haar aan het huis van haar ouders denken, zonnig, warm en licht.

'Ik vroeg me af of jij ook zoveel om hem geeft,' ging Richard verder.

'Of ik om hem geef?' vroeg Anna, met iets van verontwaardiging en woede in haar stem. Hoe durfde hij dat te vragen? Hoe haalde hij het in zijn hoofd?

'Weet je, Anna, liefde is een lastig iets. Het betekent dat je de ander op de eerste plaats laat komen. Vaak hebben mensen het over liefde als ze hun eigen verlangens en behoeften bedoelen. Ze willen de baas over die ander zijn, hem of haar tot hun bezit maken, de ander onderdrukken. Echte liefde, daarbij moet je tot opoffering bereid zijn. Je moet de behoeften van de ander voor die van jou stellen. Soms vraag ik me af of echte liefde wel bestaat, maar dan kijk ik naar Peter, dan hoor ik hem over jou praten, en dan voel ik me erg klein. Hij houdt echt van je, Anna. Heel erg veel.'

'O ja?' Anna wist best dat hij van haar hield, maar toch was het geruststellend het nog eens te horen, zelfs als het uit de mond van Richard Pincent kwam.

'Natuurlijk houdt hij van je. Zelfs zoveel dat hij bereid is zich voor je op te offeren. Hij wil zijn leven voor je opofferen, alles waarnaar hij streeft.'

Anna zette grote ogen op. 'Zijn leven?'

Richard Pincent ging weer zitten, deze keer aan de andere kant van de bank, dicht bij Anna. 'Peter heeft het een en ander over zichzelf ontdekt, Anna. En over de wereld. Hij zou veel kunnen bijdragen, snap je. En als hij weigert de Wet te tekenen, zou dat niet goed zijn voor zijn vooruitzichten. Hem zou de kans worden ontnomen iets groots te verrichten. Anna, jouw ouders hadden grote invloed op mijn kleinzoon. Ik zal hen eeuwig dankbaar zijn dat ze hem in veiligheid hebben gebracht, en dat jullie allemaal er voor hem waren. Jij bent hem vast dankbaar omdat hij je zo goed heeft geholpen. Maar je weet natuurlijk ook dat mensen kunnen veranderen, dat ze een andere richting uit gaan, dat het soms het best is om ze los te laten en ze niet je eigen mening op te dringen, waardoor je ze in hun mogelijkheden beperkt.'

'Ik zou Peter nooit in zijn mogelijkheden beperken,' reageerde Anna hees en onzeker. Hoewel ze ontzettend de pest aan Richard Pincent had, had hij wel gelijk. Peter had haar vertrouwd, en zij had hem in de steek gelaten. Hij had haar gered, en nu was ze er niet voor hem. 'Maar ik kan de Wet niet tekenen. Echt niet.'

Bedachtzaam knikte Richard Pincent. 'Dat denk je vast echt, Anna. Je gelooft vast dat je het enige juiste doet. Maar het probleem is dat wij niets met jouw beslissing te maken hebben.'

Het speet Anna dat hij niet gewoon wegging en haar met rust liet. 'Het is het enige juiste,' zei ze zacht. 'Mijn ouders zijn gestorven vanwege de Wet...'

Richard Pincent knikte. 'Ja, je ouders, dat was tragisch. Maar ze hadden wel de Wet getekend, toch?'

'Alleen maar omdat ze niet goed begrepen wat die inhield.'

'Denk je dat?' Richard fronste zijn wenkbrauwen. 'Ze waren toen ongeveer van jouw leeftijd, toch? Of waren ze al ouder? Dan moeten ze alles toch hebben kunnen begrijpen.'

'Nee!' Het klonk fel. 'Ze dachten dat ze later nog terug konden. Ze wilden graag kinderen...'

'Ach ja, kinderen.' Peinzend keek Richard voor zich uit. 'Ik snap het al. Maar als ze geen kinderen konden krijgen, zou er niets aan de hand zijn geweest. Dan zou er niets verkeerds zijn geweest aan het feit dat ze tekenden.'

'Ik weet het niet,' reageerde Anna gespannen. 'Maar ik weet wel dat ze liever niet wilden dat ík zou tekenen. Ze zijn bij de Ondergrondse gegaan om zich te verzetten tegen Lang Leven.'

Richard trok zijn wenkbrauwen op, en Anna bloosde diep toen het tot haar doordrong dat ze het tegenover Peters grootvader over de Ondergrondse had gehad. Ze balde haar vuisten. Ze moest echt leren zichzelf beter in de hand te houden.

'Ja, de Ondergrondse,' reageerde Richard toonloos. 'Weet je wel dat die uit criminelen bestaat? En dat je naar de gevangenis kunt worden gestuurd als je je met zulk tuig inlaat?'

Anna knikte. 'Weet ik. Peter en ik... We zouden nooit... Ik bedoel...'

'Ik weet heel goed dat jullie nooit zoiets gevaarlijks zouden doen,' hielp Richard haar. 'En jullie ouders hebben zich vast alleen tot hen gewend uit liefde voor jou. Ze hielden ook heel veel van Peter, hè?'

Weer knikte Anna.

'En hij zette zijn leven op het spel om jou uit Grange Hall te redden. Dat klopt toch?'

'Ja, dat klopt,' zei Anna. Ze trok haar benen op en bleef met haar kin op haar knieën zitten.

'Inderdaad,' ging Richard Pincent verder. 'Nou, denk je dat nu misschien de tijd is gekomen dat jij eens iets doet voor Peter? Dat je zijn leven eens redt?'

'Peters leven redden?' Anna sperde haar ogen wijd open. 'Wat is er dan met hem? Ik dacht...'

'Er is niets, maak je maar geen zorgen.' Richard lachte. 'Ik wilde alleen maar zeggen dat hij naar jou luistert. Hij geeft om je. En zolang jij de Wet niet wilt tekenen, doet hij dat ook niet. Maar door te weigeren, verkort je zijn leven. Eigenlijk vermoord je hem dus, Anna.'

'Ik? Hem vermoorden? Nee, ik...' reageerde Anna angstig, en ze zette haar nagels in haar handpalmen. 'Het is niet de bedoeling dat de mens eeuwig leeft,' zei ze na een poosje. 'Dat hóórt gewoon niet.'

'Aha,' zei Richard met een bedachtzaam knikje. 'Denk je dat? Echt?'

Onzeker knikte Anna.

'Ik dacht dat je van Peter hield.'

'Dat is ook zo!' riep ze met grote ogen uit. 'Heel veel zelfs!'

'Ik betwijfel het,' zei Richard Pincent bedroefd. 'Als je echt van hem hield, zou je beseffen dat hij zich zijn hele leven al heeft moeten verstoppen omdat hij Overtollige was. Nu heeft hij de kans iets van zijn leven te maken, om echt iemand te worden, maar jij en je broertje weerhouden hem ervan die kans te grijpen.'

'Ik weerhoud hem nergens van,' reageerde Anna geërgerd.

'O, toch wel. En dat blijf je doen zolang je de Wet niet tekent,' zei Richard op ernstige toon. 'Door te weigeren, breng je zijn gezondheid in gevaar, en die van jou. Anna, ik weet precies wat dat inhoudt. Mijn eigen vrouw is aan kanker overleden toen ze nog maar dertig was. Een jaar lang heb ik haar zien sterven, haar zien wegkwijnen, en dat was het moeilijkste wat ik ooit heb meegemaakt. Juist dat heeft me zo vastbesloten gemaakt de strijd aan te binden met ziekten, met de meedogenloze aanvallen van de natuur. Kun jij dat voor Peter doen? Kun jij hem zien lijden wanneer hij ziek wordt? Kun jij hem zien sterven, in de wetenschap dat het jouw schuld is?'

Anna vertrok haar gezicht. 'Ik zou hem niet laten kijken wanneer ik doodging,' reageerde ze zacht. 'En ik weerhoud hem er niet van om te tekenen. Als hij wil tekenen, moet hij dat doen.'

Richard Pincent schudde zijn hoofd. 'Peter is heel erg gehecht aan jou en je broertje,' zei hij zacht. 'Hij is een man van eer. Trouw. Hij zou de Wet nooit tekenen, hoe graag hij dat ook zou willen, als jij niet tekent.'

Anna liet haar hoofd hangen. 'Maar...' fluisterde ze. 'Maar we moeten wel weigeren. We moeten...' Ook haar schouders hingen. Wat moesten ze doen? Verdrietig vroeg ze zich dat af. Ze konden geen kinderen krijgen. Ze konden geen nieuwe generatie op de wereld zetten. Ze konden helemaal niks.

'Als je niet tekent, veroordeel je Peter tot een vroege dood. Tot ziekte, misschien tot invaliditeit. Wil je dat soms?'

'Nee!' Heftig schudde ze haar hoofd. 'Nee, dat wil ik helemaal niet! Ik...'

'Je wilt een gezin. Dat begrijp ik best, Anna. Ik ben trots op mijn kleinzoon, vooral een kleinzoon die zo schrander en dapper is als Peter. Maar je weet vast wel dat jullie geen kinderen kunnen krijgen. Dat is misschien niet eerlijk, maar zo is het nu eenmaal. Gelukkig heb je Ben. Je ouders zouden vast niet hebben gewild dat je Peter of jezelf voor niets opofferde. Toch?'

Anna sloeg koesterend haar armen om zich heen, en dwong zichzelf zich niet weer te wiegen. Ze dacht aan haar ouders, haar lieve, geweldige ouders, die zo'n spijt hadden gehad dat ze de Wet hadden getekend, omdat dat inhield dat hun dochter hun werd ontnomen. Ook dacht ze aan Peter, ze stelde zich voor dat hij uit misplaatste trouw bij haar bleef, diep bedroefd omdat ze zoveel gebreken vertoonde, alleen maar omdat onzichtbare ketenen hen met elkaar verbonden. En toen keek ze naar Richard Pincent. Hij had net zulke ogen als mevrouw Pincent, hij keek naar haar met eenzelfde blik, hij maakte haar bang, hij maakte haar kapot. Terwijl zij alleen maar anderen wilde plezieren. 'Ik wil niet dat Peter zich opoffert voor mij,' bracht ze gesmoord uit. De tranen prikten in haar ogen.

'Dan moet je tekenen. Teken de Wet, en Peter kan alle kansen aangrijpen die hem worden geboden. Laat hem zien dat je van hem houdt, Anna. Breng het offer dat hij ook voor jou zou maken.'

Anna snufte, en wiste haar tranen.

'Als je wilt, help ik je wel,' ging Richard Pincent verder. 'Als je je moed beter bij elkaar kunt rapen met iemand die achter je staat.'

Aarzelend keek ze hem aan. Inwendig vocht ze een hevige strijd. Ze wilde niet tekenen. Ze wilde niet wegwerpen waar haar ouders zo voor hadden gestreden. En toch besefte ze dat ze niet anders kon, dat ze geen keus had. Ze hield immers zielsveel van Peter?

Langzaam, weifelend, zich bewust van haar tegenstribbelende lijf, haar knikkende knieën, liet ze zich van de stoel glijden en raapte de Wet op van de vloer. Vervolgens ging ze rechtop staan en keek er een poosje naar. Met een akelig gevoel in haar buik las ze alles door. Toen slikte ze de misselijkheid weg en ging weer zitten.

Richard Pincent overhandigde haar een pen. 'Je doet dit uit liefde,' zei hij terwijl hij angstvallig keek naar Anna's trillende hand. 'Denk maar aan het lange en gelukkige leven dat je met Peter gaat hebben. Zoveel tijd om samen te zijn... Zoveel tijd...'

Anna dwong haar trillende hand met de pen naar het papier toe, en beverig zette ze haar handtekening. Meteen daarna liet ze de pen vallen en rende met haar hand tegen haar maag gedrukt naar de wc, waar ze keer op keer moest overgeven. Ze leek wel een uitbarstende vulkaan. Van het lawaai dat ze maakte, werd Ben wakker. Zijn gehuil leek haar gevoelens van wanhoop uit te drukken. Ze had zoiets vreselijks gedaan dat er geen woorden voor waren.

Heel langzaam kwam ze overeind en spetterde water in haar gezicht. Toen liep ze Bens kamertje in, boog zich over zijn spijlenbedje en liefkoosde hem tot het huilen ophield. Vervolgens ging ze terug naar beneden om haar excuses aan te bieden. Maar Richard Pincent was er niet meer. Stilletjes was hij weggegaan, en de deur had hij achter zich dichtgetrokken. Het viel Anna meteen op dat hij de kopie van de Wet had meegenomen.

Wankelend op haar benen liep Anna naar de boekenkast en haalde er het boekje uit waarin ze al zo lang niet meer had geschreven. Eenmaal in de keuken pakte ze haar pen, een pen die stukken goedkoper was dan het exemplaar waarmee ze de Wet had getekend. Ze schreef:

Ik ben Anna. Ik ben Anna Covey, en ik heb mijn handtekening onder de Wet gezet. Ik ben geen weigeraar meer.

Ze staarde naar wat ze had geschreven. Het was allemaal zo raar, zo verkeerd.

Ik ben Anna Covey en ik ga eeuwig leven. Peter en ik gaan Lang Leven slikken en voor eeuwig leven. En dat is allemaal in orde omdat we geen andere keus hadden. Het is in orde omdat ik het heb gedaan uit liefde. Peter zei

Ze slaakte een diepe zucht en deed haar best zich te herinneren waarom het allemaal in orde was, en wat Peter had gezegd. Weer voelde ze zich misselijk. Er welde een gevoel van naderend onheil in haar op, en ze pakte de telefoon om Peter te bellen. Misschien kon hij haar geruststellen. Maar ze legde de hoorn weer neer. Even later belde ze een heel ander nummer. 'Maria? Met Anna. Ik wilde zeggen...'

Maar ze kon de zin niet afmaken, want ze begon hevig te beven en kon alleen nog maar snikken.

18

Maria zat te wachten op Anna. Toen Anna aankwam, stond het theewater al op en stond er een schaaltje met koekjes op tafel. Maria was niet verbaasd geweest om zo gauw weer van Anna te horen. Ze had Anna getroost, een poosje op haar in gepraat, en toen gezegd dat ze meteen moest komen. En nu wees Maria op de bank, waar Anna dankbaar op plaatsnam. De zachte kussens hadden ook iets vertroostends. Ondertussen wiegde Maria Ben op de arm totdat hij in slaap sukkelde. Toen keek ze met een aarzelende uitdrukking op haar gezicht op en zei: 'Nou?'

'Nou,' herhaalde Anna. 'Nou...' Ze haalde diep adem. 'Peter...' begon ze, maar bij het noemen van zijn naam kromp haar maag weer samen. Het was verschrikkelijk om iemand te vertellen wat ze had gedaan. Peter was haar grote held, haar alles. Als het moest, zou ze haar leven voor hem geven. En nu moest ze het over hem hebben met iemand die ze eigenlijk niet goed kende. Het voelde helemaal verkeerd, alsof ze hem verraadde.

'Ik kan geen kinderen krijgen,' zei ze dus maar. Meteen sprongen er weer tranen in haar ogen. 'Er bestaat een sterilisatieprogramma voor Overtolligen. Mijn naam staat op de lijst. Peter wilde de Wet tekenen. Ik moest wel. Ik hou van hem, ik wil hem niet in de weg staan. Maar... maar...'

'Heb je de Wet getekend?' vroeg Maria zacht.

Anna knikte. 'Ik... ik heb het gedaan omdat ik van hem hou. Maar het voelt verkeerd. Heel erg verkeerd. Misschien hou ik niet voldoende van hem? Of misschien houdt hij niet genoeg van mij. Nu niet. Niet meer.'

'Ik weet zeker dat hij van je houdt,' zei Maria troostend.

Anna keek op, en verwoordde de afschuwelijke gedachten die door haar hoofd hadden gespookt sinds ze achter de waarheid was gekomen. 'Ik ben nutteloos,' fluisterde ze. 'Ik kan geen kinderen krijgen.'

'Dat is jouw schuld niet. En ook niet de zijne,' reageerde Maria.

'We wilden een nieuwe generatie op de wereld zetten,' ging Anna gesmoord verder. 'Dat was de bedoeling. Daar leefden we voor. Mijn ouders zeiden dat dat de enige hoop was. Zij stierven opdat ik zou leven. Opdat ik kinderen zou krijgen. Ze wisten het niet. Als ze het wel hadden geweten, zouden ze nu niet...'

'O, maar Anna,' zei Maria, en ze kwam dichterbij staan. 'Jij was hun kind, ze wilden het allerbeste voor jou. Net zoals wij het beste willen voor onze kinderen. Je kunt meehelpen een nieuwe generatie op de wereld te zetten door ons te helpen. Anna, dat is net zo belangrijk als zelf kinderen krijgen.'

Anna knikte ernstig, en haalde toen de plattegrond tevoorschijn die ze tussen Peters spullen had gevonden. 'Ik heb de plattegrond meegenomen waarom je vroeg,' zei ze aarzelend. 'Ik weet niet of je er iets aan zult hebben, maar...'

Maria pakte de plattegrond aan en keek er ernstig naar. Haar ogen lichtten op. 'Anna, hier zullen we heel veel aan hebben! Zie je nou, je bent helemaal niet nutteloos! Absoluut niet.' Ze liep naar het raam en bewoog het gordijn even.

Anna glimlachte flauwtjes. 'Alles is ineens zo anders,' fluisterde ze. 'Ik weet niet of ik daar wel klaar voor ben.'

'Dat komt vanzelf wel,' zei Maria. Ze liep terug naar haar stoel, ging zitten en gaf Ben terug aan Anna. 'Je verzint vast wel iets. Je bent sterk, Anna. Krachtige persoonlijkheden verzinnen altijd wat om iets aan hun problemen te doen. Ze komen er altijd uit.'

'Je bedoelt: zoals Peter?' vroeg Anna een beetje verdrietig.

'Hij heeft ons uit Grange Hall weten te krijgen. Dat was ík niet. Het was nooit in me opgekomen dat je zou kunnen ontsnappen. Ik had nooit kunnen denken...'

Ze maakte haar zin niet af. Op dat moment knalde de voordeur open en stormden er drie mannen naar binnen. Onmiddellijk sprong Maria op en rende de kamer uit.

'Anna Covey?' vroeg een van de mannen.

Angstig knikte ze.

'Kom met ons mee,' zei de man. 'En dat nemen we mee.' Hij pakte de plattegrond op die Maria op de stoel had laten liggen.

Anna besefte meteen dat dit allemaal haar schuld was, dat ze iets vreselijks had gedaan. 'Ik wil niet.'

De man lachte kil. Ben werd uit haar armen gerukt, zij werd in de boeien geslagen en naar de deur gesleurd.

'Ben!' krijste Anna. 'Geef hem aan me terug! Dit kunnen jullie niet maken, ik ben Legaal, ik...'

'Legaal? Laat me niet lachen! Je bent een Overtollige, niks meer en niks minder,' reageerde de man. Hij duwde haar in de richting van een andere man. 'Een smerige Overtollige die denkt dat ze anderen kan helpen ontsnappen. Maar maak je geen zorgen, je wordt niet in de gevangenis gegooid. Jij gaat naar nog iets veel ergers.'

'Nee! Toe, laat me!' bracht Anna smekend uit. Maar niemand luisterde naar haar. Toen ze de trap af werd gesleurd, hoorde ze Ben huilen.

19

Vanbinnen leek Pincent Pharma veel groter dan vanbuiten. Het was witter, helderder en lichter dan waar Jude ooit was geweest. Te licht, vond hij terwijl hij met tot spleetjes geknepen ogen achter Derek Samuels aan langs de roltrap liep. Hij vond het hier niet fijn, hij gaf de voorkeur aan zijn in duisternis gehulde slaapkamer.

Derek Samuels was een pezige man met een mager gezicht. Hij had heel smalle schouders, en wenkbrauwen die zo hoog zaten dat het leek alsof hij altijd vragend keek. Hij ging Jude voor door een lange witte gang, toen door dubbele deuren en vervolgens door een andere, smallere gang. Uiteindelijk kwamen ze bij een kamertje waarin een tafel stond.

'Zo,' zei Derek Samuels met een gespannen lachje, 'wil je me nu vertellen wie je bent en wat je hier komt doen?'

Verveeld keek Jude hem aan. 'Zoals ik in mijn berichtje al zei, wil ik jullie een aanbod doen om de beveiliging te verbeteren. Ik dacht dat u daarom had gereageerd.'

Meneer Samuels stond zonder iets te zeggen op. Toen herhaalde hij: 'Om de beveiliging te verbeteren.' Het klonk ijzig, en hij sloeg zijn armen over elkaar en kneep zijn ogen tot spleetjes. 'Ik heb je nagetrokken,' ging hij toonloos verder. 'Ik weet wie je bent, ik weet wie je vader was, ik weet wat je doet om brood op de plank te krijgen. Wat ik echter graag te weten wil komen, is waarom je hier bent. En hoe het je is gelukt ons systeem te hacken. Wie heeft je daartoe aangezet? En waarom vroegen ze je dat te doen?'

Hoewel de man niet met stemverheffing sprak, was Jude zich toch bewust van de achterliggende dreiging. 'Niemand heeft me ertoe aangezet,' antwoordde hij met een verveelde zucht. 'Ik ben nou eenmaal hacker. Ik kon bij jullie inbreken omdat de boel hier verouderd is. Omdat het systeem verouderd is. Misschien zijn de ontwikkelaars ook oud? Waar is meneer Pincent trouwens?'

'Oud...' Meneer Samuels kwam dichterbij staan. 'Interessant.' Hij bracht zijn gezicht tot op een paar centimeter afstand van dat van Jude. 'Weet je,' fluisterde hij, 'wat het fijnste aan Lang Leven is?'

Jude schudde zijn hoofd. Zijn handen werden klam en hij ontweek de blik van meneer Samuels.

'Het fijnste is dat er niet allemaal jongelui zijn,' ging meneer Samuels verder. 'Jongeren die menen dat zij altijd alles het beste weten.' Zijn gezicht was uitdrukkingsloos, maar Jude hoorde de woede in zijn stem, en plotseling moest hij fijntjes glimlachen. Onder dat onverschillige pantser van meneer Samuels ging een onzekere man schuil, een man die zich bedreigd voelde door de jeugd.

'Die dat menen?' vroeg Jude, die zich steeds zelfverzekerder ging voelen. 'Nou, in dit geval weet ik het inderdaad beter. Trouwens, ik weet alles van computerbeveiliging. En dat weten jullie, anders hadden jullie me niet gevraagd te komen. Dus willen jullie dat ik aan de slag ga, of moet ik weer vertrekken?'

Meneer Samuels kneep zijn ogen samen. 'Hoe is het met je moeder?' vroeg hij. De fonkeling in zijn ogen was nog net zichtbaar.

Zwijgend keek Jude hem aan.

'O ja,' ging Samuels verder. 'Ze is weg, hè? Ze is toch naar Zuid-Amerika vertrokken? Ze heeft je in de steek gelaten, hè? Waarschijnlijk stond ze te trappelen om bij je weg te kunnen.'

Jude werd hierdoor zo verrast dat zijn hart oversloeg. Het duurde even voordat hij tot zichzelf was gekomen. 'Mijn moeder heeft hier niks mee te maken.'

'En dat Overtolligenbroertje van je?' Samuels lachte er ijzig bij. 'Dat is ook nog zoiets, hè?'

Uitdrukkingsloos keek Jude hem aan. 'Die heeft er ook niks mee te maken. Die telt niet mee.'

'O, die telt niet mee, hè?' Samuels lachte neerbuigend. 'Een paar weken verschil, en jíj was de Overtollige geweest.'

Jude kreeg een kop als een boei. Hij moest echt zijn best doen niet te laten merken dat die gedachte hem al maanden achtervolgde. Sinds het bestaan van Peter overal in het nieuws was geweest. Sinds Peter was ontsnapt. Sinds Judes vader was vermoord door zijn vroegere echtgenote, mevrouw Pincent, de moeder van Peter.

'Hoor eens, waar gaat dit over?' vroeg Jude, die zich slechts met grote moeite kon beheersen. 'Als jullie niet willen dat ik eens naar jullie beveiliging kijk, kan ik maar beter gaan.'

'Jij gaat nergens naartoe,' reageerde Derek Samuels, en hij ging pal voor Jude staan. 'Helemaal nergens. Ik heb je hiernaartoe laten komen omdat er later vandaag een belangrijke persconferentie wordt gehouden. We krijgen bezoek van de Autoriteiten. En ik moet ervoor zorgen dat er niks misgaat. Helemaal niks. En daarom sluit ik je op totdat het allemaal voorbij is en ik er zeker van kan zijn dat je niets aanricht.'

'Opsluiten?' Ongelovig keek Jude hem aan. 'Jullie kunnen me niet zomaar opsluiten!'

'O, jawel hoor,' reageerde Samuels. 'Wanneer dringt het eens tot je door dat ik kan doen wat ik maar wil?'

Niet op zijn gemak keek de beveiliger om zich heen voordat hij aarzelend op de blauwe deur klopte. Hij was het niet gewend om op de afdeling Herscholing van Pincent Pharma te zijn en voelde zich hier niet op zijn plek.

Angstvallig bleef hij wachten op een reactie. Toen die niet kwam, klopte hij nogmaals aan, deze keer harder.

'Wordt er op de deur geklopt?' hoorde hij iemand zeggen.

'Hallo, is daar iemand? Kom binnen.'

Dapper duwde de beveiliger de deur open. Zoals hem al was verteld, bevonden zich twee personen in het grote witte vertrek: meneer Edwards, die gozer die altijd tot diep in de nacht doorwerkte en nooit eens naar huis ging, en dat joch. De jonge Pincent.

'Ik, eh... Ik kom iets brengen. Het is voor de jongen,' zei hij, zoals hem gezegd was te doen.

'Voor de jongen?' vroeg Edwards. 'Voor Peter, bedoel je?'

'Ja,' bevestigde de beveiliger. 'Voor Peter. Peter Pincent.'

'Breng jij altijd de post rond?' vroeg Edwards nieuwsgierig. 'Ik dacht dat je beveiliger was.'

'Dat ben ik ook,' zei de beveiliger blozend. Hij deed zijn best zich te herinneren wat hij moest zeggen. 'Maar dit is iets bijzonders. Het is afgegeven door een jongedame die zeker wilde weten dat het wel aankwam. Bij Peter Pincent, bedoel ik. Ik was er toevallig.'

'Misschien moet je het dan maar aan hem geven?' vroeg Edwards met een flauwe glimlach.

De beveiliger knikte. 'Hier,' zei hij, en hij stak de envelop naar Peter uit.

Nieuwsgierig keek Peter ernaar. 'Voor mij?' vroeg hij.

Weer knikte de beveiliger. 'Ja.'

'En van wie komt het?'

'Van een jongedame. De Over... Van degene die samen met jou is weggegaan van Grange Hall,' antwoordde de beveiliger nerveus. 'Tenminste, zo ziet ze eruit. Ze is ongeveer net zo oud als jij, dacht ik.'

Peter fronste zijn wenkbrauwen. 'Wanneer was ze hier dan? Kan ik haar spreken?'

'Ik moest eerst nog iets anders doen. Iets belangrijks.' De beveiliger hield zijn blik strak op de envelop gericht. 'Ze was hier iets van drie kwartier geleden. Ze kon niet blijven, zei ze.'

'En zei ze nog meer?'

Wederom knikte de beveiliger.

'Wat dan? Wat zei ze?' vroeg Peter gejaagd.

'Ze zei dat ik je moest vertellen dat je gelijk had,' zei de beveiliger langzaam. 'En dat het haar speet. En dat ze je nog wel zou spreken.'

'Zei ze dat echt? Dat ik gelijk had?'

'En dat het haar speet,' beaamde de beveiliger. 'Als jullie het goed vinden, ga ik nu maar weer terug naar waar ik hoor.'

'O, ja, prima,' zei Peter terwijl hij de envelop een paar keer omdraaide. 'Bedankt.'

'Graag gedaan,' mompelde de beveiliger. In zijn zak voelde hij de rol bankbiljetten die hem was toegestopt als beloning voor deze klus. 'Hoort bij mijn werk, hè?'

Jude bevond zich in een kamertje dat meer op een kast leek. De muren waren dik, de deur zwaar en er waren geen ramen, alleen een luchtkoker in het plafond om de ruimte van zuurstof te voorzien.

'Jij blijft hier,' zei Derek Samuels. 'Niet dat je een keus hebt. Je gaat nergens heen totdat ik zeg dat je dat mag.'

'U vindt uzelf zeker heel wat,' mompelde Jude nauwelijks hoorbaar.

'Ik heb ervaring,' reageerde Samuels zelfgenoegzaam. Hij haalde een portofoon uit zijn broekzak. 'Zeg, ik wil een bewaker hebben. Kamer 25, begane grond.' Toen keek hij Jude aan. 'Als ik jou was, zou ik me maar koest houden. Met zo'n bewaker valt niet te spotten.' Vervolgens wierp hij nog een laatste, triomfantelijke blik op Jude, maakte de deur open met zijn sleutelkaart en vertrok. De deur deed hij achter zich weer op slot.

Kwaad leunde Jude tegen de muur en liet zich toen op de vloer zakken. Ergens in dit gebouw lag dat roodharige meisje, als een prinses in een nachtmerrieachtig sprookje. Onbereikbaar. Ergens in dit gebouw was Peter Pincent aan het werk.

Ondertussen zat Jude opgesloten in een veredeld soort kast, machteloos. Hij slaakte een diepe, woedende zucht en trapte toen met zijn voet tegen de muur. Hij had zichzelf overschat, hij had gedacht iedereen te slim af te kunnen zijn.

En toen fronste hij zijn voorhoofd. Misschien kon hij iedereen wel te slim af zijn. Nou ja, misschien niet iedereen, maar toch... Derek Samuels had hem per slot van rekening niet gefouilleerd. Hij had nog steeds zijn apparaatje bij zich, de minicomputer. Hij dacht terug aan toen hij nog in zijn eigen kamer zat en uitvogelde hoe de beveiliging bij Pincent Pharma in elkaar stak. Een plattegrond van het gebouw had voor hem gelegen. Als hij zich concentreerde, kon hij zich misschien de weg vanaf de foyer naar dit hok herinneren. Dan zou hij weten waar hij precies was. Nog steeds met die frons keek hij omhoog naar de luchtkoker met het rooster ervoor. De luchtkoker was smal, moeilijk om erbij te komen. Bovendien was hij afgesloten met dat rooster.

Aandachtig keek Jude om zich heen. En toen lichtten zijn ogen op. In de hoek, op een plank, stond een pot verf. Er was ook een verfbak met een plamuurmes erin, allebei onder de opgedroogde witte verf. Zo, dat was vast één probleem opgelost. Van de drie. Met gespitste oren of hij de bewaker niet hoorde, pakte hij het plamuurmes, zette zijn voet op de plank en trok zichzelf op naar het plafond.

20

Het duurde even voordat Judes ogen aan het donker waren gewend. Het enige licht kwam van beneden, door het gat in het plafond, en dat was nauwelijks genoeg om iets bij te kunnen zien. De ruimte boven het plafond was warm en stoffig, en zat vol kabels, en buizen voor de verwarming en airconditioning. Daardoor kwam hij maar langzaam vooruit. Toch kroop hij gestaag verder. Heel af en toe bleef hij even stil liggen om te luisteren of hij soms het piepje hoorde van de deur naar de 'kast' die met een sleutelkaart werd geopend. Hij had heel erg zijn best gedaan zich de route vanaf de foyer te herinneren, en als hij het goed had, was hij nu nog maar een paar meter verwijderd van de energiecentrale van Pincent Pharma. Die was ook op de begane grond, niet ver van de afdeling Beveiliging.

Gejaagd schoof hij verder. Hij had maar een paar minuten de tijd, en de seconden tikten weg. Hij had niet voldoende tijd om naar het meisje te zoeken, hij had nergens tijd voor. Hij moest echt opschieten.

Eindelijk bereikte hij zijn doel. Zoals hij al had verwacht, zat het boven de energiecentrale vol apparatuur, snoeren, routers en rerouters. Voorzichtig keek hij om zich heen, en toen zag hij het mainframe, de grote computer die het energiegebruik binnen Pincent Pharma regelde. Achter de monitors beneden zaten werknemers en beveiligers. Jude hoorde hen praten. Ze wisten niet dat hij boven hen lag, met in zijn hand het apparaatje waarmee hij toegang kon verkrijgen tot de enige computer die er echt toe deed. Het zweet parelde op zijn voorhoofd toen hij zijn hand met het apparaatje erin uitstak en aan het werk ging.

De schade moest beperkt zijn en onmogelijk op te sporen, maar zou wel een verwoestend effect moeten hebben. Hij omzeilde het beveiligingssysteem en ging naar de set-up. In de gang beneden hoorde hij zware voetstappen, en toen moest hij het zweet echt van zijn voorhoofd wissen. Het moest eruitzien als een stroomstoring, waardoor alle apparatuur minstens een kwartier uitviel.

De seconden tikten voorbij. Jude was zich ervan bewust dat elk moment kon worden ontdekt dat hij was verdwenen. En toen had hij het ineens gevonden. Een verbindingscode, een van de duizenden verbindingen binnen het systeem. Eén verandering zou het hele systeem platleggen, en het zou dagen, misschien zelfs weken duren om de fout te vinden. Snel veranderde hij een letter, zorgde toen voor een vertraging van tien minuten, en kroop vervolgens zo snel mogelijk terug naar zijn 'kast'. Twee keer dacht hij dat hij daar al was, en beide keren zat er een stevig vastgemaakt rooster voor de luchtkoker. Uiteindelijk kwam hij toch bij het rooster dat hij had losgewrikt, en toen kon hij zich naar beneden laten zakken. Hij schoof het rooster zo goed mogelijk terug, maar toch was er nog een spleet te zien. Er zat niets anders op: hij moest naar boven om het goed te leggen. Maar voordat hij dat kon doen, hoorde hij voetstappen in de gang. Gauw sloeg hij het stof van zijn kleren en keek schuldbewust op toen de deur openzwaaide.

Er verscheen een beveiliger in de deuropening, een kleerkast van een vent met een kaalgeschoren kop. Argwanend keek hij naar Jude. 'Wat is hier aan de hand?'

'Niets,' piepte Jude, die zijn best deed om niet te hijgen. Hij wendde de woede en ergernis voor die de beveiliger zou verwachten. 'Wat zou er aan de hand kunnen zijn? Ik zit opgesloten in een soort kast! En als jullie me er niet gauw uit laten, schreeuw ik de hele boel bij elkaar!'

'Wou je schreeuwen?' Met een brede grijns pakte de beveiliger een stoel. 'Doe maar, hoor, niemand kan je horen. Deze ruimten zijn helemaal geluiddicht gemaakt. Je mag schreeuwen zoveel je wilt.'

'Jullie moeten me laten gaan,' zei Jude kwaad. Hij moest zich dwingen niet naar het rooster te kijken, dat half uit het plafond hing. 'Het is strijdig met de wet om me hier tegen mijn wil vast te houden. Ik heb niks verkeerds gedaan.'

'Dacht je soms dat de wet ook geldt in Pincent Pharma?' vroeg de beveiliger. 'Wij máken de wet.'

'Ik ga het de Autoriteiten vertellen.' Jude ging zitten en schopte met zijn voeten. De beveiliger moest naar hém kijken, niet naar iets anders.

'O, die geven ons een schouderklopje omdat we je hebben opgesloten, zodat je geen ondeugende spelletjes kunt doen.' Geeuwend leunde hij achterover op zijn stoel. Hij leek dwars door Jude heen te kijken met die lege blik. 'En hou nou je mond,' zei hij. 'Anders zorg ik wel dat je je klep houdt. Gesnopen?'

Zwijgend knikte Jude. De dreiging in de stem van de beveiliger was hem niet ontgaan, hij was zich er terdege van bewust dat de man maar een smoesje nodig had om alle beleefdheid te laten varen. Hij hield zijn adem in. Elk moment kon het rooster loskomen van het plafond, dat wist hij zeker. Zo bleef hij angstig zitten wachten, terwijl de minuten voorbijtikten. Eén minuut. Twee minuten. Drie minuten. En toen ging plotsklaps het licht uit en werden ze gedompeld in duisternis.

'Wat...' zei de beveiliger, en hij pakte zijn portofoon. 'Hallo? Hier 245. De stroom lijkt te zijn uitgevallen in kamer 25... Wat? Het hele gebouw? ... Nee, die is hier bij mij. Het moet iets anders zijn. Hoe... Oké, ik kijk wel even.'

Jude hoorde hem opstaan en naar de deur lopen.

'Die zit niet meer op slot,' mopperde de beveiliger. 'Godverdegodver, nou moet ik die maar op slot doen door de code te omzeilen.' Met een zucht zette hij de deur open en voelde aan de onderkant. 'Over vijf minuten ben ik bij jullie.'

'Is er iets?' vroeg Jude. Hij moest erg zijn best doen niet triomfantelijk te klinken.

'Nee, niks,' snauwde de beveiliger. 'Gewoon een kleine stroomstoring. Je boft dat op deze deur ook nog een ouderwets slot zit. Ik moet je nu alleen laten, maar jij zit hier veilig, oké?'

'Laat je me hier alleen achter? In het donker?' jammerde Jude.

De beveiliger lachte. 'Ik kom terug,' zei hij. 'Hopelijk krijg je geen nachtmerrie.' Toen ging hij weg en vergrendelde de deur. Jude hoorde hem nog een paar keer proberen of de deur echt afgesloten was.

Jude wachtte totdat de voetstappen van de beveiliger waren weggestorven, toen klom hij gauw weer via de planken naar boven, naar de luchtkoker. Tot zijn schrik viel het rooster met een klap op de grond. Doodstil bleef hij een poosje wachten, hij durfde nauwelijks adem te halen. Maar niemand leek iets te hebben gehoord. Na verloop van tijd, toen zijn hart niet meer zo tekeerging, trok Jude zich op en kroop weer langs het plafond.

Nieuwsgierig scheurde Peter de envelop open. Even later staarde hij naar de inhoud, met een mengeling van blijdschap en ontzetting. Zelf begreep hij dat ook niet goed. 'Anna heeft de Wet getekend,' bracht hij ademloos uit.

Edwards, die na de woordenwisseling tussen Peter en diens grootvader discreet in een hoekje had zitten werken, keek op. 'O ja?'

Met lege blik keek Peter hem aan en zwaaide met het vel papier. 'Ze heeft getekend,' zei hij nog eens. 'Ik snap het niet. Ze zei... Ik had niet gedacht dat ze...'

'Dus nu heb je wat je wilde,' zei Edwards. 'Dat zou gevierd moeten worden.'

'Ja...' reageerde Peter aarzelend.

'Je klinkt niet erg opgetogen.'

Peter fronste zijn voorhoofd. 'Ik ben er best blij om. Maar ik snap niet waarom ze dat heeft gedaan...'

'Misschien bevielen de alternatieven haar niet? Die beveiliger zei toch dat ze had gezegd dat je gelijk had?'

Peter knikte nadenkend. Ineens zei hij: 'Ik moet naar haar toe, ik moet haar spreken. Nu.'

'Dat begrijp ik,' reageerde Edwards meteen. 'Ga je het je grootvader vertellen?'

Behoedzaam stopte Peter het vel papier terug in de envelop en propte het geheel in zijn broekzak. Vervolgens trok hij zijn witte jas uit en pakte zijn jas. 'Vertelt u het hem maar,' zei hij. Hij grinnikte toen Edwards zijn wenkbrauwen fronste. 'Ik bedoelde niet...' zei Peter snel. 'Ik bedoelde alleen maar: gewoon, wanneer u hem toch spreekt.'

'Dat snap ik,' zei Edwards. 'Maar hoor eens, ik heb hem niets verteld, hoor. Ik bedoel, van mij heeft hij het niet dat je eerst niet wilde tekenen.'

Peter knikte. 'Weet ik. Of althans, dat vermoedde ik. Maar nu maakt het niet meer uit. Nu niet meer.'

'Komt er een nieuwe levering aan? Geweldig. Echt geweldig, dank je wel, Eleanor. Het is fijn zaken doen met jou.'

Richard leunde achterover in zijn stoel, met zijn blik gericht op het raam, niet op zijn bureau. De zon ging al onder en zette de lucht in schitterende tinten. Terwijl Richard daarnaar keek, welde er een gevoel van triomf in hem op. De nieuwe leidinggevende van Grange Hall bleek zich uitstekend van haar taak te kwijten. Ze stelde geen vragen, leverde af wat ze moest afleveren en was ook nog leuk om te zien. Richard kon zich geen betere zakenpartner wensen. Bovendien wist hij nu zeker dat hij Peter tijdens de persconferentie zou kunnen overhalen te doen wat er van hem werd gevraagd. Als hij daarna voor problemen zorgde, zou Richard wel met hem afrekenen. Met hem, met dat Overtolligenmeisje en met dat rotjoch van een broertje van haar.

Met gesloten ogen genoot hij van de zachte, leren stoel. Daarop kon hij ontspannen. Al was het maar voor een paar minuutjes, voordat Hillary zou komen, voordat hij zijn belangrijkste verkooppraatje van de eeuw moest houden.

Toen hij zijn ogen opende, zag hij iets opmerkelijks. Het was donker. Alleen de noodverlichting langs de vloer gaf nog enig licht.

Onmiddellijk sprong hij op. 'Wat is dít nou weer?' riep hij uit, terwijl hij de gang op stormde als een dolle stier die in de arena komt. 'Waarom is er geen licht? Waarom staan de deuren open? Wat is er aan de hand?'

Een bewaker met spierwit gezicht stapte op hem af. 'Er is een probleem in de energiecentrale,' zei hij nerveus.

'Een probleem? Elk moment verwacht ik hier iemand van de Autoriteiten!' blafte Richard. Hij pakte zijn mobieltje en toetste een nummer in. Hij was rood aangelopen, en zijn hart ging als een razende tekeer. 'Samuels? Wat heeft dit te betekenen?'

'Er is iets met het computerprogramma dat de energie beheert,' antwoordde Samuels. Zijn stem klonk uiterst gespannen. 'De computer wordt opnieuw opgestart.'

'Opnieuw opgestart?' tierde Richard met van woede fonkelende ogen. 'Dat is nu niet het moment. Breek het af, nu meteen!'

'Dat kan nu niet. Er moet ergens een fout zitten. Een verkeerde verbinding. Door de boel opnieuw op te starten, zou het moeten worden verholpen.'

'Een fout?' raasde Richard. 'Dit is Pincent Pharma! Hier worden geen fouten gemaakt! Hier komen geen verkeerde verbindingen voor! Wat is dat dan voor fout?'

'Ik ben bang dat... De precieze details... Het is nog niet helemaal duidelijk wat...'

'Weten jullie niet wat er mis is?' bulderde Richard.

'Nee, meneer Pincent. Maar er wordt aan gewerkt. Er is zo gauw mogelijk weer stroom.'

'Anders zal het je nog berouwen,' reageerde Richard dreigend. 'Jou, en iedereen die erbij betrokken is. Daar zullen jullie nog spijt van krijgen...' Met een ontzette blik in zijn ogen zweeg hij ineens, om vervolgens met een klap zijn mobieltje dicht te klikken en het in zijn zak te stoppen. 'Hillary, wat ben je vroeg...'

'Ja,' zei ze gladjes. Ze wuifde de beveiliger weg die haar boven had gebracht. 'Niemand sloeg acht op me toen ik de foyer in stapte en naar boven ging, naar je werkkamer. Zou je me willen vertellen wat hier aan de hand is?'

21

Peter kon niet naar huis om Anna te spreken. Vanwege de stroomstoring waren veiligheidsmaatregelen genomen; niemand mocht het gebouw verlaten. Hij kon Anna ook niet telefonisch bereiken. Hoe vaak hij ook belde, er werd niet opgenomen. Dus bleef hij maar met Edwards in het lab, waar hun niets anders te doen stond dan een beetje duimendraaien terwijl ze wachtten totdat de stroomvoorziening was hersteld. Zonder stroom viel alles stil. De scanners van de identiteitskaarten werkten niet meer, de noodverlichting was aangefloept, waardoor alle gangen en vertrekken schemerig werden verlicht, en dat zorgde ervoor dat alles er heel anders uitzag. Het gaf een onwennig gevoel.

'Wil je kijken waar de medicamenten worden gemaakt?' vroeg Edwards. 'De productieafdeling, waar alles gebeurt?'

Peter keek op, uit zijn gedachten aan Anna gerukt. 'Ik dacht dat ik daar niet mocht komen,' zei hij. Hij wist nog dat hij op de eerste dag hier, tijdens de rondleiding, maar heel even een blik had mogen werpen op die afdeling. 'Ik dacht dat het maanden duurde voordat je daar een pasje voor kreeg.'

Edwards haalde zijn schouders op en zei met fonkelende ogen: 'Dat klopt, maar nu is het beveiligingssysteem uitgeschakeld, toch? Dit lijkt me een uitstekend moment om daar eens een kijkje te gaan nemen, zeker nu je zulk goed nieuws hebt gekregen. Bovendien werkt er hier niks, dus we kunnen toch niet veel doen.'

'O, ja, dat is ook zo. Maar eerst wil ik graag nog eens proberen Anna te bereiken.' Weet toetste hij haar nummer in, en weer werd er niet opgenomen. Even later liep hij met tegenzin achter Edwards aan het lab uit.

Ze gingen naar de kant van het gebouw waar het productieproces plaatsvond. Daarvoor moesten ze door de ene deur na de andere, en al die deuren zwaaiden gemakkelijk open in plaats van zoals gewoonlijk stevig dicht te blijven. Beveiligers patrouilleerden door de gangen, met een grimmige uitdrukking op hun gezicht. Maar zonder scanners konden ze niet weten wie wel of niet toestemming had om hier rond te lopen. Een paar keer werden Edwards en Peter aangehouden, maar elke keer mochten ze gewoon doorlopen.

Uiteindelijk bereikten ze de galerij op de vierde verdieping, waar je door een gigantisch raam de pilletjes uit buizen kon zien vliegen. Edwards liep verder, naar een deur rechts. 'Hier,' zei hij, en hij wees door een gang naar een ander enorm raam.

Ze liepen ernaartoe, en de adem stokte Peter in zijn keel. Honderden vaten stonden naast elkaar, met een machine erboven. In sommige vaten werd poeder gestort, in andere werd door mechanische robotarmen geroerd. Er waren metalen deksels die de vaten met veel gekletter afsloten, en hier en daar stonden er lasers op gericht. Er lag een witte laag die eruitzag als maagdelijke sneeuw. Dat poeder moest nog in de vaten, om later te worden verwerkt tot pilletjes. Het was hier veel groter en massaler dan Peter had verwacht. Het zag er allemaal erg industrieel uit. Deze machines, die bergen wit spul, dat waren de bronnen van het eeuwige leven. Hoofdschuddend keek hij ernaar.

Edwards was ook helemaal in de ban van wat hij zag. 'Denk je eens in, Peter,' zei hij zacht. 'Denk eens aan alles wat er in dat poeder zit. De vervolmaking van de mens.'

Peter keek ernaar en vroeg zich af hoeveel van die witte pilletjes ervan konden worden gemaakt. Omdat het poeder zo zuiver wit was, leek het zo onschuldig, en de belofte van eeuwig leven zo onweerstaanbaar.

'Is dit het?' vroeg hij zachtjes. Gebiologeerd keek hij naar de pillen die uit de machines kwamen rollen. 'Gewoon mengen en tot pillen draaien? Ik dacht eigenlijk dat er wel meer bij kwam kijken.'

'O, maar dat is ook zo,' reageerde Edwards net zo zachtjes. 'Heel, heel veel meer.' Met een afwezige blik keek hij in de verte. 'Lief Lang Leven, maak me onsterfelijk met een kus,' fluisterde hij.

Peter fronste zijn voorhoofd. 'Hè?'

'O, niks.' Edwards bloosde. 'Ik moest gewoon aan iets denken... Iets van lang geleden. Weet je, Albert Fern heeft me indertijd warm gemaakt voor de wetenschap. Hij was zeer geleerd en een groot voorstander van menselijke daadkracht.'

'Albert Fern?'

'De uitvinder van Lang Leven. Ja, jouw overgrootvader, Peter. Hij wilde ziekten en kwalen uitroeien. Hij deed me beseffen wat er allemaal mogelijk is als je niet opgeeft. Als jij je eens zou openstellen voor de mogelijkheid...'

'Maar hij ging toch dood? Is dat niet een beetje ironisch?'

Even aarzelde Edwards, toen knikte hij. 'Maar wij leven allemaal nog, Peter. En hij leeft door in de pillen, in iedereen die dankzij hem nog leeft.'

Stilletjes bleven ze een paar minuten kijken naar de pillen. Toen trok Edwards zijn witte jas uit. 'Peter, nu ik hier toch ben, wil ik even boven gaan kijken, bij de research. Tegenwoordig spreek ik het team nauwelijks meer, dus dit lijkt me een goede gelegenheid het eens over onze ontdekkingen te hebben. Denk je dat je zelf de weg terug kunt vinden, of wil je liever dat ik een eindje met je mee loop?'

Peter schudde zijn hoofd. 'Nee hoor, ik vind het wel. Gaat u maar gewoon.'

'Ik blijf niet lang weg,' zei Edwards. 'Maar als ik jou was, zou ik hier niet al te lang rondhangen. Het is en blijft verboden terrein.' Met die woorden liep hij de gang in.

Peter merkte nauwelijks dat hij wegging. Hij kon zijn ogen niet afhouden van de Lang Leven-pillen, en stelde zich voor wat hij zou gaan doen met de jaren die voor hem lagen. Hij zou alles kunnen doen wat hij maar wilde en overal naartoe kunnen gaan. Zoveel keus werkte bijna verlammend. Er waren gewoon te veel mogelijkheden.

Judes hart klopte in zijn keel, en op zijn gezicht plakte het stof. Hij was bijna terug waar hij was begonnen, maar niet helemaal. Onder hem bevond zich de afdeling Beveiliging, het kloppende hart van Pincent Pharma, waar alle informatie bij elkaar kwam, de zetel van macht. Beneden hoorde hij iemand vloeken, hij hoorde de portofoons waarmee druk werd gecommuniceerd. Heel, heel behoedzaam maakte hij het kistje open dat voor hem stond, waarin de hoofdcomputer zat die de beveiligingscamera's beheerde. Zijn handen waren zo klam dat toen hij aan de slag ging, er af en toe kabeltjes uit glibberden. Uiteindelijk vond hij toch wat hij zocht. Stilletjes trok hij zijn mes en sneed twee kabeltjes door, om ze vervolgens met elkaar te verbinden, en met het apparaatje dat hij bij zich had. Het piepkleine schermpje kwam tot leven. Met ingehouden adem wachtte Jude op een geluid dat zou aantonen dat hij het fout had gedaan, dat het systeem beneden ook tot leven zou komen. Maar hij hoorde niets wat daarop wees. Nadat hij een zucht van verlichting had geslaakt, bracht hij zijn hand naar het toetsenbordje en ging op zoek.

'Weten jullie zeker dat de productie van Lang Leven niet in gevaar komt?'

Peter deinsde achteruit toen hij die schrille stem hoorde, en drukte zich tegen de muur. Hij zag de onmiskenbare gestalte van zijn grootvader zijn kant op komen. Een ontzagwekkend uitziende vrouw met betonkapsel liep met hem mee.

'De productie?' Peters grootvader klonk ongelovig, en ook

uiterst gespannen. 'Natuurlijk gaat die door. Bij een stroomstoring worden alle niet-essentiële processen stilgelegd, maar nooit de productie van Lang Leven. De productieafdeling van Lang Leven, en afdeling X beschikken beide over een onafhankelijke noodstroomvoorziening, Hillary. De productie van Lang Leven staat nooit stil. Echt, er is niets om je zorgen over te maken.'

Peter zette grote ogen op toen hij afdeling X hoorde noemen. Over die afdeling had Pip meer willen weten. Wat leek dat al lang geleden...

'De beveiliging werkt niet, Richard, en dat vind ik al zorgwekkend genoeg. Ik dacht dat Pincent Pharma over het meest geavanceerde systeem ter wereld beschikte.'

'Dat klopt,' reageerde hij op grimmige toon. 'En nu weten we dat we daarvoor ook een noodstroomvoorziening moeten hebben. Hillary, ik kan je ervan verzekeren dat er ontslagen zullen vallen. Maar het is niets om je zorgen over te maken, er is geen enkele reden...' Hij zweeg plotseling toen hij zijn kleinzoon zag. Achterdochtig keek hij hem aan. 'Peter, wat doe jij nou hier?'

Peter kreeg een kop als een boei. 'We... Meneer Edwards en ik, bedoel ik... We zijn gaan kijken naar de productieafdeling,' mompelde hij. 'Meneer Edwards moest even iemand van het researchteam spreken, en ik ben op weg terug naar het lab.'

Zijn grootvader kneep zijn ogen tot spleetjes. 'Je weet dat je hier niet mag komen?'

Peter knikte. 'Meneer Edwards zei dat...'

'Meneer Edwards weet vast wel wat hij doet,' viel zijn grootvader hem in de rede. Even keek hij naar de vrouw naast hem. 'Maar nu kun je maar beter zo snel mogelijk teruggaan naar het lab, Peter.'

'Dus dit is Peter Pincent? Interessant.' Nieuwsgierig keek de vrouw Peter aan.

Peter zei niets. Hij had naar afdeling X willen vragen, hij

had zich graag willen geruststellen dat het gewoon maar een afdeling was, en dat er geen enkele reden bestond voor de knagende twijfel die bezit van hem had genomen.

'Ja, dit is Peter,' bevestigde zijn grootvader. Nog steeds stond die achterdochtige blik in zijn ogen. 'Hillary, dit is Peter. Peter, Hillary Wright is de vicesecretaris-generaal van de Autoriteiten.'

Met een snelle blik nam Peter de vrouw op. Ze had kleine ogen en een kaarsrechte houding.

'Ik hoor dat je je hebt bekeerd tot Lang Leven.'

'Ik...' Peter zette zijn nagels in zijn handpalm. 'Ik vind Lang Leven echt ongelooflijk,' antwoordde hij op zijn hoede.

'En vanmiddag, tijdens de persconferentie, ga je de Wet tekenen?' vroeg Hillary met haar kraaloogjes strak op hem gevestigd.

Daar schrok Peter van. 'Persconferentie? Ik ben niet erg goed in de omgang met de pers.'

'De media zijn een noodzakelijk kwaad,' reageerde Hillary op scherpe toon. 'Iedereen zal het willen zien. Je bent nu eenmaal beroemd, Peter.'

'Ik dacht eerder: berucht,' zei Peter.

'Beroemd, berucht, wat maakt het uit?' reageerde Hillary met een flauw lachje. 'Ik vind het een uitstekend idee.'

Even wierp ze een blik op Peters grootvader, die uitdrukkingsloos voor zich uit keek. 'Peter is het er vast mee eens,' zei ze zacht. 'Het tekenen van de Wet is iets om te vieren.'

Peter voelde zich totaal niet op zijn gemak. Misschien dat hij de Wet ging tekenen, maar dat maakte hem nog niet tot een marionet, en hij wilde niet dat de Autoriteiten of Pincent Pharma aan de touwtjes trokken.

'Nee,' zei hij. 'Nee, het kan zijn dat ik niet...' Toen aarzelde hij. Misschien was een persconferentie helemaal geen slecht idee. Per slot van rekening kon hij dan de Ondergrondse een poepie laten ruiken. Dat zou Pip echt goed duidelijk maken dat Peter zijn zaakjes zelf wel kon regelen. Het zou aantonen dat Peter zich niet meer liet manipuleren, dat hij zich niet meer liet gebruiken.

'Och, waarom ook niet?' zei hij achteloos.

'Mooi zo,' reageerde Hillary. 'Richard zal je wel vertellen wat er van je wordt verwacht.'

'Uiteraard,' zei Peters grootvader. 'Om zes uur precies, Peter. En ga dan nu maar terug naar het lab.'

Peter liep de gang door en sloeg toen links af. Zij dachten dat ze hem konden gebruiken, maar het was juist andersom: hij gebruikte hén. Hij zette zijn borst op. Niemand gebruikte hem, nu niet meer. Maar plotseling bleef hij staan. Hij voelde zich een beetje misselijk. Er klopte iets niet. Misschien had hij overhaast gehandeld. Hij had Anna ook nog niet gesproken. Hij was zich voortdurend bewust van de door haar ondertekende kopie van de Wet die in zijn zak zat. Hij wilde dolgraag weten waarom ze van gedachte was veranderd.

Haastig draaide hij zich om en liep terug. Hij ging zijn grootvader vertellen dat hij meer tijd nodig had. Hij zou zeggen dat het zijn eigen zaak was of hij de Wet wilde tekenen of niet. Maar toen hij de hoek om kwam, bleef hij stokstijf staan. Zijn grootvader was er niet meer. Peter rende de gang door, maar waar hij ook keek, geen spoor van Richard Pincent of Hillary Wright.

Geërgerd bleef Peter zoeken. Hij spitste zijn oren, maar hoorde hen ook al niet, zelfs geen voetstap. Uiteindelijk kwam hij verslagen tot de conclusie dat ze zeker in rook waren opgegaan.

22

Zwijgend keek Anna naar de beveiliger, haar ogen groot en angstig. Ze was uit Maria's appartement gesleurd en achter in een busje gegooid. Gelukkig had ze Ben teruggekregen, en had ze de mannen kunnen overhalen de handboeien af te doen, zodat ze hem in haar armen kon houden en ervoor kon zorgen dat hij zijn hoofdje niet stootte tegen de wanden van het busje, dat in wilde vaart over de weg had gereden. En nu zat ze opgesloten in een donkere ruimte. Ze had geen idee waar ze was. Het busje was tot stilstand gekomen voor een deur, en via die deur was ze in een gang gekomen en vervolgens in deze ruimte.

'Als jij niet zorgt dat dat joch zijn bek houdt, doe ik het wel,' snauwde de beveiliger.

Ze hield Ben stevig tegen zich aan en deed haar best hem stil te krijgen. Hij was al aan het huilen sinds ze hier waren. 'Hij heeft honger,' zei ze zacht. 'Hij moet melk hebben.'

'"Hij moet melk hebben,"' bauwde de beveiliger haar na. 'Zorg maar dat hij zijn kop houdt, anders krijgt hij iets heel anders.'

Van angst kromp Anna's maag ineen, en gauw stopte ze Bens duim in zijn mondje, waar hij meteen stevig op ging zuigen. Het was schemerduister in het vertrek en daardoor raakte Anna gedesoriënteerd. 'Waar is Maria eigenlijk?' vroeg ze aarzelend. 'Is zij hier ook ergens?'

De beveiliger grijnsde breed. 'Maria?' vroeg hij. 'Hier? Nou, nee. Maria is een Vanger.'

Anna trok wit weg. 'Nee...' bracht ze wanhopig uit. 'Dat kan niet! Ze...'

'Ik ben bang dat je niet altijd kunt vertrouwen op wat anderen zeggen,' hoorde ze plotseling een stem.

De deur ging open en een man stapte het vertrek binnen. Hij had een mager gezicht en ging gekleed in een pak. Hij straalde iets dreigends uit.

'Anna Covey?' vroeg hij.

Ze knikte.

'Ik ben doctor Samuels. Ik ben hoofd beveiliging hier bij Pincent Pharma. En ik ben bang dat je tot je nek in de problemen zit, Anna. Weet je, we hebben alles gefilmd.'

Ademloos vroeg Anna: 'Alles?'

'Alles.' Er verscheen een akelige lach op Samuels' gezicht. 'We hebben gehoord dat je plannetjes smeedde om Overtolligen te bevrijden, Anna. Weet je wel wat voor straf er op een dergelijke misdaad staat?'

Anna schudde haar hoofd. 'Ik wilde alleen maar die kinderen helpen,' zei ze met tranen in haar ogen. 'Ik dacht dat zíj ze ook wilde helpen. Ik dacht...'

'Genoeg!' blafte Samuels haar toe. 'Dacht je nou heus dat we rustig zouden toekijken terwijl een over het paard getilde Overtollige plannetjes smeedt om onze samenleving te ontwrichten, om onze beschaving en wetenschappelijke vooruitgang te bedreigen? We moeten de samenleving juist beschermen tegen typetjes zoals jij, Anna. Jij, en dat monsterlijke broertje van je, verdienen het niet om in de Buitenwereld te leven.'

'Ben wél,' reageerde Anna met trillende stem. 'Hij heeft hier niets mee te maken. Hij is Legaal. Hij is onschuldig.'

'Onschuldig? Wie moet er voor hem zorgen wanneer jij in de gevangenis zit, Anna? Daar heb je niet bij stilgestaan, hè? Jij dacht alleen maar aan die smerige Overtolligen.'

Het bloed trok weg uit Anna's gezicht toen tot haar doordrong wat ze had gedaan. Het was allemaal zo verschrikkelijk dat haar hoofd ervan bonsde.

Er klonk een zoemend geluid, en Samuels haalde een portofoon uit zijn zak. 'Ik wil niet gestoord worden. Begrepen?' snauwde hij geërgerd. 'Ik wil twee eenheden die de ingang bewaken, en de stroomstoring moet worden verholpen. Tenzij de vier ruiters van de Apocalyps komen aanstormen, wil ik niet meer worden gestoord. Is dat duidelijk? Mooi zo.'

Hij stopte de portofoon terug in zijn zak en glimlachte zuinigjes naar Anna. 'Zo, dan wachten we maar op de dokter,' zei hij. 'Die gaat je onderzoeken. Kijken of je Nuttig kunt zijn.'

'Nuttig?' Anna's stem was nauwelijks hoorbaar. 'Wat gaat er met me gebeuren? Waar moet ik heen?'

Samuels negeerde haar. Ben werd door een beveiliger uit haar armen gerukt, en Anna werd op het bed geduwd. Pas toen kreeg ze Ben terug, die nu was gaan krijsen. Hij had zijn vuistjes gebald en de tranen stroomden over zijn rood aangelopen wangetjes. Het kostte Anna moeite niet met hem mee te doen.

Langzaam begon ze iets te zien. Een wit plafond. Witte kussens en een rode deken. Grauwe lakens. Overtollige Sheila lag stilletjes om zich heen te kijken, en toen herinnerde ze zich waar ze was. Ze was niet in Grange Hall, en ook niet in een huis. Dit was een soort tussenstation, dacht ze, waar ze een medische keuring zou krijgen. Sheila wist beter dan wie ook dat je nooit vragen moest stellen, dat had ze wel geleerd op Grange Hall. Je moest je ogen altijd neergeslagen houden, geen vragen stellen en doen wat je werd gezegd. Ze had zich vaak verzet. Misschien was dit weer zo'n test, dacht ze, misschien wilden ze weten of ze wel fit was, of ze klaar was voor het werk als huishoudster. Als ze door de keuring kwam, zou ze de buitenwereld in trekken, in een echt huis wonen. En zodra ze in een huis woonde, zou ze op zoek gaan naar haar ouders.

Ze glimlachte flauwtjes. Ze voelde zich duizelig, en haar armen en benen waren zwaar. Vagelijk herinnerde ze zich dat ze hier was gebracht, dat ze waren voorgereden bij een groot wit gebouw. Ze was bang geweest toen ze uit het busje was gestapt, ze had gevraagd waar ze was, maar dat hadden ze haar niet willen zeggen. Toen een man haar naar een deur had gesleurd, was ze gaan gillen, en toen had iemand anders met iets scherps in haar been geprikt. Van wat er daarna was gebeurd, kon ze zich niets meer herinneren. En nu lag ze hier op een dun matrasje in een soort slaapzaal. Net als op Grange Hall, alleen waren de muren hier wit en niet grauw, en klonken er geen bellen en geen stemmen. Er waren ook geen lessen. Volgens haar was ze hier nu al een paar dagen, of misschien wel langer. Omdat ze erg veel sliep, was het lastig de tel bij te houden.

Er waren hier ook anderen, meisjes net zoals zij, die allemaal sliepen of deden alsof ze sliepen. Toen ze de blik van een ander meisje had gevangen, hadden ze allebei gauw weggekeken. Een paar dagen geleden was een meisje betrapt toen ze een gesprekje wilde beginnen, en daarvoor had ze een pak slaag gekregen. Sheila had dat terecht gevonden omdat het meisje zo stom was geweest. Ze had gehoopt dat het zou opvallen dat zíj zich keurig aan de regels hield. Misschien kwam ze dan sneller door de keuring dan de andere meisjes.

De onderzoeken waren niet prettig. Sheila was erachter gekomen dat ze de pest had aan medisch onderzoek. Elke dag kreeg ze een prik. Elke dag werd er bloed afgenomen. Elke dag werden haar benen in beugels gehesen en werd er op pijnlijke wijze met metalen instrumenten in haar gepord. Dan kneep ze haar mond stijf dicht om maar niet te gaan gillen van pijn. Afgezien daarvan werd ze meestal met rust gelaten. Er was een piepkleine badkamer die de meisjes mochten gebruiken, maar alleen in hun eentje. Drie keer per dag werd er een dienblad met eten voor haar neus gezet. Alle meisjes droegen eenzelfde soort hemd dat aan de voorkant lang was, maar van achteren niet kon worden gesloten, zodat ze de kanten zelf goed bij elkaar moesten houden wanneer ze naar de wc gingen. Soms werd er een meisje vervangen door een ander. Dan was zo'n meisje zeker door de keuring gekomen, vermoedde Sheila jaloers. Die meisjes hadden hier weg gemogen om huishoudster te worden. Ze hoopte dat zij de volgende zou zijn. Ze wilde hier weg.

Jude klikte de ene camera na de andere aan, op zoek naar het meisje en naar Peter. Maar steeds weer verschenen er beelden op het schermpje van laboratoria, de productieafdeling, de kantine, lange gangen en de foyer. Dat beeld liet Jude even staan. Er stonden buiten bewakers voor de glazen deuren, bewapend en klaar om in actie te komen. Binnen stonden er nog drie. Een van hen herkende Jude: dat was de bewaker die hem onder zijn hoede had genomen.

De bewakers fouilleerden een man. Even later mocht die naar binnen en beende hij naar de Receptie. Aandachtig keek Jude ernaar. Toen de man zijn identiteitskaart ophield, zoomde Jude erop in. Er stond op: MANCHESTER EVENING NEWS, en: WILLIAM ANDERSON. De beveiliger keek ernaar en leek toen een vraag te stellen. De man, die gekleed was in een pak, haalde glimlachend zijn schouders op, haalde vervolgens een stuk papier tevoorschijn en overhandigde dat. Dat leek de beveiliger tevreden te stellen, want die stond op en ging de man voor naar een zijkamertje. Op weg daarnaartoe kwamen ze langs een camera en toen kon Jude het gezicht van de man goed zien. Die ogen... De haartjes in Judes nek gingen overeind staan. Die man was helemaal geen verslaggever. Hij kwam helemaal niet uit Manchester. En hij heette al helemaal niet William Anderson. Bevend keek hij naar het schermpje terwijl de man uit beeld verdween.

23

Het was een lange witte en fel verlichte gang. Nieuwsgierig tuurde Peter ernaar. De gang lag aan de buitenzijde van het hoofdgebouw, en door de ramen aan de rechterkant had je uitzicht over heel Pincent Pharma: gebouwen binnen gebouwen, buitenterreinen, lange verbindingsgangen die zich van hier naar daar slingerden.

Het was een brede gang, met op regelmatige afstand van elkaar vitrines. Er was een vitrine waarin de ontwikkeling van de mens aanschouwelijk werd verbeeld, en er waren andere vitrines waarin aspecten van de productie van Lang Leven werden uitgelegd. Er waren twee plekken met scanners waar voorbijgangers hun bloeddruk konden laten meten, of hun voedingstoestand, de hersenactiviteit of het afweersysteem. In twee grotere vitrines stonden levensgrote modellen van het menselijk lichaam, met elk orgaan, bot en pees levensecht afgebeeld. Een van de modellen was gezond, die verbeeldde de mens van na de ontdekking van Lang Leven. Het andere model was van een mens die allerlei tekenen van veroudering liet zien: organen die niet meer goed werkten, vervormde beenderen, afnemende spiermassa.

Maar Peter was niet in die modellen geïnteresseerd. Hij leunde tegen een vitrine en dacht erover terug te gaan naar het lab. Dat zou hij eigenlijk moeten doen. Zijn grootvader kon hij later nog spreken. Maar iets weerhield hem ervan om terug te gaan. Diep vanbinnen besefte hij dat er iets niet in de haak was. Met een zucht ging hij rechtop staan. Afdeling X... Pip had gezegd dat die zich op de zesde verdieping bevond. Peter was nu op de vierde. Onderzoekend keek hij omhoog naar het plafond. Eigenlijk zocht hij alleen naar geruststelling. Maar toen fronste hij zijn wenkbrauwen, want achter zich hoorde hij stemmen. Het klonk gesmoord, maar toch was er geen twijfel mogelijk. Dit was niet het geluid van een motor of zo, maar van menselijke stemmen.

Langzaam draaide hij zich om en keek eens goed naar het model. En toen viel hem iets op. Achter de vitrine zat een paneel.

Nog steeds met die frons wurmde hij zich achter de vitrine en betastte de muur. Misschien was er een knop waarmee het paneel kon worden geopend of naar opzij geschoven. Hij was er heel dichtbij, dat wist hij, maar al zijn voorzichtige geduw en getrek leverde niets op. Met een zucht stapte hij weg en keek nog eens goed of hij niets over het hoofd had gezien. Toen leunde hij geërgerd tegen het paneel. Meteen klikte het open. Vol ongeloof keek Peter naar de steile trap naar boven die werd onthuld. Haastig keek hij om zich heen of de gang nog steeds verlaten was. Vervolgens stapte hij met ingehouden adem door het paneel, sloot dat zorgvuldig en liep de trap op.

Richard haalde zijn mobieltje uit zijn zak. 'Ja?' blafte hij erin.

'Richard, met Derek Samuels. De dokter is net weg.'

Tersluiks keek Richard even naar Hillary, en toen gauw weer weg. 'Ha, Samuels. Ik... ik ben nog even bezig. Er is hier iemand. Kan het nog even wachten?'

'Nee. Echt, dit ga je niet geloven!'

'Wat ga ik niet geloven?' vroeg Richard. Hij deed niet eens moeite de ergernis in zijn stem te verbergen. 'Ik hoop dat er niets mis is gegaan.'

'O nee, er is niets misgegaan. Richard, ze is zwanger. Drie maanden, zei de dokter.'

Richards mond viel open.

'Richard? Heb je me gehoord?'

Richard knikte. Het viel hem op dat Hillary haar best deed

iets van het gesprek op te vangen. 'Ja,' zei hij snel. 'Ja, maar ik ben nu met iemand in gesprek... Eh, heel interessant wat je me daar vertelt.' Hij lachte naar Hillary. 'Excuseer,' zei hij toen, en met het mobieltje tegen zijn oor gedrukt liep hij een hoek om, buiten gehoorsafstand.

'Wie weet daarvan?' vroeg hij even later.

'Niemand.'

'Mooi zo. Zorg dat het zo blijft!'

Het duurde even voordat Samuels reageerde. 'En wat nu? Wat doen we met de foetus?'

'Die mag Ferguson hebben. Hij mag ermee doen wat hij wil.'

'Echt? En de vader dan?'

'Volgens mij is er geen vader,' antwoordde Richard Pincent toonloos.

'Geen vader?'

'Nee.'

'Och ja, natuurlijk,' zei Samuels gauw. 'Geen vader.'

Richard hoorde dat het verbaasd klonk, en daar ergerde hij zich aan. 'Een levende foetus is puur goud, toch?' merkte hij ongeduldig op. 'Ferguson zeurt toch altijd om levende cellen voor zijn experimenten?'

'Ja. Ja, dat klopt.'

'Nou, schiet dan een beetje op,' snauwde Richard. 'Ik ben hier met een hoog iemand van de Autoriteiten. Later heb ik ook nog een persconferentie, en dan heb ik het nog niet eens over die stroomstoring. Ik wil verder nergens mee worden lastiggevallen. Goed begrepen?'

'Jawel,' reageerde Samuels gauw. 'Het komt voor elkaar.'

24

Huiverend onder het dunne dekentje draaide Sheila zich om. Haar buik was opgezwollen en gevoelig, en daardoor kon ze geen prettige houding vinden. Toch sloot ze haar ogen en probeerde de slaap te vatten.

Na wat een paar minuten leek, schrok ze wakker van stemgeluid. Ze verstarde. Hier was het meestal niet best als je stemmen hoorde.

'Zo, dus deze is bijna klaar?'

'De niveaus zien er goed uit.'

'Geweldig! Om hoeveel gaat het?'

'Minstens twaalf. Misschien meer.'

De andere persoon floot. 'Zo... Prima. Oké, laten we haar dan maar naar binnen rijden.'

Sheila voelde dat haar bed bewoog. Angstig opende ze haar ogen. Achter haar stond een stevig gebouwde kerel die het bed duwde. Een verpleegster die ze herkende trok het bed aan het voeteneind mee.

'Waar... waar brengen jullie me heen?' vroeg Sheila bedeesd.

Geërgerd keek de verpleegster haar aan. 'Maakt dat uit?'

'Word ik teruggebracht naar Grange Hall?'

De verpleegster vertrok haar gezicht. 'Nee, Overtollige, je staat op het punt je schuld aan de samenleving te voldoen.'

'Wil dat zeggen dat ik nu huishoudster word?' vroeg Sheila hoopvol. 'Wil dat zeggen dat ik in een huis ga wonen?'

De verpleegster lachte. 'In een huis? Kom op, zeg! En hou nou je bek, anders moet ik je een prikje geven. En de dokter heeft liever dat jullie wakker zijn.'

'Wakker?' vroeg Sheila. 'Waarom? Wat gaat de dokter met me doen?'

'"Wat gaat de dokter met me doen?"' bauwde de verpleegster haar na. Toen keek ze naar de kerel die het bed duwde. 'Zeg, blijf maar even staan, oké?'

Het bed kwam tot stilstand en de verpleegster haalde een injectiespuit tevoorschijn. 'Een lage dosis,' zei ze. 'Dan is ze op tijd wakker voor de operatie.'

Sheila's arm werd stevig beetgepakt, en toen voelde ze het prikje.

'Zo, dat is beter,' zei de verpleegster tegen niemand in het bijzonder. Ze gooide de injectiespuit weg. 'Je zou toch zeggen dat na alle experimenten op Overtolligen er wel een genmutatie zou zijn ontstaan waardoor ze hun kop houden. Het opnieuw laten aangroeien van organen is allemaal goed en wel, maar wie houdt rekening met ons? Wij moeten dat allemaal maar aanhoren, dag in, dag uit.'

Sheila werd helemaal draaierig, en even later verzonk ze in een diepe slaap.

De ruimte waarin Peter zich bevond, deed hem denken aan de oude magazijnen en pakhuizen waarin hij had gehuisd toen hij klein was. Daar werd hij gedropt en afgehaald. Soms moest hij er een paar dagen blijven terwijl de Ondergrondse overlegde waar hij nu weer heen kon, terwijl er werd gezocht naar iemand die bereid was hem in huis te nemen. Pip had weleens gemopperd dat jongens lastig waren om onder te brengen, en dat dat bij meisjes veel gemakkelijker ging. Meisjes namen met minder genoegen. Jongens moesten plek hebben om te kunnen rondrennen, maar dat mochten illegale kinderen niet, niet met al die Vangers die elk moment konden toeslaan. En naarmate de kinderen ouder werden, werd het nog lastiger. Jonge kinderen wilden veel mensen wel in huis halen, vooral baby's, maar een opgroeiende jongen was een heel ander verhaal. Een jongen ouder dan vijf was ontzettend moeilijk te plaatsen.

Met een frons drong Peter die herinnering weg. Even bleef hij staan kijken naar de rommelige en verwaarloosde ruimte, met de opgestapelde dozen en de ongeveegde vloer. Toen zag hij in een hoek, nog net zichtbaar achter een hele hoop troep, een deur. Nadat hij om zich heen had gekeken of niemand hem kon zien, stoof hij ernaartoe en zette hem op een kiertje. Toen hij de stem van zijn grootvader luid en duidelijk hoorde, deinsde hij achteruit.

'Zoals je ziet, is Lang Leven een wondermiddel, maar met beperkingen,' zei zijn grootvader. 'We zijn nu bezig met de ontwikkeling van de volgende fase, Lang Leven 5.4. De verkoopnaam wordt Lang Leven Plus.' Ze liepen naar een trap, en Peter moest zijn oren spitsen om nog iets te kunnen opvangen.

Hillary haalde haar schouders op. 'Het zal wel. Zeg, kunnen we nu even spijkers met koppen slaan? De Autoriteiten hebben wel iets anders aan hun hoofd, Richard. Belangrijker dingen dan Lang Leven.'

Peters grootvader glimlachte zuinig. 'Belangrijker dan Lang Leven? Hillary, niets is belangrijker dan Lang Leven. Lang Leven blijft het belangrijkste wat er is. Als de productie van Lang Leven wordt stopgezet, zal de mens binnen een paar jaar uitsterven. De beschaving zoals wij die kennen, zal ineenstorten. De mens is volledig afhankelijk van Lang Leven.'

Er volgde een stilte.

Toen zei Hillary: 'Oké, Richard, je hebt je standpunt goed duidelijk gemaakt.'

'Dan zijn we het eens. Als je nu met me mee wilt komen naar afdeling X, zal ik je de toekomst laten zien.'

Peter wachtte totdat ze boven waren, toen glipte hij de deur uit waarachter hij zich verborgen had gehouden en ging hen achterna.

Sheila kneep haar ogen tot spleetjes tegen het schelle licht. Haar arm deed pijn van de injectie en ze voelde zich duizelig, als in droomtoestand. Maar daardoor durfde ze ook te vragen: 'Waar ben ik?' Ze deed haar best haar blik scherp te stellen, maar dat lukte niet. Ze zag wel dat ze zich in een grote ruimte bevond, en ze hoorde ook mensen zachtjes praten, maar ze kon hen niet zien. 'Wat gebeurt er allemaal?'

Een beetje wazig zag ze een vrouw naar zich toe komen. Toen die dichterbij was gekomen, kon Sheila haar gezicht zien. Dat zag er vriendelijk uit, heel anders dan dat van de mensen die haar de afgelopen tijd zo ruw hadden behandeld.

'Overtollige Sheila?' vroeg de vrouw.

Sheila knikte.

'Welkom op afdeling X,' ging de vrouw verder. 'We beginnen algauw aan de ingreep. Die is redelijk pijnloos, maar je moet wel heel stil blijven liggen. Wil je dat voor me doen?'

Weer knikte Sheila. 'Wat voor ingreep?' vroeg ze.

De vrouw glimlachte. 'Je gaat geschiedenis schrijven. Je gaat ons helpen bij een wetenschappelijke doorbraak, Sheila,' antwoordde ze. 'Je gaat een Waardevol Bezit worden.'

'Echt waar?' Ineens voelde Sheila zich erg trots. Ze ging geschiedenis schrijven. Ze was belangrijk. En toen vertrok ze haar gezicht in een grimas. 'Het doet pijn,' zei ze. 'Het doet erg pijn. En ik ben misselijk.'

'Het komt wel goed,' stelde de vrouw haar gerust. 'Ik kom zo terug, blijf jij hier maar rustig liggen. En maak je geen zorgen, het komt allemaal goed.'

Vervolgens verdween ze uit het zicht, en Sheila bracht haar handen naar haar buik. Ze hoopte dat de pijn gauw zou wegtrekken, en ze wist ook dat ze niet mocht klagen. Ze kreeg het erg warm onder die felle lampen, en toen ze op haar zij wilde gaan liggen, merkte ze dat haar benen vastzaten in beugels. Ook haar armen waren vastgebonden aan iets.

Bang riep ze de vrouw, maar er kwam geen reactie.

Met twee treden tegelijk stormde Peter de trap op. Boven was een gangetje met aan het eind een deur. Dat is zeker afdeling X, dacht hij met bonzend hart. Dit was het moment van de waarheid... Hij drukte zijn oor tegen de deur.

'Het probleem met Lang Leven is niet zozeer wat het kan, maar wat het niet kan, vind je ook niet?' hoorde hij zijn grootvader zeggen. 'Onze leeftijd, leeftijd sowieso zou niet zichtbaar mogen zijn, die zou geen effect op ons lichaam moeten hebben. Maar dat effect is er wel. We hebben rimpels, we krijgen zwembandjes, we worden gauw moe. Alles spant tegen ons samen. De natuur lacht ons stiekem uit. De wereld ligt aan onze voeten, maar we hebben geen macht over hoe we ons voelen of over hoe we eruitzien.'

'Och, een operatietje hier en daar...'

Ze waren dicht bij de deur. Veel te dicht. Peter kon die onmogelijk op een kier zetten.

'Jawel, maar zo'n operatie is slechts een lapmiddel. Eén ingreep is nooit genoeg, Hillary, er moet steeds iets worden gedaan. Onze organen vernieuwen zich dankzij Lang Leven, maar onze huid en onze spiermassa niet.'

'En daar heb je iets op gevonden? Echt waar? Wat dan?'

'Stamcellen.'

Peter hoorde Hillary een zucht slaken. 'Stamcellen? Maar Richard, dat is toch ouwe koek?'

Opeens klonk er een gil, waar Peter erg van schrok.

'Wat is dat voor lawaai?' vroeg Hillary. 'Houden jullie hier proefdieren?'

'Proefdieren? Nee. Dat lawaai... Dat hoort er nu eenmaal bij. Vergeet niet dat we hier niet te maken hebben met dierlijke stamcellen, of met stamcellen die afkomstig zijn van volwassenen, Hillary. Stamcellen van volwassenen kennen veel beperkingen. Zodra ze zich tot een bepaald punt hebben ontwikkeld, kunnen ze alleen nog maar bepaalde organen herstellen of vervangen.'

'Nou? Wat voor alternatief bestaat er dan?'
'Het alternatief bevindt zich in deze ruimte, Hillary. Achter die dubbele deur.'
'Laat dan maar eens zien wat je daar hebt, Richard. Ik ben erg benieuwd.'
Peter knarsetandde van ergernis. Hij wilde daar ook naar binnen, hij wilde het ook zien.
'Je krijgt het te zien. Daar hebben we het antwoord op het verouderingsproces. Als je even je handen wilt wassen en dit chirurgenpak aantrekken...'
'Ik snap het niet... Ik...'
'O, straks begrijp je het helemaal. We zijn al in de testfase. Onofficieel. Maar tot nu toe is er alleen maar meer vraag naar... naar deelnemers aan onze proeven.' Hij grinnikte. 'Hillary, ik kan je beloven dat dit iets geweldigs gaat worden. Voor ons, voor het land... Kom maar mee. Je zult versteld staan.'

Sheila kreunde zacht. Tevergeefs probeerde ze haar handen los te krijgen. Nu voelde ze zich niet meer belangrijk, eerder ongelukkig, bang en ongemakkelijk. Af en toe hoorde ze gegil, en dat boezemde haar nog meer angst in.
Er verscheen een man in een witte jas die met ferme pas op haar toe liep. De vrouw met het vriendelijke gezicht was bij hem, ze schikte dingen op een trolley.
Langzaamaan kon Sheila scherper zien. Ze zag nog meer bedden, en mensen in witte jassen die zachtjes met elkaar praatten.
'Nummer?'
'Eens kijken... VA 367.' Deze keer lachte de vrouw niet naar Sheila. Ze stapte gewoon op het bed af en drukte op een knopje, waardoor Sheila's benen hoog werden opgetild en ze in een vervelende houding op het bed kwam te liggen. Ze schaafde haar polsen aan de klemmen.
'Hoeveel oogsten we?'

'O, eh... Twaalf.'

'Twaalf?' vroeg de man onder de indruk. 'Niet slecht. Dat is zeker een record.'

De vrouw knikte. 'Vorige week oogstten we er elf, maar dat mislukte.'

'Nou, dan moeten we er maar voor zorgen dat het deze keer wel goed gaat, hè?' Hij trok aan de lamp zodat die nu tussen Sheila's benen scheen. Vervolgens trok hij haar hemd op.

Sheila gloeide helemaal van schaamte, maar ze kon zich niet verzetten. 'Het doet pijn,' zei ze tegen de vrouw.

Met een aantal reageerbuisjes in de hand lachte de vrouw naar haar. 'Het doet geen pijn,' reageerde ze. 'Dit is een fluitje van een cent. Blijf stil liggen, dan voert de technicus de ingreep uit. Het is zo voorbij.'

Gehoorzaam knikte Sheila. En toen voelde ze ineens iets kouds en hards in zich prikken, en hoorde ze een bloedstollende kreet. Pas even later drong het tot haar door dat zij zo had gegild. Het deed ontzettend pijn, alsof ze inwendig met een scherp mes in plakjes werd gesneden. Maar er was meer dan die pijn. Er was een groot verdriet, zo heftig dat het leek alsof haar geschreeuw uit het diepst van haar ziel kwam.

Ze wilde zich verzetten, maar door die verschrikkelijke pijn in haar buik kon ze dat niet. Met tranen in de ogen hoopte ze dat wat er ook gebeurde, het gauw voorbij zou zijn, want dit zou ze niet lang kunnen verdragen. Ze wilde geen Waardevol Bezit meer zijn, ze was liever gewoon Overtollige Sheila.

25

Peter hoorde zijn grootvader een andere deur openen. Na een paar tellen te hebben gewacht, zette Peter de deur waarachter hij had gezeten aarzelend op een kier. Toen hij erdoor glipte, zag hij wit licht, en zijn grootvader en Hillary die door een dubbele deur verdwenen. Zelf stond hij nu in een kamertje met een lang aanrecht met wasbak. Daarnaast hingen chirurgenpakken, en op een plank lagen plastic zakjes waarin bij nadere inspectie latex handschoenen zaten. Snel liep Peter naar de dubbele deuren en zette een ervan een heel klein eindje open, zodat hij door de kier kon kijken. Meteen zette hij geschokt grote ogen op. Hij zag een grote ruimte met aan de andere kant vijf bedden waarin meisjes lagen. Toen hij naar hen keek, voelde hij zich onpasselijk worden. Ze hadden wasbleke gezichten en een wazige blik in de ogen, als ze die al open hadden. Bij twee van hen waren de benen vastgemaakt in beugels, en dat vond hij akelig om naar te kijken. Alle meisjes waren ongeveer van zijn leeftijd, sommige zelfs jonger. Om een van hen stonden mannen en vrouwen in witte jassen. Dichter bij de deuren was allerlei apparatuur opgesteld, en daar stonden nog drie lege bedden opgestapeld. Toen Peter zeker wist dat niemand keek, rende hij daarnaartoe en verstopte zich erachter.

Vanuit zijn verstopplekje kon hij zien dat zijn grootvader zich met een lach naar Hillary omdraaide.

'Overtolligen,' merkte hij achteloos op. 'Een last voor de samenleving. Een dergelijke last kan de wereld niet aan. Toch?'

Niet op haar gemak wierp Hillary een blik op de meisjes, om meteen weer weg te kijken. 'Zijn dit Overtolligen? Waarom zijn die hier?'

'Beantwoord mijn vraag alsjeblieft, Hillary.'

Hillary zuchtte eens. 'Sommigen zijn soms van nut. Maar over het algemeen zijn ze inderdaad een belasting. Richard, waarom heb je me hierheen gebracht? Ik wil de medicamenten zien, geen meisjes.'

'Ik heb je hiernaartoe gebracht omdat de Autoriteiten moeten bepalen of het doel de middelen heiligt,' reageerde Richard gladjes. 'Om onze productiemethoden te beschermen voor nieuwsgierigen, om te voorkomen dat er vragen worden gesteld, vragen van personen die niets van wetenschap begrijpen, die niet beseffen dat voor elke doorbraak proeven moeten worden gedaan waarvoor een bepaalde mate van vrijheid noodzakelijk is.'

'Vrijheid? Wat bedoel je daarmee?' vroeg Hillary.

'Stel dat ik je zou vertellen dat Overtolligen van het grootste belang zijn om de gezondheid en het welbehagen van de mens in stand te houden?' zei Richard. 'Stel dat ik je zou vertellen dat Overtolligen geen last zijn, maar onze redding? Dat ze dus eigenlijk geen Overtolligen zijn, maar Waardevol Bezit?'

Peter spitste zijn oren, en keek spiedend om zich heen of er geen betere verstopplek was.

'Onze redding? Richard, wat bazel je nou?'

'We zijn heel kortzichtig geweest, Hillary. We hebben Overtolligen helemaal verkeerd beschouwd. Als een belasting, als iets wat moet worden vermeden, vernietigd, onder de duim gehouden. Maar ze zijn geen last. Ze zijn onze toekomst. Hun eitjes, hun sperma, hun organen, hun baarmoeders... Veel waardevoller dan alle andere natuurlijke hulpbronnen,' zei Richard zacht. Hij draaide zich om en keek naar de in bed liggende meisjes.

Terwijl hij dat deed, schoot Peter naar de werktafel in het midden en kroop daaronder, elke vezel in zijn lichaam gespannen.

'Baarmoeders?' vroeg Hillary onzeker. 'Wat is er zo geweldig aan hun baarmoeders? Richard, ik snap er niks van. Vruchtbaarheid is een zwakte. Nieuw leven op de wereld zetten is een zonde.'

Peters grootvader bevochtigde zijn lippen en gebaarde naar de rij bedden. 'Beschouw ze maar als broedmachines. Broedmachines waarin supermoderne, embryonale stamcellen groeien,' zei hij vol eerbied.

'Embryonaal? Bedoel je...'

'Ik bedoel: embryo's. Tien per keer. We hopen een aantal van twaalf te bereiken. We streven naar het hoogste.'

'En die ontwikkelen jullie hier?' vroeg Hillary ademloos.

'Zo moeilijk is dat niet, Hillary. Weet je nog: ivf? Of was dat voor jouw tijd? Je neemt een eitje, je bevrucht het en plaatst het terug in de baarmoeder. Maar wij doen dat met vier, vijf, tien of twintig tegelijk. We brengen ze in, we laten ze groeien en oogsten ze vervolgens. En de cellen, Hillary, de cellen, daarmee zijn we tot van alles in staat. Neem een precursorcel, dien er Lang Leven aan toe, en het resultaat... In één woord: geweldig! Verbazingwekkend, revolutionair. En het duurt maar twee weken. Vanaf de bevruchting.'

Verwonderd keek Hillary naar hem op. 'Maar het aanbod...' zei ze met gefronst voorhoofd. 'Er kan nooit voldoende aanbod zijn. Niet om ons land te voorzien, en zeker niet de hele wereld. Er zijn niet genoeg Overtolligen. Dit kan nooit een succes worden.'

Peters grootvader lachte. 'Natuurlijk wordt het een succes! We hoeven alleen maar voor voldoende aanbod te zorgen.'

'Maar hoe dan? Er bestaat geen enkele garantie dat...'

'Geen garantie?' Lachend schudde Peters grootvader zijn hoofd. Vervolgens ging hij zachtjes verder: 'De Autoriteiten, dus jij ook, weten heel goed dat die Overtolligen al heel lang worden gebruikt voor nieuwe ingrediënten. Bloed, beenmerg, stamcellen... We hebben altijd Overtolligen nodig gehad voor medisch onderzoek, en enkele afdelingen binnen de Autoriteiten zijn zeer behulpzaam geweest. Maar het is altijd op kleine schaal gebeurd. Tot nu toe. Een paar verkeerd ingebrachte implantaten voor geboortebeperking en hup, daar hadden we weer nieuwe voorraad. Ik wil alleen maar zeggen dat de productie moet worden verhoogd. We hebben meer jong bloed nodig, meer Waardevol Bezit. Officieel.'

Peter verstarde toen hij dacht aan al die artsen die 's nachts op Grange Hall kwamen. Ze gingen altijd naar de afdeling voor eenzame opsluiting, naar de ondergrondse kerkers die werden gebruikt om de Overtolligen te straffen. De adem stokte in zijn keel. Lang Leven was bepaald geen zuivere koffie.

'De Autoriteiten... Bedoel je dat we hebben ingestemd met de productie van Overtolligen?' Hillary's mond viel open van ontzetting.

'Wist je dat niet?' vroeg Peters grootvader verbaasd. 'Ik meende dat je Adrians aantekeningen had doorgenomen. Hij is degene die ons toestemming heeft verleend. En nu willen we toestemming om de productie te verhogen. Aanzienlijk te verhogen. Overtolligenfokkerijen. Overtolligen zijn hét antwoord op onze problemen, Hillary. De mogelijkheden zijn oneindig.'

Hillary hield haar blik strak op de meisjes gevestigd. 'Richard, er zijn bepaalde voorschriften. Daar dien je je aan te houden.'

'Die voorschriften kunnen worden veranderd zodra iedereen inziet wat de medicamenten allemaal kunnen. Die voorschriften zijn uit de tijd, die horen niet meer in deze tijd thuis. We hebben te maken met vooruitgang. Dit is de toekomst!'

Een poosje deed Hillary er het zwijgen toe, toen richtte ze haar blik weer op de rij bedden. 'Dit meisje hier...' Ze wees naar een van de meisjes die vastgebonden op bed lag. 'Wat gaat er met haar gebeuren?'

'O, die bevindt zich in een opwindend stadium van het hele proces. De eerste keer dat we twaalf embryo's hebben geoogst, van twee weken oud. Twaalf embryo's met voldoende stamcellen om heel Londen en omstreken voor drie maanden te voorzien van Lang Leven Plus.'

'Je bedoelt dat ze zwanger is?'

'Hartstikke zwanger,' bevestigde hij. 'Helaas kunnen we nog niets doen aan de bijverschijnselen van een zwangerschap.' Met een grijns keek hij Hillary aan. 'Er is niets vergelijkbaar met een ziekenzaal vol misselijke meisjes, die aldoor maar jammeren en overstuur raken om niks. De verpleegkundigen hebben al om opslag gevraagd. Maar goed, we werken eraan. Als het de kwaliteit van de embryo's niet in gevaar bracht, zouden we ze bewusteloos houden.'

'En wat gebeurt er met ze nadat...'

'Nadat wat?' Onzeker keek Richard haar aan.

'Gaan die meisjes het niet rondbazuinen? Dat kunnen we niet hebben.'

Peter werd helemaal koud vanbinnen. Zelfs vanaf deze afstand zag hij de kille blik in Hillary's ogen. Als hij al had gehoopt dat ze verontwaardigd zou zijn, werd deze hoop nu de grond in geboord.

'O...' reageerde Richard opgelucht. 'Nee, ze kunnen het niet rondbazuinen. Om te beginnen hebben de meisjes iets van vijftien productieve jaren te gaan. En daarna? Och, wie zal het zeggen?'

'Stuur me niet met een kluitje in het riet, Richard. Wat gaat er met de meisjes gebeuren wanneer ze niet meer van nut zijn? We kunnen niet zomaar Overtolligen produceren als ze later een belasting worden.'

'O, maar dat worden ze niet, hoor,' stelde Richard haar gerust. 'Ze kunnen ons op andere manieren van nut zijn. We hebben levende proefpersonen nodig voor experimenten met onze medicamenten. Dat is alvast een mogelijkheid. En er is altijd behoefte aan organen om onze orgaangroeitechnieken te verbeteren. En dan heb je nog het bloed. Hillary, uit het menselijk lichaam kan heel veel worden geoogst. De mogelijkheden zijn onbegrensd.'

'Ongelooflijk, echt ongelooflijk,' bracht Hillary ademloos uit. 'Wie had ooit kunnen denken dat Overtolligen zo goed bruikbaar kunnen zijn?'

Langzaam liet Peter zijn blik naar het meisje dwalen. Hij was als versteend, zijn handen waren klam. Eigenlijk had hij gedacht dat Lang Leven iets heel moois was. Maar in Pincent Pharma was niets mooi. Het was lelijk, kwaadaardig. Nog veel en veel erger dan hij zich had kunnen voorstellen. Bij de gedachte dat hij bijna de Wet had getekend, ging hij zowat over zijn nek.

Hij moest hier weg. Hij moest dit vertellen aan Pip, hij moest hulp inroepen. Aarzelend kwam hij overeind. Zijn benen waren verkrampt van het gehurkt zitten en hij wreef erover. Hij moest op een gelegenheid wachten om de deur te bereiken. Hij kon alleen maar hopen dat ieders aandacht op het meisje in het laatste bed gericht bleef, het meisje dat een operatie onderging. Tot zijn ontzetting stak een man in een witte jas een metalen instrument in haar. Het meisje slaakte een bloedstollende kreet, wat de man ergerde.

'Deze moeten we maar bedwelmen,' zei de dokter. 'Vlug, geef haar een injectie.'

Het meisje hief haar hoofd en gilde het uit. Die kreet leek uit het diepst van haar ziel te komen, een wrange schreeuw om hulp. En toen keek ze naar hém. Hij fronste zijn voorhoofd, want dit meisje kende hij. Het was Overtollige Sheila, uit Grange Hall, en ze had hem gezien.

'Overtollige Peter!' krijste ze, net voordat de verpleegkundige de naald in haar arm stak. 'Peter! Help me dan, Peter...'

Peter dook weg, maar het was al te laat. Met een ruk draaide zijn grootvader zich om en keek spiedend om zich heen.

Verwonderd vroeg Hillary: 'Overtollige Peter? Toch niet jouw...'

'Peter!' baste zijn grootvader. 'Als je hier bent, zul je daar geweldig spijt van krijgen.' Vervolgens haalde hij zijn mobieltje tevoorschijn en toetste een nummer in. 'Met mij,' blafte hij erin. 'Stuur onmiddellijk een stel gewapende bewakers naar afdeling X. Nu meteen!'

26

Jude was Pip kwijt. Die was langs de afdeling Beveiliging gelopen en door de deur aan het eind van de gang, en toen had Jude de juiste camera niet kunnen vinden. Gelukkig bonsde zijn hart nu niet meer zo. Eerst had hij gedacht dat Pip misschien voor hém was gekomen, dat diens waarschuwing niet te veel risico te nemen serieus was bedoeld. Maar algauw had hij beseft dat Pip geen enkele reden had om achter hem aan te gaan. Pip had wel belangrijker dingen aan zijn hoofd. Maar waarom was Pip hier dan? Voor Peter?

Gejaagd ging Jude weer op zoek. Hij klikte de ene camera na de andere aan. Het duurde een poos, maar toen had hij haar dan toch gevonden. Zijn prinsesje. De schoonheid met het rode haar.

Een roodharige Overtollige, drong het ineens tot hem door, nadat hij de Ingebouwde Tijd in haar magere pols had gezien. Hij had altijd geleerd op Overtolligen neer te kijken, ze te verafschuwen, ze te beschouwen als ongedierte, een bedreiging voor de samenleving, voor Legalen zoals hij. Maar toen was hij erachter gekomen dat hij zelf bijna Overtollige was geweest. Het was Judes schuld dat Peter er eentje was. Ooit had Judes leraar hem verteld over het oude geloof, het christendom. En over de erfzonde. De leraar had daarover gezegd dat het iets barbaars was. Maar later had Jude dat hele concept van de erfzonde goed begrepen. Het sloeg op hém.

Terwijl hij naar het meisje keek, vroeg hij zich af wat haar achtergrond was. Hij vroeg zich ook af hoe het zou zijn om met haar te praten, hoe het zou zijn als ze naar hem luisterde, als ze elkaar over zichzelf vertelden, en over hun dromen. En hij vroeg zich af waarom ze hier was. Was ze soms ziek? Misschien zou hij voor haar kunnen zorgen, en zij voor hem.

Zonder zijn blik van haar af te wenden, drukte hij op het knopje om in te zoomen. Toen haar gezicht het hele scherm vulde, schrok hij. Ze was wakker. Ze leek hem recht in de ogen te kijken. Ze had prachtige, gevoelvolle ogen, maar met een doodsbange blik erin. Even verstarde hij, toen zoomde hij uit om te kijken waar ze dan zo bang voor was. Hij wilde weten waarom er tranen in haar ogen blonken. En toen zag hij de artsen en verpleegkundigen die met haar in de weer waren. Ze deden dingen waarvan Jude de rillingen over de rug liepen. De haartjes in zijn nek gingen overeind staan toen hij nog drie personen in het vizier kreeg. De man herkende hij onmiddellijk, dat was Richard Pincent. Diens gezicht zag je in elke advertentie voor Lang Leven, hij was regelmatig op het nieuws en hij stond vaak in de krant. De vrouw herkende hij niet, maar Peter wel. Die heen en weer schietende blik en de gebalde vuisten waren onmiskenbaar.

Ondertussen had het meisje het op een gillen gezet. Ze had haar mond wijd opengesperd, en haar gezicht was rood aangelopen. Pas nu viel het Jude op dat ze haar benen in een soort beugels had.

'Daar! In het plafond!'

Jude schrok zich te pletter. Die stem was van onder hem gekomen, uit de afdeling Beveiliging. Hij hoorde dat er met een ladder over de vloer werd gesleept. Elk moment kon het rooster worden weggehaald en dan zou hij worden gepakt.

Het kostte hem moeite de verbinding met de hoofdcomputer te verbreken. Het beeld van het meisje verdween van het schermpje. Haastig stopte hij het apparaatje in zijn zak. Vervolgens haalde hij diep adem en kroop zo snel hij kon naar de liftschacht.

Meteen was Peter uit zijn verstopplek gekomen. Er zat nu eenmaal niets anders op. Met zijn blik op zijn grootvader gericht vroeg hij: 'Wat doen jullie met Sheila?' Het kwam er woedend uit. Hij was niet bang meer, alleen maar kwaad. Razend, zelfs. De woorden klonken afgemeten, maar hij nam zich voor geen domme dingen te doen die uit die woede voortkwamen. 'Wat gebeurt er met haar?'

Richard Pincent staarde hem aan. Ook hij was woedend; hij beefde ervan. 'Hoe ben je hier gekomen? Niemand weet hiervan, niemand...'

'Ik ben u gevolgd. Zo moeilijk was dat nou ook weer niet.'

'Je bent ons gevolgd?' Richard beende op Peter af en greep hem bij de schouder. 'Je bent ons gevolgd? Hoe durf je! Jij rottige spion!'

Peter duwde de hand van zich af, maar het resultaat daarvan was dat Richard hem nog steviger vastpakte.

'Wat ga je met hem doen?' vroeg Hillary bezorgd. 'Stel dat hij vertelt wat hij heeft gezien?'

'Hij gaat niemand iets vertellen,' reageerde Richard op dreigende toon. 'Elk moment kunnen de beveiligers hier zijn, en zij zullen er wel voor zorgen dat hij zijn mond houdt.'

'Gaat u mij ook in de boeien slaan?' vroeg Peter kwaad. 'Gaat u van mij ook een Waardevol Bezit maken? Ik word kotsmisselijk van u. U bent niet goed bij uw hoofd!'

'Zo is het wel welletjes!' Zijn grootvader haalde uit en sloeg hem tegen zijn hoofd.

Peter belandde op de grond. Hij krabbelde op en keek Hillary uitdagend aan. 'En dit vindt u allemaal goed? De Autoriteiten vinden het allemaal wel best, zeker.'

Niet op haar gemak keek Hillary terug. 'Uiteraard wordt het productieproces bij Pincent Pharma nauwlettend in de gaten gehouden door de daarvoor verantwoordelijke instanties, en dat blijft ook zo,' reageerde ze terwijl ze een stapje bij Peter uit de buurt ging. 'Er zijn bepaalde normen en waarden waar we ons aan moeten houden, en we zien er ook op toe dat onze doelstellingen worden behaald...'

'Doelstellingen...' viel Peter haar in de rede. 'O ja. Ja, die moeten worden behaald. Absoluut.'

Op dat moment zwaaide de deur open en verschenen er twee beveiligers.

'Waar bleven jullie nou?' vroeg Richard geërgerd. Hij gebaarde dat ze Peter moesten pakken, en de beveiligers stormden op hem af, draaiden zijn handen op zijn rug en deden hem handboeien om.

Een van de beveiligers keek op. 'Het spijt me, meneer Pincent. Het ligt aan de stroomstoring. Blijkbaar was het sabotage. We hebben het toezicht verscherpt.'

'Sabotage? Door de Ondergrondse?' vroeg Hillary onthutst.

Richard vroeg op kille toon aan Peter: 'Zit jij hier soms achter?'

Peter schudde zijn hoofd. 'Jammer genoeg niet.'

'Breng hem weg,' beval Richard de beveiligers. 'Sluit hem beneden op in een van de magazijnen achter de Receptie.'

Peter werd in de richting van de deur gesleurd. Toen hij zich wilde verzetten, kreeg hij weer een klap op zijn kop.

'Wacht!' riep Hillary ineens uit.

De beveiligers bleven staan.

'De persconferentie...' ging Hillary verder. 'Hij moet verschijnen op de persconferentie.'

'Maak je geen zorgen,' reageerde Richard gespannen. 'Hij tekent zoals afgesproken.'

Vol afkeer keek Peter hem aan. 'U denkt toch zeker niet dat ik nu nog de Wet ga tekenen? Geen sprake van. Ik ben blij dat de Ondergrondse voor een stroomstoring heeft gezorgd. En ik zou het nog fijner vinden als ze dit hele gebouw in de lucht lieten vliegen.'

'Je gaat gewoon tekenen,' zei Richard. 'Met een lach naar

de pers. Want weet je, als je dat niet doet, moet je vriendinnetje Anna daarvoor boeten.'

'Anna?' Kwaad keek Peter hem aan. 'Anna heeft hier niets mee te maken!'

'Toch wel,' reageerde zijn grootvader met een gespeeld spijtige uitdrukking op zijn gezicht. 'Blijkbaar is ze een beetje dom geweest. Achter jouw rug om heeft ze zich verlaagd tot opruiende activiteiten.'

'Hè? Dat liegt u!' riep Peter uit, maar het klonk onzeker.

'Liegen? Ik? Ik zou niet durven... Het is allemaal vastgelegd op tape. Het meisje heeft een plattegrond van Grange Hall overhandigd aan anderen, die daar willen inbreken. Hoe haalt ze het in haar hoofd...' Bedroefd schudde Richard zijn hoofd.

Peter trok wit weg.

'Inbreken in een Overtolligenhuis? Met wie was ze dat van plan? Richard, dit neem ik heel hoog op,' zei Hillary.

'O, het was een val,' stelde hij haar gerust. 'Haar contactpersoon is een Vanger.'

'Een Vanger?' Vol ongeloof keek Peter zijn grootvader aan. 'Hebt u haar in de val laten lopen? Rotzak! U...'

'Ik wilde alleen maar een troef in handen hebben, Peter.' Zijn grootvader glimlachte. 'Je denkt toch niet dat ik erop vertrouw dat jij doet wat je moet doen?'

'Waar is ze?' vroeg Peter op hoge toon. 'Wat hebt u met haar gedaan?'

'Waar ze nu is, zit ze veilig, Peter,' antwoordde zijn grootvader ijzig. 'Maar als jij om zes uur vanavond de Wet niet tekent en lacht voor de fotografen, kan ik niet garanderen dat het zo blijft.'

Angstig keek Peter achterom naar de meisjes, naar Sheila. Toen zei hij gespannen: 'Het Overtolligensterilisatieprogramma... Sheila's naam stond op de lijst. Hoe kan ze zwanger worden als ze gesteriliseerd is?'

'Het sterilisatieprogramma? Maar dat is nooit officieel

goedgekeurd,' merkte Hillary verwonderd op. 'Het was maar een voorstel...' Haar stem stierf weg toen ze de uitdrukking op Peters gezicht zag.

'U...' De verwarring op Peters gezicht maakte plaats voor woede toen de waarheid tot hem doordrong. Woedend viel hij uit tegen zijn grootvader. 'U hebt het allemaal in scène gezet! U hebt me die boodschap gestuurd, niet de Ondergrondse!'

'Ik heb je geholpen tot een beslissing te komen, meer niet,' reageerde zijn grootvader met een sluwe grijns. 'Jij wilde de Wet tekenen, maar er waren een paar obstakels. Die heb ik uit de weg geruimd. Ik heb je alleen maar geholpen.'

'Geholpen?' Verwilderd keek Peter om zich heen. De adrenaline stroomde door zijn aderen, maar hij kon de energie niet kwijt. 'U liet me denken dat ik onvruchtbaar was. Ik moest Anna vertellen dat ze... dat ze...' Zijn stem brak en hij kon de zin niet afmaken. Toen de beveiligers aan zijn op de rug gebonden armen trokken, klapte hij dubbel en gilde het uit.

'Breng hem weg.' Richard maakte een wegwuivend gebaar. 'O, en Peter?' Met tot spleetjes geknepen ogen keek hij zijn kleinzoon aan. 'Vergis je niet. Als je tijdens de persconferentie niet precies doet wat ik wil, als je niet overtuigend overkomt, wordt Anna voor de rest van haar leven opgesloten in de gevangenis. Dan zie je Anna en Ben nooit meer terug. En zelf word je ook opgesloten wegens uitlokking en medeplichtigheid. Rij me niet in de wielen, Peter. Echt, het is het niet waard.'

Razend van woede balde Peter zijn vuisten. 'Anna heeft de Wet getekend!' riep hij terwijl hij werd weggesleurd. 'Zat u daar ook achter?'

Maar er kwam geen reactie.

'Ik dacht dat je zei dat het meisje een bedreiging vormde?' zei Hillary fluisterend tegen Richard nadat de deuren achter de beveiligers en Peter waren dichtgevallen. 'Laat je haar daarmee wegkomen?'

Richard glimlachte geslepen. 'Natuurlijk niet,' antwoordde hij. 'Geen sprake van.'

Jude kon niet meer verder. Hij was slechts paar meter verwijderd van de liftschacht, maar er zat een metalen plaat in de weg. Hij klopte ertegen en hoorde dat die maar dun was. Hij vermoedde dat hij hem wel weg zou kunnen krijgen, maar dat zou lawaai maken, en dan was hij erbij. Geërgerd schoof hij achteruit. Dan moest hij maar een andere manier zien te vinden om hier weg te komen. Toen hij weer boven de foyer van Pincent Pharma was gekomen, kroop hij naar links. Hij zou graag het stof uit zijn ogen willen wrijven, maar elke keer dat hij dat deed, kwam er meer stof bij. Dus kneep hij zijn ogen maar tot spleetjes en kroop half op de tast verder.

En toen, net op het moment dat hij dacht dat hij vorderingen maakte, kon hij weer niet verder vanwege alweer zo'n metalen plaat. Waarschijnlijk waren die expres geplaatst om de liftschacht onbereikbaar te maken. Wat hij ook deed, hij zou steeds weer zo'n obstakel op zijn weg vinden. Met een zucht ging hij uitgeput liggen nadenken. Zo bleef hij een paar minuten zijn gedachten op een rijtje zetten. Hoe kwam hij hier weg? Maar toen hoorde hij dat beneden hem een deur werd geopend. Meteen ging hij op handen en knieën zitten, klaar om weg te kruipen. De beveiligers waren erachter gekomen waar hij zat, het was stom geweest om zo lang te blijven liggen. Maar toen hij door een rooster naar beneden keek om te zien hoeveel beveiligers er waren, fronste hij zijn voorhoofd. Het was er maar eentje en die keek niet eens naar boven. Met grote ogen keek de beveiliger naar het lege bankje dat daar stond. Argwanend bracht hij zijn hand naar de holster op zijn heup om zijn pistool te trekken. En toen viel hij plotseling op de grond. Het duurde even voordat Jude doorhad dat de beveiliger was neergeslagen. En toen hij zag dat Pip dat had gedaan, die zich achter de deur had verstopt, zette hij grote ogen op.

Vol ongeloof zag hij Pip de beveiliger uitkleden, zelf diens uniform aantrekken, en de bewusteloze beveiliger op het bankje leggen.

27

Op zijn hoede zette Pip de deur open en glipte vervolgens de gang op. Jaren van ervaring hadden hem geleerd onzichtbaar te blijven, geen aandacht te trekken, op te gaan in de omgeving. Hij had geen spijt van die jaren, en besefte heel goed dat deze duistere tijden waren veroorzaakt door de mens. Dat was iets waar hij graag over nadacht. Hij was eraan gewend overal vraagtekens bij te zetten, zoals hij dat ook bij zichzelf deed.

Hij pakte zijn mobieltje en toetste een nummer in. 'Ja, met mij. Ik ben binnen. Ze hebben last van een stroomstoring. Weet jij daar iets van?'

'Een stroomstoring? Nee, dat hoor ik voor het eerst... Waar zit je precies?'

Pip fronste zijn voorhoofd. Die stroomstoring was vast geen gelukkig toeval. Zat Peter erachter? Of een of andere onbekende vijand? Hij liep naar een bordje aan de muur. 'Gang A, Noord.'

'Begrepen. Binnenkort nemen we contact met je op.'

Pip knikte. 'Door de stroomstoring werkt de beveiliging niet optimaal. Kom maar via de kelder, maar wees voorzichtig. Het zou een val kunnen zijn.'

'Begrepen.'

Niet op zijn gemak klikte Pip het mobieltje dicht en stapte de gang op. Hij had het niet zo op mobieltjes, maar uiteraard kon hij niet zonder. Het waren zeer goed bruikbare apparaatjes, vooral als ze zouden zijn voorzien van iets waardoor hij niet kon worden opgespoord. Als hij zou worden gepakt, zou hij nooit zijn maten verraden. Er zou geen woord over zijn lippen komen over het busje vol manschappen, klaar om hem bij te staan wanneer hij het teken gaf. Maar zijn mobieltje? Het zou niet moeilijk zijn om erachter te komen met wie hij had gebeld. Via dat mobieltje waren zijn medestanders makkelijk op te sporen.

Even later passeerde hij een man in een overall, die zijn keel schraapte, maar gewoon doorliep.

'Lang Leven is allemaal goed en wel, maar een pil tegen vermoeidheid zou fijn zijn,' zei Pip zacht.

De man bleef staan. 'En eentje voor extra warmte,' zei hij aarzelend. 'Met dit weer krijg ik het maar niet lekker warm.'

Een poosje bleven ze elkaar aankijken, toen stapte Pip dichter op hem toe. 'Waar precies?' vroeg hij. 'Weten we al waar het meisje zich bevindt?' Het nieuws over Anna's ontvoering – en dat was het, vermoedde de Ondergrondse – had hem een paar uur geleden bereikt, via degenen die haar in de gaten moesten houden. Meteen was er een plan opgesteld en werden hun contacten binnen Pincent Pharma op de hoogte gebracht.

De man knikte en drukte een ruw geschetste plattegrond in Pips hand. 'Ze wordt vastgehouden aan de andere kant van het gebouw, in magazijn 48. Maar daar staat een bewaker voor.'

Peinzend knikte Pip. 'En de stroomstoring?' vroeg hij. 'Weet je daar al iets meer van?'

Verwonderd keek de man hem aan. 'Ik dacht dat jullie daarachter zaten... Ze zeggen dat het de schuld van de Ondergrondse is.'

Pip fronste zijn voorhoofd. 'Dank je,' zei hij oprecht gemeend. 'We nemen nog contact met je op.'

Na een kort knikje liep de man weg om verder te gaan met zijn werk. Pip was zich ervan bewust dat de man zijn leven op het spel had gezet. Waarschijnlijk had een camera hun gesprekje vastgelegd, en over een paar uur al zou de man kunnen worden ondervraagd en gemarteld. Ondertussen zou Pip de tijd krijgen om te doen wat gedaan moest worden. Hij moest niet aan details denken, maar aan het grote geheel. Dat moest iedereen.

Met ferme stappen, als een echte beveiliger, liep Pip verder door de gang. Na een poosje kwam hij bij een dienstgedeelte met magazijnen, helemaal aan de andere kant van het gebouw. Terwijl hij naar de nummers op de deuren keek, hoorde hij gedempt kindergehuil. Even bleef hij staan, en toen zag hij een deur met 48 erop. Zoals zijn contactpersoon al had gewaarschuwd, stond er een bewaker voor.

'Zo, ik dacht dat je wel zin zou hebben in een theepauze,' zei Pip tegen de bewaker.

De bewaker bleef strak voor zich uit kijken. 'Ik mag hier niet weg,' zei hij. 'Bevel van Richard Pincent. Wie ben je eigenlijk? Ken ik jou?'

Pip glimlachte. Met die hypnotiserende ogen keek hij de bewaker aan, zodat die zijn argwaan liet varen. 'Ik ben hiernaartoe gestuurd vanwege de stroomstoring. Extra beveiliging,' antwoordde hij. 'Ik dacht dat je je benen wel even zou willen strekken.'

Met iets van aarzeling keek de bewaker hem aan, maar ondanks de verleiding schudde hij zijn hoofd. 'Ik durf het risico niet te nemen,' zei hij met opgetrokken wenkbrauwen. 'Maar toch bedankt.'

'Graag gedaan, hoor.' Pip glimlachte zuur terwijl hij elk detail van de omgeving in zich opnam. Toen draaide hij zich om en liep weg. Niet alles gaat altijd van een leien dakje, dacht hij, maar je kon het altijd proberen.

De beveiligers moesten Peter door het magazijn sleuren, de trap af en door een gang. En aldoor bleef hij zich verzetten. Hij vloekte dat het een lieve lust was, protesteerde heftig en verzette zelf geen stap.

'Weten jullie wel wat ze daar uitspoken?' vroeg hij. 'Weten

jullie wel wat er bij Pincent Pharma allemaal achter gesloten deuren gebeurt?'

Maar de beveiligers leek het niet te interesseren. Ze keken strak voor zich uit en gaven hem af en toe een klap of een trap wanneer hij zich al te hevig verzette. Het was dan ook een irritante klus voor hen.

Uiteindelijk legde Peter zich er maar bij neer. Woedend keek hij naar de grond, de enige plek waar hij niet al die posters hoefde te zien waarop Lang Leven werd bejubeld, waar het niet zo wit was. Dit gebouw was lang niet zo zuiver en puur als het leek, wist Peter nu. Het was hier een en al verleiding, een en al verlokking van het Kwaad.

'De liften doen het niet,' verzuchtte een van de beveiligers. 'We moeten met de trap naar beneden.' Ze sleurden Peter naar het trappenhuis en duwden hem naar beneden. Wanneer hij struikelde, grinnikten ze, en wanneer hij protesteerde, negeerden ze hem.

Eenmaal op de tweede verdieping aangekomen hoorde Peter voetstappen. Er kwam iemand naar boven. Na een korte blik over de leuning wist hij dat het een bewaker was, onderweg naar boven. Hij vroeg zich af of hij de man kon laten struikelen. Zou dat voldoende afleiding zijn, zodat hijzelf zou kunnen ontsnappen? En toen riep hij zichzelf tot de orde. Hij moest om Anna denken. Omwille van Anna moest hij doen wat zijn grootvader wilde. Met een zucht liep hij verder de trap af. Even later doemde de beveiliger op die onderweg was naar boven. Toen de beveiliger bleef staan, deed Peter dat ook. Hij zag de glimmend gepoetste schoenen, het grauwe uniform met de blinkende knopen erop. En hij zag die ogen...

Peters hart sloeg over bij het zien van die vertrouwde blauwe ogen. Hij keek erin en zag die geruststellende blik, de onuitgesproken vragen en de waarschuwing. Voor Peter was het allemaal meteen duidelijk.

'Is dit dat joch?' vroeg Pip.

'Het joch?' Onzeker keken de beveiligers hem aan.

'Peter Pincent,' verduidelijkte Pip. 'Ik moet hem naar beneden brengen. Kennelijk is er boven nog veel meer aan de hand en hebben ze jullie daar nodig.'

'Wat is er dan? Meneer Pincent heeft ons opgedragen hem op te sluiten in een van de magazijnen achter de Receptie,' zei een van de beveiligers.

Pip trok zijn wenkbrauwen op. 'Ik weet alleen maar dat er iets speelt en dat meneer Pincent daar niet blij mee is.'

Een beetje angstig keken de beveiligers elkaar aan en duwden Peter toen in de richting van Pip. Vervolgens draaiden ze zich om en liepen de trap op naar boven.

Pip greep Peter ruw beet en duwde hem de trap af, waardoor Peter weer eens struikelde. 'Schiet een beetje op,' zei Pip gespannen. 'Ik heb al genoeg te doen, ik heb geen zin om voor kinderoppas te spelen. Hup, die trap af!'

Peter liep verder de trap af, maar ineens hield Pip hem tegen. Hij legde zijn vinger op de lippen en sloop achter de beveiligers aan. Even later hoorde Peter twee doffe klappen toen de beveiligers op de grond vielen. Vlak daarna kwam Pip terug en stopte een revolver terug in de holster. Hij had de sleutels gejat van de beveiligers, en in een mum van tijd had Peter zijn handen weer vrij.

'Gauw, help me ze weg te dragen,' fluisterde Pip. Samen droegen ze de beveiligers de trap af naar de overloop op de tweede verdieping. Daar ging Peter op de uitkijk staan, terwijl Pip op zoek ging naar een leeg kamertje waarin ze de twee konden verbergen.

'Zo. En dan nu naar de magazijnen,' zei Pip toen dat allemaal klaar was. 'Ga jij maar voor.' Hij hield de deur naar het trappenhuis open voor Peter.

Met knikkende knieën stapte Peter het trappenhuis in. 'Eh... weet jij waar ze zijn?' vroeg hij.

'Ik heb zo een vermoeden,' antwoordde Pip. Hij haalde de

plattegrond uit zijn zak. Peter en hij liepen de trap af, en toen door een deur die uitkwam op een lange, verlaten gang. Zwijgend liep Peter achter Pip aan totdat Pip een deur opende en Peter een leeg kamertje zag.

'Snel,' zei Pip. 'Veel tijd hebben we niet. Wat gebeurt hier allemaal? Heb jij iets met de stroomstoring te maken? En wat moesten die beveiligers met je?'

Peters hart bonsde in zijn keel. 'Anna,' zei hij, zonder antwoord te geven op Pips vragen. 'Mijn grootvader... Hij zei dat ze was opgepakt. Gearresteerd omdat ze werd betrapt op ondermijnende activiteiten.'

'Ze is in de val gelopen,' reageerde Pip rustig. 'Daarom zijn we hier, om haar te bevrijden.'

'Is ze hier? Maar ik dacht dat ze ergens in een gevangenis zat... En wie zijn "we"? Ben je hier niet alleen?'

Pip knikte.

'Zeg dan dat ze het hier moeten bestormen,' ging Peter verder. Van alle emotie sloeg zijn stem over. 'Ze moeten Anna natuurlijk hier weghalen, maar ook...' Hij zweeg en keek met grote ogen op naar Pip. 'Ze moeten naar afdeling X. Daar ben ik geweest. En daarom heeft mijn grootvader... Dat was de reden dat die beveiligers me wegbrachten. Omdat ik heb gezien wat daar gebeurt. Sheila was er, en nog andere Overtolligenmeisjes. Ze... Pip, er werden daar foetussen geoogst. Voor Lang Leven Plus. Ik moest daar weg. Ik moet de Wet tekenen, anders gaan ze Anna...' Zijn stem brak, en zijn benen begaven het, waardoor hij op de grond zakte. 'Ik wilde niet naar je luisteren,' fluisterde hij. 'Ik heb niet geluisterd...'

'Je bent achter de waarheid gekomen,' reageerde Pip, die zich door niets uit het veld leek te laten slaan. 'Nou, beter dat je het zelf hebt ontdekt dan dat je hebt vertrouwd op wat anderen zeggen, wie het ook zijn.' Hij bukte zich en legde zijn hand op Peters schouder. 'Nu je de waarheid kent, moeten we jullie allebei hier weghalen.'

'Ik kon Anna niet beschermen,' zei Peter met iets van wanhoop in zijn stem. 'Ik had het haar beloofd, maar ik heb haar in de steek gelaten. Ik...' Hij slikte moeizaam en knipperde de tranen gauw weg. 'Het was trouwens allemaal gelogen. Over dat sterilisatieprogramma. Dat had hij zelf verzonnen.'

'Gelogen?' Pips gezicht klaarde op. 'Ja, dat hoopte ik al...'

'Ik ben een onbenul, een grote sul,' fluisterde Peter.

'Richard Pincent is verachtelijk,' zei Pip zacht. 'Jij niet. Richard Pincent is tot alles in staat om zijn duistere doelen te bereiken. Hij belichaamt het Kwaad. Jij staat aan de goede kant. Maar hoe dan ook, iedereen maakt weleens een foutje, en van onze fouten leren we.'

'Jij maakt nooit een fout,' reageerde Peter gelaten.

Met een ruk draaide Pip zich om. 'Ik heb een ontzaggelijk grote fout gemaakt,' zei hij zacht. 'Erger kan het niet. Maar fouten kunnen worden rechtgezet. Daarom blijf ik me verzetten, Peter. Daarom blijf ik Lang Leven slikken, de pillen waaraan ik zo de pest heb. Daarom wil ik blijven leven. Ik hou pas op wanneer het allemaal voorbij is. Wanneer het is afgelopen.'

Onderzoekend keek Peter hem aan. Zijn mentor, de man die hij ooit als onoverwinnelijk had beschouwd, die alles leek te weten en wie niets ontging, leek opeens kwetsbaar en zwak. Menselijk.

'Nou, waar wachten we op?' vroeg Peter. 'Kom op, laten we ze hier weghalen. In de aanval!'

Pip schudde zijn hoofd. 'Nee, Peter, dat is een te groot risico.'

'Waarom?' vroeg Peter in zijn wanhoop. 'We moeten die meisjes hier weg zien te krijgen. Pip, jij hebt het niet gezien. Echt, het was gruwelijk.'

'Daar ben ik me van bewust,' zei Pip. 'Maar een gewapende aanval zal alleen maar meer beveiligers hiernaartoe lokken. Nee, we moeten dit stilletjes doen.'

'Stilletjes.' Geërgerd zuchtte Peter. Toen fronste hij zijn voorhoofd. 'Wie heeft eigenlijk voor die stroomstoring gezorgd? Want jullie waren het dus niet, toch?'

'Ik weet het niet,' antwoordde Pip hoofdschuddend. 'Lang geleden zou ik hebben gezegd dat God aan onze kant staat.'

'God?' vroeg Peter verbaasd. 'Ik dacht dat die zijn plaats had moeten afstaan aan mijn grootvader.'

Terwijl hij dat zei, klonk er boven hen een geluid. Allebei tegelijk keken ze op. Even later hoorden ze het geluid nog een keer, alsof er in het plafond werd gekrabd of geschaafd. Pip legde zijn vinger op zijn lippen en plaatste stilletjes een stoel onder de luchtkoker in het plafond. Vervolgens klom hij op de stoel, hief zijn handen en schoof het rooster weg.

Vol bange verwachtingen keek Peter omhoog. En toen zag hij Pip iemand door het gat sjorren en op de grond zetten. Met grote ogen deinsde Peter achteruit. Zijn hart bonsde in zijn keel. Op de grond lag iemand die er totaal niet uitzag als een werknemer bij Pincent Pharma. Hij droeg een spijkerbroek, hij had te lang haar en zijn gezicht... Peter fronste zijn wenkbrauwen. Het was een jong gezicht, van iemand die niet veel ouder was dan hijzelf.

Spiedend keek Peter om zich heen. Hij zocht iets wat hij als wapen kon gebruiken, en toen hij een houten staaf zag, pakte hij die. Bij nader inzien bleek het een bezemsteel te zijn. Die hief hij dreigend terwijl Pip de jongen in bedwang hield. Maar de jongen verzette zich niet. Hij keek Peter strak aan, niet met een bange uitdrukking op zijn gezicht, of gefascineerd zoals bijna iedereen keek die Peter voor het eerst zag. Nee, het was een verdrietige uitdrukking, dacht Peter.

'Weet je, God staat niet aan jullie kant,' bracht de jongen gesmoord uit, want praten ging hem niet makkelijk af met Pips knie op zijn borstkas. 'Voor zover ik weet, kan geen enkele god een demon loslaten die zelfs voor de meest ervaren technoloog lastig is op te sporen, laat staan voor van die luie, onwetende sullen die hier werken. En deze demon heeft de stroomvoorziening ontregeld. In het hele gebouw.'

Pip kneep zijn ogen tot spleetjes. 'Dus jij bent verantwoordelijk voor de stroomstoring!' riep hij verbaasd uit.

'Ja, dat was ik,' reageerde de jongen. Zijn gezicht was erg vuil, maar zijn blik was alert.

'Wie ben je?' vroeg Peter. 'En wat doe je hier?'

De jongen staarde hem aan. 'Ik ben hier om dat meisje weg te halen. Dat meisje met het rode haar.'

'Maar wie ben je dan?' vroeg Peter nieuwsgierig.

Jude beet op zijn lip. 'Ik heet Jude,' zei hij. Hij schraapte zijn keel. 'Ik ben je halfbroer.'

28

Het duurde even voordat tot Peter doordrong wat Jude had gezegd. Terwijl hij het liet bezinken, keek hij vol ongeloof naar de smerige jongen met het warrige haar die op de grond zat.

'Halfbroer?' bracht hij uiteindelijk uit. 'Maar dan ben jij...'

'Ik ben de zoon van Stephen Fitz-Patrick,' bracht Jude gesmoord uit. 'Jude2124. Tot uw dienst.' Hij had het veel trotser willen zeggen, maar zijn borstkas voelde pijnlijk en hij had een brok in zijn keel. Hij had zo vaak over deze situatie gefantaseerd, hij had zich inwendig zo vaak aan Peter voorgesteld, en nu het moment was gekomen, werd hij overweldigd door verdriet.

'Wat doe je hier, Jude? Ik had je toch gezegd dat je voorzichtig moest zijn?'

Niet-begrijpend keek Jude Pip aan. 'Hè?' zei hij. 'Ik weet niet of je het hebt gemerkt, maar ik ben hier om jullie te helpen. Jullie hadden al veel eerder op mijn aanbod moeten ingaan.'

Pip schudde zijn hoofd, en hij keek heel ernstig. 'We wilden je geen risico laten lopen. En voor ons zou je ook een risico zijn. De Autoriteiten houden je immers in de gaten. Of was je daarvan niet op de hoogte?'

'Jude2124?' vroeg Peter toonloos. Hij begreep er nog steeds niets van.

'Dat is mijn nummer,' zei Jude terwijl hij opstond en het stof van zijn kleren klopte. 'En ik zit er niet mee, dat de Autoriteiten me in de gaten houden. De bewakers hier dachten dat ze me konden opsluiten, en kijk eens?' Hij wierp Peter een triomfantelijke blik toe.

'Hoe ken je Pip?' vroeg Peter.

'Och...' Jude moest hoesten. 'We hebben elkaar eerder gezien.'

'En dat heb je me nooit verteld?' Verontwaardigd keek Peter Pip aan.

'Ik wilde je niet van slag maken,' zei Pip zacht. 'Er stond te veel op het spel.'

Peter richtte zich weer tot Jude. 'Ben je echt mijn halfbroer? Ben jij degene die...' Met grote ogen zette hij een stap naar voren en stak aarzelend zijn hand uit, alsof hij Jude wilde aanraken, maar niet goed durfde.

'Jawel,' antwoordde Jude. 'Ik ben degene die...' Hij haalde zijn schouders op. 'Je weet wel... Degene die het allemaal heeft verpest voor jou.' Uitdagend keek hij Pip aan.

Nieuwsgierig vroeg Pip: 'Dus jij hebt voor de stroomstoring gezorgd? Hoe ben je hier eigenlijk binnengekomen?'

'Ik had jullie toch verteld over dat meisje met het rode haar? Die is in afdeling X. Ik ben hier om haar te redden.'

'Weet je van afdeling X?' Pip knipperde met zijn ogen, alsof hij een heel moeilijke som moest oplossen.

'Ja, daar weet ik van,' antwoordde Jude. 'Ik heb gezien dat die beveiligers Peter pakten. En ik heb jou gezien, via de beveiligingscamera's.'

'Hoe dan?' vroeg Peter. 'De camera's werken niet. Niets werkt.'

Jude glimlachte fijntjes. 'Nee, niets werkt. Maar als je degene bent die ervoor heeft gezorgd dat niets meer werkt, ken je ook wel manieren om dingen weer aan de gang te krijgen.'

'Dat snap ik niet.'

Jude keek verveeld. 'Het mainframe zit in het plafond. Zet dat in veilige modus en je kunt de camera's bedienen, een voor een. Dat is een defaultbeveiliging.'

'Kun je dat nogmaals aan de gang krijgen?' vroeg Pip meteen.

Achteloos knikte Jude. 'Maar dat hoeft niet, hoor. Over een poosje gaat dat vanzelf.' Met een ernstige uitdrukking op zijn gezicht wendde hij zich tot Peter. 'Het spijt me,' zei hij. 'Het spijt me heel erg. Ik vind het verschrikkelijk dat je vanwege mij tot Overtollige werd bestempeld.'

'Doe niet zo achterlijk, daar kon jij toch niks aan doen? Waarom heb je niet eerder contact opgenomen?'

'Dat kon ik niet. Ik wist niet wat ik moest zeggen. Ik was bang dat je... Ik was gewoon bang.'

'Ja? Maar weet je, ik heb altijd al graag een broer willen hebben,' reageerde Peter zacht.

Jude grijnsde breed. 'Ik ook. Dit is echt cool.'

Een poosje bleven ze elkaar zwijgend aankijken, toen draaide Peter zich om naar Pip. De gedachten spookten door zijn hoofd, maar er was iets wat nog moest worden geregeld. 'Anna,' zei hij. 'We moeten Anna redden. Nu meteen.'

'En het andere meisje,' zei Jude vastbesloten. 'Dat moeten we hier ook weghalen.'

'"We"?' Pip draaide zich om naar Jude. 'Er is geen "we". Dit is iets voor de Ondergrondse, niet voor amateurs.' Hij keek Peter aan. 'We halen Anna hier weg. En jullie moeten hier ook weg, jullie allebei. Mijn mannen en ik ontfermen ons wel over die meisjes.'

'Ik ga nergens naartoe.' Jude sloeg zijn armen over elkaar. 'Ik ga hier pas weg als dat meisje in veiligheid is.'

'En ik ook,' viel Peter hem bij. 'Ik haal Anna hier weg, en dan ga ik iets zeggen op die persconferentie.'

'Je kunt niet blijven voor de persconferentie,' zei Pip, terwijl hij Peter doordringend aankeek. 'Je moet hier weg. We moeten je ergens naartoe brengen waar het veilig is. Hier is het te gevaarlijk.'

Peter schudde zijn hoofd. 'Het is hier niet gevaarlijk,' zei hij koppig. 'Ik moet me tegen hem verzetten, ik moet hem een halt toeroepen.'

‘Maar...’

‘Niks te maren, Pip. Ik blijf hier en ik doe wat ik me heb voorgenomen. Wat jij er ook van vindt.’

‘En ik blijf ook,’ zei Jude vastbesloten.

‘Zie je nou, Pip, er is wel een “we”.’ Peter stak zijn hand uit en Jude schudde die.

Verslagen boog Pip zijn hoofd. ‘Goed dan,’ zei hij zacht. ‘Maar jullie doen precies wat ik zeg. Jullie gaan niet de held uithangen. Goed begrepen?’

‘Nou en of,’ zei Peter dankbaar. ‘Pip, het spijt me van laatst. Het spijt me dat ik niet naar je wilde luisteren en dat ik je niet geloofde.’

‘Het spijt je?’ Pip glimlachte. ‘Je hoeft mij echt je excuses niet aan te bieden. Ik ben gewoon een ouwe knar, iemand die binnenkort van geen enkel nut meer is, die veel te voorzichtig en wantrouwend is, die deuren sluit die...’ Hierbij keek hij naar Jude. ‘Deuren die misschien beter open hadden kunnen staan. Maar daar ben ik nog niet helemaal zeker van.’

‘Je bent geen ouwe knar,’ zei Peter, en ondanks alle spanning lachte hij toch. ‘Nog niet.’

29

Met een hoopvolle blik keek Edwards op naar de deur. 'Peter?' zei hij. 'Kom binnen. Je hoeft echt niet te kloppen.'

Peter verscheen in de deuropening, met naast zich een beveiliger.

Edwards fronste zijn wenkbrauwen. 'Peter, is er iets?' Verwonderd keek hij naar de beveiliger. 'Ben je onderweg hiernaartoe verdwaald of zoiets?'

Peter stapte naar binnen. 'Meneer Edwards, u moet me helpen. U moet óns helpen, bedoel ik.'

'Helpen?' vroeg Edwards nieuwsgierig. 'Eh... ja, natuurlijk. Waarmee moet ik je helpen?'

Peter schraapte zijn keel. 'Ik... Er is iets met Anna. Ze is hier, en...'

'Hier?'

'Ze zit opgesloten.' Peter zag spierwit en hij had zijn vuisten gebald.

Nog steeds fronsend keek Edwards de beveiliger aan. 'Zou je ons even alleen willen laten?' vroeg hij.

De beveiliger schudde zijn hoofd.

'O.' Edwards stond op, haalde diep adem en keek weer naar Peter. 'Ik vrees dat ik het niet goed begrijp. Waarom zou Anna hier zijn?'

'Daar heeft mijn grootvader voor gezorgd,' antwoordde Peter, terwijl hij Edwards doordringend aankeek. 'Hij heeft haar in de val laten lopen en Vangers op haar af gestuurd...'

'Vangers? Maar ze is toch Legaal? Peter, ga eens zitten. Er is vast wel een goede verklaring...'

'Was er ook een goede verklaring toen je Richard Pincent de

vorige keer het vuur na aan de schenen legde?' vroeg de beveiliger opeens.

Verwonderd keek Edwards hem aan. 'Had je het tegen mij?'

De beveiliger knikte. 'Je weet net zo goed als ik dat Richard Pincent gevaarlijk is. En je weet net zo goed als ik dat hier vreemde dingen gebeuren. Dingen waarvan Richard Pincent niet zou willen dat die bekend worden. Hij is tot alles in staat om dat te voorkomen, ook als hij daarvoor Anna gevangen moet zetten of Peter moet chanteren.'

'Chanteren?' Edwards zette grote ogen op. 'Wie ben je?' vroeg hij de beveiliger. 'Wie is die man?' vroeg hij aan Peter.

Peter kwam naar voren gelopen. 'Hij is... een vriend,' zei hij aarzelend. 'Hij komt me helpen.'

'Een vriend?' Edwards was danig van slag. 'Hij... hij is geen beveiliger, hè?' vroeg hij vervolgens fluisterend.

Peter schudde zijn hoofd.

De man richtte zijn blik op Edwards. Hij had ongelooflijk blauwe ogen. Edwards meende dat hij zich zulke ogen herinnerde. Maar dat was onmogelijk... Die ogen, die stamden uit een heel ander tijdperk.

'Je hebt vraagtekens gezet bij de methodes die Richard Pincent hanteert, en je bent op een zijspoor beland omdat je het niet met hem eens was. Peter denkt dat je ons zou willen helpen. Eerlijk gezegd weet ik niet of je daartoe in staat bent, maar we hebben nu eenmaal weinig keus. En, ben je bereid ons te helpen?'

'Jíj!' riep Edwards plotseling uit. 'Jij bent...'

'Pip. Tegenwoordig heet ik Pip. Weet je, Peter, we studeerden aan dezelfde universiteit,' zei Pip toonloos, nog steeds met zijn blik strak op Edwards gericht. 'Jaren geleden was Edwards altijd de uitblinker. De schranderste wetenschapper van zijn generatie. En omdat er na hem geen generaties zijn gekomen, is hij nu de schranderste man ter wereld.' Zoals hij het zei, klonk het niet bepaald als een compliment.

'Was jij wetenschapper?' Ongelovig keek Peter Pip aan.

'Vroeger,' antwoordde Pip. Vervolgens richtte hij zich tot Edwards. 'En nu werk je voor Pincent Pharma. Maar niet echt, hè? Ik bedoel, de afdeling Herscholing lijkt me nou niet erg prestigieus.'

Edwards verbleekte. 'Anderen opleiden is anders heel belangrijk. Het doorgeven van kennis...'

'Aan wie? Er is niemand om kennis aan door te geven,' reageerde Pip. 'Niet meer. Je mag geen onderzoek meer doen, eigenlijk ben je zo'n beetje met pensioen. Zo zit het toch?'

'Het was mijn eigen keus,' zei Edwards vol overtuiging. 'Ik werd niet op een zijspoor gezet.' Even wankelde hij, en hij moest zich vastgrijpen aan zijn bureau.

'En nu ben je bezig met de ontwikkeling van Lang Leven Plus? Je weet toch waar ze mee bezig zijn?' Pip keek Edwards zo doordringend aan dat er zich zweetdruppeltjes vormden op diens voorhoofd.

'Nee... Ik bedoel, dat is topgeheim.' Niet op zijn gemak dacht Edwards aan het bezoekje dat hij die middag aan het lab had gebracht. Zijn voormalige collega's hadden zijn vragen ontwijkend beantwoord. Het had een stiekeme indruk gemaakt. Een paar jaar geleden zou hij hebben doorgevraagd, hij zou zijn best hebben gedaan achter de waarheid te komen. Maar nu kon het hem eigenlijk maar weinig schelen. Het maakte hem allemaal niet meer uit.

'Het onderzoek daar is zo geheim dat jij, de meest vooraanstaande wetenschapper ter wereld, erbuiten wordt gehouden. Het is allemaal zo geheim dat je niet eens bent uitgenodigd voor de persconferentie later vandaag.'

'Een persconferentie? Dat is niets voor mij. Ik...' Hij schraapte zijn keel en rechtte zijn rug. 'Ik verwacht niet op de hoogte te worden gehouden van dingen als persconferenties. Ik leid mensen op, de wetenschappers van de toekomst. Dat vind ik prettiger.'

'De wetenschappers van de toekomst, of de boekhouders uit het verleden, die hun vroegere werk niet meer interessant vinden en de verveling proberen te verdrijven?' vroeg Pip. Zijn stem klonk zachter en meteen ook veel dwingender.

'Meneer Edwards is een heel goede docent,' merkte Peter ineens op. 'Pip, laat hem met rust. Wat er met Anna en de andere Overtolligen is gebeurd, is niet zijn schuld. Hij wist er niets van.'

'Andere Overtolligen?' vroeg Edwards. Hij kreeg het er benauwd van.

'Weet je nog?' vroeg Pip. 'Daarover had je onenigheid met Richard Pincent. Over het gebruiken van Overtolligen.'

'Hij zei dat ze niet... Hij zei...' stamelde Edwards.

'Dat heeft hij vast allemaal gezegd,' zei Pip. 'Ik weet zeker dat hij heel veel heeft gezegd.'

Niet op zijn gemak fronste Edwards zijn voorhoofd. Vervolgens vroeg hij aan Peter: 'Bedoel je dat Anna gevaar loopt? Wat voor gevaar?'

'Mijn grootvader zei dat ze naar de gevangenis zou worden gestuurd. Als ik de Wet niet teken, bedoel ik. Hij heeft haar hier opgesloten. Alstublieft, meneer Edwards, help ons!'

'Maar hoe kan ik jullie nou helpen?'

'Je kunt je inzetten voor datgene waarin je gelooft,' antwoordde Pip ernstig. 'Help Peter Anna te redden. Woon de persconferentie bij en vertel de pers alles wat je weet. Ik heb mannetjes beneden die je kunnen helpen, en die je na afloop in veiligheid kunnen brengen.'

Edwards knieën knikten. Het was lang geleden dat hij was uitgekomen voor zijn mening. Heel lang geleden. Toen knikte hij, omdat hij besefte dat het echt veel en veel te lang geleden was. Het werd tijd om dingen recht te zetten. 'Goed,' zei hij zacht, en hij pakte zijn witte jas. 'Als ik iets kan doen om dit een halt toe te roepen, dan doe ik dat.'

30

'Hoe pakken we dit aan?' vroeg Peter bezorgd. 'Als we Anna al uit haar cel kunnen krijgen, en de Overtolligen weg uit afdeling X, hoe moeten we ze dan uit het gebouw smokkelen?'

'Er is een achteruitgang, waar de vrachtwagens komen om te laden en te lossen. Daar is uiteraard ook bewaking, maar onze mannetjes in de kelder wachten op een teken van mij,' antwoordde Pip rustig. 'De meeste beveiligers bevinden zich aan de voorkant van het gebouw. Vergeet niet dat er over ongeveer een uur een persconferentie wordt gehouden. Jullie twee zorgen ervoor dat Anna bij die achteruitgang komt, en ik zorg ervoor dat mijn mannetjes klaarstaan met een transportmiddel.'

'Een transportmiddel? Hier? Hoe wil je dat voor elkaar krijgen?' vroeg Edwards. 'Er zijn vast wegversperringen opgeworpen, daar komt niets doorheen.'

Pip glimlachte zuur. 'Niets? Dat betwijfel ik. En ik kan me voorstellen dat Anna een tochtje over de rivier wel op prijs zal stellen, denken jullie niet?'

Peter was gerustgesteld. Hij was weer erg dankbaar dat er zoiets als de Ondergrondse bestond, en dat die aan zijn kant stond. Dat had hij gemist, en hij voelde zich schuldig dat hij Pip had gewantrouwd.

'En de Overtolligen?' vroeg hij.

'Laat die maar aan mij over,' antwoordde Pip vastbesloten. 'Jude en ik ontfermen ons over ze.'

'Succes,' zei Edwards. Een poosje keken Pip en hij elkaar aan, en het vertrouwen in elkaar was weer hersteld. Toen richtten ze hun blik op Peter.

'Klaar?' fluisterde Pip.
'Klaar,' fluisterde Peter.
Edwards zette de deur open.

Edwards was nog nooit in de dienstgang aan de achterkant van het gebouw geweest. Hier waren voornamelijk bezemkasten, magazijnen en werkruimten, waar mannen in overall rondliepen, met grote handen met stof en smeer erop. Hij wierp een blik op Peter, die die blik opving, even knikte en achter hem ging lopen. Zo liep Edwards verder door de gang. Hij durfde nergens naar te kijken en hield zijn blik dus maar strak vooruit gericht. Opeens bleef hij staan. Hoewel het hier bijna helemaal donker was, kon hij toch een beveiliger zien. Pip had hem gezegd dat hij die kon verwachten, en inderdaad zat hij voor de deur van kamer 48, met een intens verveelde uitdrukking op zijn gezicht.

Edwards voelde zich totaal niet op zijn gemak. Hij ging niet graag de confrontatie aan. Hij hield niet van uitdagingen, tenzij ze wetenschappelijk van aard waren, en op papier stonden in academische bewoordingen, zodat ze konden worden voorgelezen tijdens een seminar. Misschien hebben Pip en Peter het wel bij het verkeerde eind, hoopte hij. Misschien was er een heel aannemelijke verklaring voor dit gedoe.

Nadat hij diep adem had gehaald, liep hij naar de deur en lachte naar de beveiliger. 'Mag ik?' vroeg hij terwijl hij zijn hand uitstak naar het slot.

De beveiliger schudde zijn hoofd. 'Alleen meneer Pincent en de dokter mogen naar binnen,' zei hij.

Edwards voelde zich steeds ongemakkelijker, en hij zette een pas naar achteren. 'Maar ik bén dokter,' reageerde hij. 'Doctor Edwards.'

'Alleen dokter Ferguson mag naar binnen,' reageerde de beveiliger koppig. 'En die is al geweest.'

'Dokter Ferguson?' Het lukte Edwards vriendelijk te blijven kijken, hoewel hij de pest had aan Ferguson. Hij had gedacht dat Ferguson al jaren geleden was weggegaan bij Pincent Pharma, en nooit was teruggekomen. 'Dus Ferguson is weer terug?'

'Voor zover ik weet is hij nooit weg geweest.'

'O...' Edwards haalde zijn identiteitskaart tevoorschijn. 'Nou, misschien weet je dan ook dat ik aan het hoofd sta van de afdeling Herscholing. Het is van het grootste belang dat ik toegang krijg tot dat meisje.'

De beveiliger keek naar het identiteitsbewijs. 'Niemand heeft iets over Herscholing gezegd. Ik ben bang dat ik u niet kan binnenlaten.'

Edwards knikte kortaf. 'Nou, dan moet ik meneer Pincent maar even bellen. Hoewel hij heeft gezegd dat hij niet mocht worden gestoord. Mag ik je nummer weten?'

'Dat is 431,' antwoordde de beveiliger. 'Bel hem gerust. Ik weet heel goed wat hij me heeft opgedragen.'

'Oké, 431 dus.' Met kloppend hart en de haartjes in zijn nek overeind pakte hij zijn mobieltje en deed alsof hij Richard belde.

'Ja?' hoorde hij Pip vragen.

'Meneer Pincent, ik wil graag een bezoek brengen aan de gevangene. Zou u de beveiliger willen instrueren mij binnen te laten?'

'Je vertraagt de boel,' zei Pip. 'Je hebt een verdovingspistool. Gebruik dat dan.'

'Dank u wel,' zei Edwards. 'Ik blijf hier wachten.'

De beveiliger keek op. 'Dus ik krijg opdracht u binnen te laten?' vroeg hij.

'Die toestemming kan elk moment komen,' antwoordde Edwards. Met trillende hand pakte hij het pistool terwijl de beveiliger vol verwachting naar zijn portofoon keek. Hij merkte niet eens dat hij werd geraakt, zo snel deed het verdovende middel zijn werk.

'Peter,' fluisterde Edwards gespannen, maar Peter stond al naast hem; hij had alles gezien.

'Pak zijn sleutels.'

Aarzelend stak Edwards zijn handen uit naar de bewaker, die op de grond lag, en rolde hem op zijn zij. Ineens moest hij kokhalzen, omdat hij bloed had gezien op het uniformjasje.

'Het was een verdovingspistool...' bracht hij ademloos uit. 'Pip had gezegd dat het een verdovingspistool was... Waarom is er dan bloed? Waarom...' Hij voelde de pols van de beveiliger. Niets.

Meteen liet Edwards zich op zijn knieën vallen. 'Ik heb hem vermoord! Ik heb een mens doodgeschoten!' Hij woelde door zijn haar terwijl hij geschokt zijn best deed dit te begrijpen.

'Het was een beveiliger,' wees Peter hem terecht. 'En hier hebben we geen tijd voor. Kom op, we moeten naar Anna toe.'

Peter haalde de sleutels van de riem van de beveiliger en deed de deur open. Vervolgens sleepte hij het lijk naar binnen. Nog steeds in shock hielp Edwards hem een handje. Binnen was het bijna helemaal donker, alleen de noodverlichting zette de vloer in een warme gloed. Peter zag een meisje op een harde stoel zitten. Ze had een bange uitdrukking op haar gezicht. Het enige geluid kwam van de slapende baby die ze in haar armen hield, en die piepend ademhaalde. Ze keek naar zijn witte jas met het naamplaatje van een werknemer bij Pincent Pharma erop en kromp in elkaar.

'Anna!' Peter rende op haar af. 'Wat is er gebeurd?'

'Peter?' Anna sprong op. De uitdrukking op haar gezicht veranderde van bang in verbaasd, en toen sloeg ze haar armen om hem heen. 'O, Peter, het spijt me zo verschrikkelijk! Ik wilde je helemaal niet in de steek laten, maar...'

'Je zou me nooit in de steek laten,' zei Peter met een brok in zijn keel. 'Nooit.' Toen hij haar in zijn armen nam, slaakte ze een kreetje. Meteen fronste hij zijn wenkbrauwen. 'Je bent gewond,' zei hij kwaad. 'Wat hebben ze met je gedaan?'

'Niets,' antwoordde Anna snel. 'Alleen, de beveiligers, die... Het stelt niks voor, echt niet. Maar er was een dokter, en die zei dat hij me moest onderzoeken.' Ze keek op naar Edwards. 'Ben heeft wel een dokter nodig. Volgens mij is hij ziek. Hij heeft hulp nodig.'

Edwards stapte op Anna af en legde zijn hand op het voorhoofd van de baby. Dat gloeide.

'Waarom zijn jullie hier?' vroeg hij, opgelucht dat hij iets anders had om zijn aandacht op te richten. 'Wie heeft jullie hier gebracht?'

Met grote ogen keek Anna hem aan. 'De politie. De Vangers. Hij zei dat Maria een Vanger is. Ik dacht dat Maria kinderen wilde redden, en ik wilde haar helpen... Ik wilde...' Dikke tranen biggelden over haar wangen. 'Het spijt me,' bracht ze gesmoord uit. 'Het spijt me heel erg...'

'Er is niets waar je spijt van hoeft te hebben, Anna.' Teder trok Peter haar voorzichtig tegen zich aan. 'Echt niet. Nooit. Het is allemaal míjn schuld...'

Edwards keek om zich heen. Op een tafeltje in de hoek lag een dossier. Gauw pakte hij dat en hurkte toen om het bij de noodverlichting te lezen. Opeens keek hij op.

'Dat medisch onderzoek...' vroeg hij. Even brak zijn stem. 'Weet je waar dat voor was?'

Anna schudde haar hoofd.

In Edwards welde een grote woede op, woede gericht op Richard om wat die had gedaan, en op zichzelf omdat hij er niets van had geweten. Vastberaden rechtte hij zijn rug.

'Anna,' fluisterde Peter, 'we halen je hier weg. We gaan naar ergens hier heel ver vandaan. Pip is hier, met de Ondergrondse. Ze wachten op jou. Ze willen je helpen.'

'Pip? Is Pip hier?'

Peter knikte. 'Er zijn hier Overtolligen,' ging hij nog steeds fluisterend verder. 'Ik ben achter mijn grootvader aan gelopen, en toen heb ik afdeling X ontdekt.'

'Afdeling X?'

'Daar houden ze de Overtolligen vast. Zwangere Overtolligen. Die gebruiken ze voor Lang Leven Plus. Embryonale stamcellen. Ze...' Hij keek weg, onwillekeurig huiverend bij de gedachte aan Sheila.

'Ze zijn niet de enigen,' merkte Edwards gespannen op.

'Niet de enige wat?'

Even keek Edwards Peter aan, toen richtte hij zijn blik op Anna. 'Ze zijn niet de enigen die zwanger zijn.'

'Bedoelt u dat er nog anderen zijn?' vroeg Peter verbitterd.

'Geen andere Overtolligen,' antwoordde Edwards zacht. 'Ik doel op Anna. Het staat hier in het dossier.' Hij wendde zich tot Anna. 'Anna, je bent zwanger. En volgens dit dossier willen ze... Ze willen...' Edwards kon het niet over zijn lippen krijgen. Die afkortingen die in het dossier stonden, kende hij maar al te goed. Al jaren deed hij zijn best om de gedachte daaraan te verdringen.

Weifelend keek Peter Edwards aan. 'Zwanger? Is Anna zwanger?'

'Maar het sterilisatieprogramma dan?' vroeg Anna met een piepstemmetje. 'Ik kan helemaal niet zwanger zijn. Ik...'

'Dat programma heeft nooit bestaan,' zei Peter terwijl hij haar tegen zich aan drukte. 'Het is nooit officieel goedgekeurd. Mijn grootvader heeft me dat dossier expres laten vinden. Hij had me een bericht gestuurd dat eruitzag alsof het van de Ondergrondse afkomstig was. Het was zijn bedoeling dat ik dat dossier zou lezen. Maar het is altijd bij een voorstel gebleven, dat sterilisatieprogramma is er nooit gekomen. Hij deed het allemaal om me de Wet te laten tekenen.'

'Dus ik ben zwanger? Echt waar?' vroeg Anna ademloos.

'Ja, Anna, je krijgt een kindje.'

Er verscheen een opgetogen lach op Anna's gezicht, en haar eerst zo vermoeide ogen straalden.

Plotseling liet Peter haar los, en vol ongeloof keek hij haar beduusd aan.

'En ik was van plan... Ik heb je zo'n beetje gedwongen...' Paniekerig stak hij zijn hand in zijn zak en haalde daar een vel papier uit dat hij onmiddellijk versnipperde. De snippers gooide hij vol afschuw op de grond. 'Jouw kopie van de Wet,' zei hij terwijl hij Anna weer in zijn armen nam en zijn gezicht in haar hals verborg. 'Je hebt die getekend. Dat heb je voor míj gedaan. Dat kan ik mezelf nooit vergeven. Maar nu is alles weg.' Hij kuste haar. 'Wat ben ik toch stom geweest. Ongelooflijk stom.'

'Nee, dat was geen stommiteit,' merkte Edwards zachtjes op. Hij keek naar het bewegingloze lichaam van de beveiliger. 'Soms vertrouwen we iets of iemand wanneer we dat beter niet kunnen doen. Peter, jouw grootvader is door en door slecht. Hij moet worden tegengehouden. Koste wat het kost.'

'Ik ga meer doen dan hem tegenhouden,' reageerde Peter op heftige toon. 'Ik ga hem vermorzelen.'

31

Pip volgde Peters aanwijzingen op en sloop langs de muur van de enorme, pakhuisachtige ruimte, heel stilletjes en erg op zijn hoede. Dankzij het beveiligingsuniform had hij gemakkelijk door het gebouw kunnen lopen en de trap op kunnen gaan naar de zesde verdieping. Hij was zich ervan bewust dat Jude vanuit de afdeling Beveiliging hem kon volgen door van de ene camera naar de andere te klikken.

Plotseling hoorde Pip stemmen, en hij verschool zich in een donker hoekje.

Twee mannen liepen zacht pratend voorbij. 'Het maakt niet uit. Morgen is het allemaal officieel.'

'Vertrouw je die vrouw van de Autoriteiten?'

'Het heeft niets met vertrouwen te maken. Ze kan het zich niet veroorloven ons geen goedkeuring te geven. Het zal geweldig veel opleveren: geld, banen, energie. Iedereen zal erop vooruitgaan. Echt, het kan niet misgaan. Maak je maar geen zorgen.'

'Ik maak me geen zorgen.'

Ze zagen Pip niet, ze liepen hem straal voorbij. Toen ze door de deur waren gelopen en de trap af gingen, sloop Pip naar de deur waardoor ze in deze ruimte waren gekomen, in de hoop dat Jude hem goed volgde en klaarstond om te doen wat hij moest doen. Vervolgens zette hij aarzelend de deur op een kier. Eerst moest hij knipperen tegen het felle licht, maar toen zag hij twee verpleegsters aan een tafel zitten babbelen. Verder heerste er stilte. Naast de deur zaten een intercom en twee lichtknopjes. Op zijn hoede keek Pip recht in de camera en knikte. Even later werd zijn vertrouwen in Jude beloond.

Plotsklaps ging het licht uit. Gauw glipte Pip naar binnen.

Onmiddellijk klonk het geluid van haastige voetstappen. 'Nu valt de stroom hier ook al uit!' zei een verpleegster geërgerd.

'Hallo? Hallo? Verdomme, de intercom doet het niet meer.'

'Wat moeten we doen?'

'We moeten het ze beneden laten weten.'

Pip kwam in actie. Hij greep de verpleegster bij de deur beet. Ze gilde van schrik. 'Ga tegen de muur staan,' blafte hij.

'Hè? Wie is daar? Wie zei dat?'

'Ik heb een pistool. Iedereen tegen de muur!'

Hij hoorde gesmoorde kreetjes en geschuifel van voeten. Nadat hij een zaklamp had aangeknipt, liet hij de lichtbundel door de ruimte dwalen, om er zeker van te zijn dat niemand zich had verstopt. 'Handen omhoog!'

'Maar de beveiligers... Die kunnen hier elk moment zijn. Bent u helemaal gek geworden? U kunt hier niet zomaar binnenlopen en...'

'Ik kan doen wat ik wil,' reageerde hij pissig. Hij pakte een handdoek en beval een van de verpleegsters de dokter een prop in de mond te stoppen en vervolgens de anderen vast te binden. Als laatste bond hij de verpleegster vast. Vervolgens liep hij snel naar de bedden. 'Sheila?' Hij liep van bed naar bed, diep geroerd door wat hij zag.

Slaperig keek een meisje naar hem op. 'Was ik een Waardevol Bezit?' vroeg ze doezelig. 'Mag ik dan nu terug naar Grange Hall?'

'Je gaat niet terug naar Grange Hall,' zei Pip met gesmoorde stem. 'Maar wel ergens naartoe waar het veilig is. Kom op, laten we eens kijken of we jullie allemáál hier weg kunnen krijgen.'

Hij haalde zijn mobieltje tevoorschijn en belde de mannen die in de kelder zaten te wachten. 'Ik ben er,' zei hij alleen maar. 'En ik wil hier vier mannetjes hebben.'

'Samuels?'

Meteen bracht Derek Samuels de portofoon naar zijn oor. 'Ja? Bent u dat, meneer Pincent?'

'Om zes uur precies begint de persconferentie. Ga Peter halen.'

'In orde. Ik kom eraan.'

'Mooi zo.'

Derek Samuels wiste het zweet van zijn voorhoofd en keek naar beveiliger 431, die slap tegen de muur naast de deur zat. Het meisje was verdwenen. Een andere beveiliger was dood aangetroffen in een van de kamertjes achter de Receptie. En nog twee beveiligers in een vertrek vlak bij het trappenhuis, op de tweede verdieping. Hij trok zijn pistool en riep om een beveiliger die het lijk moest verwijderen.

'Waar bleef je toch?' fluisterde Edwards gespannen. 'Zo meteen zijn die beveiligers hier.'

Zoals afgesproken waren ze in de kelder bij elkaar gekomen. Pip, die net zijn hoofd om de hoek had gestoken, vertrok zijn gezicht tot een grimas. 'Is Anna daar?' vroeg hij.

'Ja, ze is hier, bij mij.'

Pip zag haar magere gestalte achter Edwards. Hij knikte en verdween toen weer. Even later kwam hij terug met een meisje in zijn armen, en achter hem aan kwamen nog vier mannen die allemaal een meisje droegen.

Edwards besefte dat al die mannen bij de Ondergrondse hoorden.

'Mooi zo. We hebben jou hard nodig om die meisjes hier weg te krijgen. Nu,' zei Pip.

Edwards sperde zijn ogen wijd open. 'O, eh... ja,' zei hij. 'Komen die meisjes van afdeling X?'

Pip knikte bevestigend. 'Waar is Peter?'

'In zijn cel.'

'Prima. De boot ligt al te wachten. Neem jij Sheila van me

over?' Hij legde Sheila in Edwards armen, die heel voorzichtig met haar omging.

'Sheila? Ben je het echt?' vroeg Anna. Toen Sheila niet reageerde, pakte Anna haar hand en kneep er zachtjes in. Zo bleef ze bij Sheila in de buurt, alsof ze vond dat ze haar moest beschermen.

Sheila zag er erg kwetsbaar uit, vond Edwards terwijl hij naar dat bleke gezichtje keek, omlijst door rood haar. Ze woog bijna niets. En dat deed hem denken aan de zware last die hij met zich meedroeg sinds het moment dat Peter en Pip het lab waren binnen gestormd, en hij achter de waarheid was gekomen over wat er zich in werkelijkheid afspeelde tussen deze muren. Het was tot hem doorgedrongen dat hij medeplichtig was. Hij had niet voldoende gedaan om er een punt achter te zetten. Hij had zich door de overheersende Richard Pincent laten bepraten, hij had zich laten overhalen te zwijgen. En daarvoor hadden deze meisjes moeten boeten. Langzaam, met lood in de schoenen draaide hij zich om en liep terug naar de trap. Anna liep met hem mee, en Pip ging voor hen uit om er zeker van te zijn dat er niets kon gebeuren. Achter hen aan kwamen de vier mannen van de Ondergrondse. Heel zachtjes slopen ze de kelder uit en naar buiten, waar andere strijders van de Ondergrondse al in het donker op hen stonden te wachten. Op zijn hoede liep Edwards achter Pip aan, eerst rechtsaf langs de muur, en toen door het zompige terrein naar de oever van de rivier. Hun schoeisel zoog zich vast in de modder, maar toch versnelden ze hun pas totdat ze eindelijk de boot bereikten. Het was een vrij grote, bepantserde speedboot die daar lag aangemeerd.

'Het is laag water, je zult moeten springen,' zei Pip tegen Anna. 'Als je eenmaal aan boord bent, geven we je Ben wel.'

Dapper knikte Anna. Vervolgens haalde ze diep adem en sprong van de oever op de boot. Even later al stak ze haar handen uit naar haar broertje.

Daarna werden de meisjes aan boord gebracht. Ze waren allemaal heel slaperig en slapjes, en lieten zich vallen op het dek. Gauw sjorde Anna hen overeind en trok die malle hemden goed. In die hemden verloren de meisjes hun laatste restje waardigheid.

De mannen van de Ondergrondse kwamen daarna aan boord, heel geoefend en lenig.

'Ga jij maar met ze mee,' zei Pip tegen Edwards.

Edwards keek naar de boot en schudde toen zijn hoofd. 'Nee,' zei hij. 'Je wilde toch dat ik aanwezig was bij de persconferentie?'

'Maar toen had je nog geen beveiliger doodgeschoten, en geen gevangene bevrijd, en geen Overtolligen helpen ontsnappen. Ik denk niet dat je wordt toegelaten tot de persconferentie, als je al zo ver komt. Toe maar, wij zorgen wel voor een goede plek om je te verbergen.'

Edwards keek naar Anna en toen naar de andere meisjes. Vervolgens zei hij tegen Pip: 'Weet je, mijn leven draaide om deze plek. Voor zover ik me kan herinneren, draaide mijn leven om de wetenschap. Ik dacht dat ik op zoek was naar de waarheid, ik dacht dat wetenschap iets moois was.'

'Wetenschap kan heel mooi zijn,' reageerde Pip. 'Maar ook heel afgrijselijk.'

'De wetenschap kent twee gezichten, en het goede kan heel gemakkelijk veranderen in iets slechts. Ik beschouwde Lang Leven als de redding van de mens. Hoe kan iets wat zo goed kan zijn, tegelijkertijd zo desastreus zijn?'

'Alles wat mooi is, heeft ook een schaduwkant. De hemel kan zonder hel niet bestaan.'

Edwards trok een gezicht. 'Maar om erachter te komen dat je zelf bij de duivels hoort...' fluisterde hij. Vol afkeer keek hij om naar Pincent Pharma.

'Het is niet jouw schuld,' zei Pip. Ineens verscheen er een lachje op zijn gezicht. 'Trouwens er is altijd nog het herscholingsprogramma van de Autoriteiten. Wat zeggen ze ook alweer? "Lang Leven, nieuwe mogelijkheden"?'

Edwards keek hem aan. 'Herscholing,' zei hij zacht. 'Ja, natuurlijk. Om de waarheid te zeggen...'

'Blijf daar!'

Bij het horen van die roep achter hen draaide Edwards zich met een ruk om. Hij zag een gestalte in uniform die met een zaklamp in de hand door de duisternis op hen af kwam. En hij zag ook een pistool blinken in de andere hand van de beveiliger.

'Wacht!' riep hij terug. 'Ik kan het allemaal uitleggen.'

'Dat hoeft niet,' zei de beveiliger. 'Eén beweging en jullie gaan er allebei aan.' Hij hield zijn portofoon bij zijn mond. 'Dringend versterking gevraagd bij de achteruitgang, bij de rivieroever.'

'Och ja,' zei Edwards. De gedachten spookten door zijn hoofd. Het zou niet lang duren of het zou hier wemelen van de beveiligers, en dan zouden Pip, de meisjes en hij in de kraag worden gegrepen.

'Hoor eens, dit hoeft allemaal niet,' zei hij. Hij hoopte dat hij geruststellend klonk, vol zelfvertrouwen. 'Ik meende iets te horen en toen ging ik eens kijken.' Hij richtte zich tot Pip. 'Wegwezen,' snauwde hij zacht, terwijl door de portofoon een blikkerige stem klonk om de positie van de beveiliger te bevestigen. 'Oprotten!'

'Ik laat jou hier niet alleen achter,' zei Pip heel zacht terug. 'Dat is niet nodig, we kunnen deze beveiligers best samen aan.'

'Er komen er meer,' fluisterde Edwards terug. 'Het risico is te groot.'

'Hij zal je vermoorden,' zei Pip. 'En dat weet je zelf ook heel goed.'

De beveiliger, die op een afstand van een paar meter was blijven staan, hield zijn pistool eerst op de een gericht, toen op de ander, en vervolgens weer terug.

Edwards hoorde al zware voetstappen naderbij komen, nog op stevige bodem, niet in het drassige gedeelte. 'Weet je, de dood is lang zo afschrikwekkend niet als ik altijd had gedacht,' zei hij zo zacht dat Pip het maar nauwelijks kon horen. 'Misschien heeft Peter wel gelijk en is de dood de natuurlijke versie van Vernieuwing.' Even draaide hij zich om en glimlachte flauwtjes. 'Vertel hem maar dat hij gelijk had. Zeg maar dat "voor eeuwig" niet belangrijk is. Dat telt niet. Het gaat erom dat je het juiste doet. Uiteindelijk...'

Na nog een laatste blik op Pip liep hij met zijn handen omhoog op de beveiliger af. 'Echt hoor, er is niets aan de hand. Als je me het even laat uitleggen...'

'Uitleggen? Ik wil geen verklaring! Blijf staan of ik schiet!'

Met tot spleetjes geknepen ogen hield de beveiliger hem angstvallig in de gaten.

Edwards stapte precies in de lichtbundel van de zaklamp. 'We staan toch aan dezelfde kant?' ging hij verder, terwijl hij vanuit zijn ooghoeken Pip zag verdwijnen achter de oever.

'Blijf onmiddellijk staan of ik schiet!' riep de beveiliger waarschuwend. 'Nog één stap en ik...'

'Nog één stap? Schiet je me dood als ik nog één stap zet?' vroeg Edwards, die gewoon bleef lopen. Maar zijn woorden werden overstemd door een schot. Toen hij in de modder viel, werd hij zich bewust van een verrukkelijke sensatie: pijn. De pijn verloste hem van zijn zonden en bevrijdde hem van kwellende smart. Hij hoorde de beveiliger een kreet van woede slaken toen die doorhad dat Pip was verdwenen, en hij hoorde hem bevelen blaffen naar de pas aangekomen andere beveiligers dat ze langs de oever moesten zoeken. Terwijl het leven uit hem wegvloeide, hoorde hij de motor van de boot opstarten, en toen hij zijn ogen sloot, wist hij dat de beveiligers te laat waren.

32

Derek Samuels keek mee over de schouder van de programmeur. Hij had hem graag door zijn kop geschoten omdat het hem maar niet lukte de stroomvoorziening te herstellen. Hij wist zich altijd goed in de hand te houden, maar op dit moment scheelde het maar een haartje. 'Over een kwartier begint de persconferentie,' zei hij, en er klonk dreiging door in zijn stem. 'Als we dan nog steeds geen stroom hebben en meneer Pincent de persconferentie moet afzeggen, krijgen je gezin en jij er nog spijt van.'

De hevig zwetende programmeur knikte. Zijn hele team was bezig elke interface te scannen, elk programma en elke verbinding. En nog steeds was er niets aangetroffen wat de stroomstoring kon verklaren. 'We doen wat we kunnen,' reageerde hij gespannen. 'Maar we kunnen het probleem niet vinden. Alles is zoals het hoort.'

'Nou, kennelijk is alles niet helemaal zoals het hoort, anders hadden we wel weer stroom,' snauwde Samuels. 'Hier heb ik geen tijd voor. Zorg dat de boel weer gaat werken. Nu!'

De zweetdruppeltjes liepen over de rug van de programmeur. 'Ik doe mijn best,' zei hij terwijl hij zijn voorhoofd wiste. 'Ik kijk nog even of...' Opeens flitste het licht aan en ging de apparatuur zoemen. Hij had geen idee waarom dat ineens gebeurde. Hij wist niet eens of hij er zelf de hand in had gehad. Maar het was geweldig. Nog even keek hij naar het computerscherm omdat hij nauwelijks durfde te geloven dat er echt weer stroom was. Toen verscheen er een glimlach op zijn gezicht. 'Zo,' zei hij. 'Volgens mij is het weer in orde.'

Derek Samuels zette de deur open en merkte dat het licht in de gang ook brandde, en dat de elektronische sloten weer werkten. 'Hoe deed je dat?' vroeg hij. 'Wat was er nou aan de hand? Was het sabotage? Is er met het systeem geknoeid of was er iets vastgelopen?'

De programmeur glimlachte onzeker. 'Het was... Er was iets vastgelopen,' zei hij na een kort stilzwijgen. Ondertussen had hij bedacht dat als hij had gezegd dat het sabotage was geweest, hij zou moeten uitleggen wat de saboteurs dan precies hadden gedaan, en dat kon hij niet.

'O...' reageerde Samuels op bijtende toon. 'En je had er zó lang voor nodig om erachter te komen waar het spaak liep?'

'Ik ben hier nog maar een uurtje,' antwoordde de programmeur, die langzamerhand zijn zelfvertrouwen had hervonden. 'En het is nu toch weer in orde?'

'Misschien ligt die hele stroomstoring wel aan jou. Weet ik veel. Je zou wel sympathisant van de Ondergrondse kunnen zijn.'

'Ik? Sympathisant van de Ondergrondse?' De programmeur zette grote ogen op. 'Waarom zou ik met hen sympathiseren? Ik doe gewoon mijn werk, ik ben maar gewoon een...'

'Laat maar,' merkte Samuels kortaf op. 'Jij blijft hier totdat we precies weten wat er nou aan de hand was.' Hij wenkte een beveiliger. 'Breng dat Fitz-Patrick-joch hier.'

Even later werd Jude door de beveiliger het vertrek in geduwd. Zijn kleren waren vies en gescheurd, en zijn gezicht zat onder de zwarte vegen.

Derek Samuels nam hem van top tot teen op. 'Zo te zien heb je het druk gehad,' zei hij.

'Ik deed mijn best hier weg te komen,' reageerde Jude nors. 'Jullie lieten me alleen in een soort kast, en ik lijd aan claustrofobie. Toen het licht uitging, had ik het niet meer.'

'Je deed je best hier weg te komen? Weg uit Pincent Pharma? Interessant... Want ik heb gehoord dat er iemand boven het plafond heeft rondgekropen. Daar weet jij zeker niets van, hè?'

Jude trok zijn wenkbrauwen op. 'Nee, daar weet ik niets van,' antwoordde hij schouderophalend. 'Bovendien is het me niet gelukt om weg te komen, toch? En mag ik dan nu naar huis?'

'Naar huis?' Samuels lachte zuur. 'O, maar voorlopig ga jij nergens naartoe, Jude. Weet je, we nemen het hoog op als onze beveiliging wordt gekraakt, en dat geldt ook voor de Autoriteiten. En we nemen het ook hoog op als onze beveiligers worden vermoord. En we nemen het eveneens hoog op als er opeens een stroomstoring optreedt. Dus jij gaat hier nu zitten en diep nadenken, want als jij meer weet over wat zich hier vandaag heeft afgespeeld, ga je me dat allemaal vertellen. Begrepen?' Hij richtte zich tot de beveiliger. 'Neem die programmeur maar mee. Enne... zorg goed voor hem, hè?'

De beveiliger knikte en trok de programmeur meteen op van zijn stoel. De programmeur wierp Jude nog een ontzette blik toe voordat hij de ruimte uit strompelde.

Richard Pincent gooide de hoorn op de haak en keek Hillary aan, die keurig rechtop op de bank bij zijn bureau zat. 'Zie je nou wel?' vroeg hij opgelucht. 'Er is weer stroom.' Hij keek er triomfantelijk bij.

'En de dader?'

'Zodra we meer weten, brengen we de Autoriteiten volledig op de hoogte,' zei Richard. 'Het onderzoek is nog gaande.'

'Prima. We willen een uitgebreid verslag over deze zaak hebben. Als de beveiliging bij Pincent Pharma niet deugt, is dat niet zo best voor de Autoriteiten. Het geeft ons een slechte naam, het roept vragen op over of we wel competent zijn. En dan is er nog je kleinzoon. Richard, hoe weet je zeker dat hij gaat doen wat je zegt? Het is heel belangrijk dat hij dat wel doet, voor het vertrouwen in jou en in Pincent Pharma.

Daar ben je je toch zeker wel van bewust?'

'Natuurlijk ben ik me daarvan bewust,' antwoordde Richard. 'Vertrouw me nu maar, Peter weet heel goed wat er van hem wordt verwacht.' Zijn bloeddruk steeg en zijn hart bonsde veel te snel. Over een paar dagen zou hij een nieuw hart moeten hebben, hij moest maar meteen opdracht geven er eentje te laten groeien.

'Dat hoop ik dan maar. Voor jou zou het beter zijn,' reageerde Hillary met een dreigende ondertoon.

Richard had zijn stoel zo gedraaid dat hij kon uitkijken over de rivier. Aan de overkant zag hij de lichtjes fonkelen in de gebouwen van de Autoriteiten. De hele middag was Pincent Pharma platgebeld door mensen die in die gebouwen werkten, en die ongerust waren geworden omdat er aan deze kant van de rivier geen lichtjes hadden gefonkeld. Ze hadden gevraagd of er soms problemen waren, met nauwelijks verhuld leedvermaak. Richard wist heel goed dat de secretaris-generaal niets liever wilde dan Pincent Pharma nationaliseren, en dat hij wachtte op een excuus om dat te doen. Verder moest alles vandaag op rolletjes lopen. Peter moest doen wat hem was opgedragen.

'Zullen we dan maar?' vroeg hij terwijl hij zijn gezicht moeizaam in een lach plooide.

'Ja,' reageerde Hillary bars. Ze stond op en streek de kreukels uit haar rok, iets wat helemaal niet nodig was. 'Laten we gaan.'

Samuels wees naar de lege stoel van de programmeur.

Toen Jude erop ging zitten, merkte hij dat die nog warm en vochtig was van het zweet.

'Zo,' zei Samuels. 'Nu ga je me alles vertellen wat je weet. Als je dat niet doet, zul je onvoorstelbare pijnen lijden. Heb je dat goed begrepen?'

'Jawel,' antwoordde Jude kalm. Hij had verwacht dat hij

doodsbang zou zijn en wachtte op de opborrelende paniek. Maar merkwaardig genoeg kwamen er geen gevoelens van angst of paniek. Hij voelde zich best. Voor de eerste keer in zijn leven voelde hij zich echt belangrijk, onderdeel van iets goeds.

Met een opzettelijke frons keek hij naar het computerscherm. 'Willen jullie dat ik kijk waar die stroomstoring vandaan kwam? Mijn tarief is vijfduizend per dag.'

'Er zijn vier beveiligers dood,' zei Samuels kwaad. 'Is het soms toeval dat er beveiligers worden vermoord op de dag dat jij in het gebouw bent? En is het ook toeval dat er dan een stroomstoring optreedt? Jude, ik geloof niet in toeval.'

'Dood?' Ongelovig schudde Jude zijn hoofd. Het viel hem op dat Derek Samuels nog niets had gezegd over verdwenen Overtolligen, en dat deed hem plezier. 'U denkt toch zeker niet dat *ík* daar iets mee te maken had? Ik zat de hele tijd opgesloten!'

Samuels richtte een ijzige blik op hem. Toen stond hij op en zei: 'Je krijgt vijf minuten. Vijf minuten om me te vertellen wat er aan de hand is.'

Snel wierp Jude een blik op zijn horloge. Algauw zou de persconferentie beginnen. Hij wist vrijwel zeker dat Samuels daarbij aanwezig zou willen zijn.

'Kijk, ik zou jullie heel graag van dienst willen zijn,' zei hij om tijd te rekken. 'Maar echt, ik heb hier niks mee te maken. Heus niet.'

Terwijl hij dat zei, vloog de deur open. Een man verscheen in de deuropening. 'Derek, het begint.'

Judes hart sloeg over toen tot hem doordrong wie die man was. Het was Richard Pincent, door sommigen beschouwd als de machtigste man op aarde. Hij ging gekleed in een net pak en hij klonk ontspannen. Jude besefte dat Richard Pincent het nog niet wist. Hij kon het ook nog niet weten.

'De beveiligers hebben positie ingenomen,' zei Samuels, die

meteen rechtop was gaan staan. 'Ik sta straks achter u.'

Richard knikte, om vervolgens met vervaarlijk fonkelende ogen dichterbij te komen. 'Achter me?' vroeg hij. 'Nee, Derek, niet achter me. Je gaat nu meteen Peter halen. Je brengt hem hoogstpersoonlijk naar de foyer, en dan controleer je of alles in orde is. Vervolgens maak je het mijn kleinzoon goed duidelijk dat als hij niet precies doet wat hem is gezegd, zijn vriendinnetje voor de rest van haar leven achter tralies belandt. Goed begrepen? Er mag vandaag niets meer misgaan. Er mag niets misgaan, is dat duidelijk?'

'Ja, meneer Pincent, heel duidelijk.' Samuels knikte, en Jude zag een zweetdruppeltje over zijn gezicht glijden. 'Eh, meneer Pincent, nog even over dat meisje...'

'Wat?' Richards gezicht betrok. 'Dat is toch afgehandeld?'

Even aarzelde Samuels. 'Ja. Jazeker, meneer Pincent.'

'Goed zo. Nou, Derek? Ik wacht.'

'Ja, meneer Pincent.' Derek Samuels wenkte twee beveiligers en gaf hun opdracht Jude vast te houden. 'Laat hem pas los wanneer de persconferentie is afgelopen,' zei hij. 'Hou hem bij je, zodat jullie hem goed kunnen zien. En waar ik hem ook kan zien. Waar iederéén hem kan zien.' Kennelijk werd hij van alle spanning nog woedender. Hij bracht zijn gezicht heel dicht bij dat van Jude. 'Zodra iedereen weg is,' fluisterde hij onheilspellend, 'gaan jij en ik eens een babbeltje maken. En na verloop van tijd zul je me smeken me alles te mogen vertellen. Maar wanneer ik je uiteindelijk laat gaan, ben je nog niet van me verlost. Want je zult je er altijd van bewust zijn dat ik je in de gaten laat houden, dat er iemand in de buurt is die kijkt wat je allemaal uitspookt, en die klaarstaat om je nogmaals te martelen. Je kunt zo ver weg vluchten als je maar wilt, je kunt zoveel valse identiteiten aannemen als je maar kunt verzinnen, maar mij ontloop je niet. Dat is nog nooit iemand gelukt.'

33

Het was vreemd stil in de foyer van Pincent Pharma zonder het gezoem van de roltrappen. Er waren rijen stoelen neergezet waarop verslaggevers zwijgend wachtten.

Een poosje bleef Richard naar hen kijken, toen pas kwam hij naar voren. Hij had geregeld dat hij zou worden beschenen door een schijnwerper wanneer hij het podium beklom, en dat had precies het gehoopte effect. Terwijl hij koers zette naar de lessenaar, slaakten de verslaggevers gesmoorde kreten en keken naar hem als naar een profeet die licht in de wereld komt brengen. Met een ernstige uitdrukking op zijn gezicht liet hij zijn blik door de foyer van Pincent Pharma dwalen. Elke krant had iemand gestuurd, elke tv-zender en elk radiostation waren vertegenwoordigd.

Aan de rechterkant zat Peter, met Derek Samuels naast hem om een oogje op hem te houden. Hillary zat aan Peters andere kant. Peter had de tekst op schoot die hij straks moest zeggen tegen de pers. Het viel Richard op dat Hillary met een staalharde blik naar hem keek.

Richard stapte naar voren. 'Welkom,' zei hij met een stem vol zelfvertrouwen. 'Welkom op deze uiterst belangrijke persconferentie. Eerst wil ik graag mijn excuses aanbieden voor de stroomstoring van hedenmiddag. We zijn ons systeem aan het upgraden, en het uitvallen van de stroom was helaas een neveneffect van het installeren van het programma. Maar zoals u ziet, is alles nu weer in orde. Dus kunnen we het nu hebben over datgene waarvoor deze persconferentie is bedoeld. Ik ben blij dat Hillary Wright, vicesecretaris-generaal van de Autoriteiten, zo vriendelijk heeft willen zijn hierbij aanwezig te zijn.

En dat geldt ook voor Peter Pincent. Zoals u wel zult weten is mijn kleinzoon al een paar weken werkzaam binnen het bedrijf.'

Er verscheen een frons op zijn gezicht toen hij twee beveiligers met ernstig gezicht zag fluisteren. Zodra ze merkten dat hij naar hen keek, zwegen ze. Na zijn ogen tot spleetjes te hebben geknepen, glimlachte hij naar het publiek.

'Zoals u in de aan u verstuurde uitnodiging hebt kunnen lezen, zijn er twee belangrijke aankondigingen die ik zal doen. Het zijn dingen die me na aan het hart liggen, en die aantonen dat de Pincents, en Pincent Pharma in het bijzonder, zich sterk maken voor het doel dat de Autoriteiten voor ogen staat. Het laten leven van de mens in comfort, in goede gezondheid, in voorspoed en met toegang tot kennis. Vandaag lanceren we het prototype van Lang Leven Plus, de volgende fase van Lang Leven. Lang Leven Plus kan al over een halfjaar in productie worden genomen, mits de Autoriteiten daar toestemming voor verlenen. Ik begrijp dat die toestemming niet lang meer op zich zal laten wachten.'

Er verschenen twee doktoren achter in de foyer. Richard fronste zijn wenkbrauwen. Die artsen waren werkzaam op afdeling X. Hij had hun niet gevraagd de persconferentie bij te wonen. Merkwaardig genoeg namen ze geen plaats, maar zeiden ze iets tegen een beveiliger. Even laten verdwenen ze weer met de beveiliger.

'Stelt u zich eens voor,' ging Richard verder. Hij glimlachte naar de verslaggevers en roffelde even op de lessenaar. 'Stelt u zich eens voor dat u zich weer echt jong voelt. Zo jong als mijn kleinzoon hier.'

Alle aanwezigen richtten hun ogen op Peter. Omdat Richard het warm had gekregen met die schijnwerper op zich gericht, maakte hij van de gelegenheid gebruik door zijn voorhoofd te wissen met zijn zakdoek en even naar zijn aantekeningen te kijken.

'Stelt u zich eens voor dat u elke morgen wakker wordt vol energie, dat u zich extra vitaal voelt,' sprak hij verder. Even liet hij zijn blik naar Hillary dwalen, die uitdrukkingsloos voor zich uit keek. 'Stelt u zich eens voor: de voordelen van Lang Leven niet alleen aan de buitenkant, maar ook aan de binnenkant. Want dat is in wezen Lang Leven Plus. Vernieuwing in de ruimste betekenis. Niet slechts het eeuwige leven, maar ook de eeuwige jeugd.'

Er klonken gesmoorde kreten op. De verslaggevers leken allemaal diep onder de indruk.

Ernstig ging Richard verder, iets ontspannener. 'Natuurlijk is het niet gemakkelijk een dergelijk medicament te vervaardigen. Het onderzoek daarnaar is duur en veelomvattend, en de productiekosten zijn hoog,' zei hij. En weer draaide hij zich even om naar Hillary voordat hij stralend lachte naar de verzamelde pers. 'Maar ik ben ervan overtuigd dat de Autoriteiten het belang van het volk het zwaarst zullen laten wegen, en het verstrekken van de fondsgelden voor Lang Leven Plus hoog op hun lijstje zullen plaatsen.'

Hij keek Hillary aan, en die lachte zuinigjes terug.

'Voordat ik Hillary verzoek iets te zeggen over onderzoeksbeurzen en fondsgelden, mag ik misschien nog een aankondiging doen. Deze keer betreft het iets persoonlijks, maar toch iets heel belangrijks. Want vandaag zal mijn kleinzoon Peter Pincent de Wet tekenen.' Welwillend keek hij naar Peter, en die keek uitdrukkingsloos terug. 'Zoals u weet heeft Peter een moeilijke start gehad. Een bezoedelde start, zou je kunnen zeggen. Maar hij is een Pincent, iets wat hij duidelijk heeft laten zien tijdens zijn werkzaamheden binnen Pincent Pharma. Ik wil graag dat u allemaal getuige bent van deze grote stap in zijn leven, deze overgang naar de volwassenheid, naar de wondere wereld die Lang Leven voor ons heeft geschapen. Dames en heren: mijn kleinzoon Peter.'

Een beetje wankel stond Peter op. Hij stapte het podium op,

waar zijn grootvader de kopie van de Wet al netjes had neergelegd.

Richard gebaarde een fotograaf om naar voren te komen om dit grootse moment vast te leggen. Vervolgens overhandigde hij Peter zwierig een pen en deed een stap naar achteren, zodat Peter zijn handtekening kon zetten. 'Daar, helemaal onderaan,' zei hij zacht. 'Eén handtekening. En een beetje snel, graag.'

Peter keek naar het document.

'Doe het nu, anders zie je Anna nooit meer terug,' grauwde Richard zacht, om meteen daarna breed te lachen naar de fotografen die zich om hen heen hadden geschaard. 'Een beetje last van plankenkoorts,' grapte hij. 'Och, de jongen is zoveel aandacht niet gewend.'

Plotseling keek Peter op naar de verslaggevers. 'Eigenlijk zou ik eerst iets willen zeggen,' zei hij op ernstige toon. 'Mag dat?'

Richards hart sloeg over. 'Je wilt iets zeggen?' vroeg hij bars. Hij deed zijn best voor Peter te gaan staan. 'Peter, dit is niet het juiste moment om...'

'Zeg het maar!' viel een van de journalisten hem in de rede. 'Laten we het eens van Peter Pincent zelf horen!'

'Ja, kom op, Peter Pincent!' viel een ander hem bij.

Tegen zijn zin stapte Richard weer naar achteren. 'Goed dan,' zei hij, weer met zo'n welwillende lach naar de pers. 'Maar hou het kort.' In Peters oor fluisterde hij: 'Denk aan het meisje en zeg geen stomme dingen. Want dan wordt ze ergens naartoe gestuurd waar het nog veel erger is dan in Grange Hall, en deze keer zal ze niet kunnen ontsnappen. Ze blijft daar tot haar dood. Geloof me nou maar.'

Peter knikte ernstig en zei toen in de microfoon: 'Zoals mijn grootvader heeft verteld, werk ik nu al een poosje bij Pincent Pharma. Daar heb ik veel geleerd over wetenschap, Lang Leven, de schoonheid van de witte pilletjes, het werk dat erin gaat zitten om ze te maken, en hun grote kracht.'

De verslaggevers maakten driftig aantekeningen.

Nadat Peter diep adem had gehaald, ging hij verder. 'Volgens mij bereiken we allemaal een punt waarop we op zoek gaan naar de betekenis van het leven. En op die zoektocht heeft mijn tijd bij Pincent Pharma me een heel eind op weg geholpen. Ik heb daar beseft wat er echt belangrijk is: je familie, trouw, vooruitgang.'

Hij lachte naar zijn grootvader, die met een niet-gemeende lach terugkeek.

'En daarom ga ik vandaag de Wet niet tekenen,' zei Peter heel rustig. 'En morgen ook niet. Nooit.'

Er steeg geroezemoes op.

'Natuurlijk ga je tekenen,' merkte zijn grootvader dreigend op. 'Hij gaat wél tekenen. Nu meteen. Toch, Peter?'

Peter glimlachte. 'Nou, nee. Weet u, ik wil een leven leiden. Een echt leven, vol vreugde en verdriet, vol ergernissen en plezier. Een leven met een einde, want dat maakt elk moment ervan belangrijk. Een leven vol liefde, een liefde die anderen geen leed berokkent. Want dat doet Lang Leven. Het maakt de mens tot een slaaf, het verpest alles.'

Hij trok de ring van zijn vinger, de ring waaraan hij altijd zo gehecht was geweest. 'Ik dacht dat deze ring het leven voorstelde. Ik dacht dat die belangrijk was. Maar dat is niet zo.' Hij keek naar de ring met de bloem erin gegraveerd, en aan de andere kant AF. Albert Fern. De ring van zijn overgrootvader. Vervolgens keek hij op naar de verslaggevers en gooide de ring de zaal in, waarna hij een triomfantelijke blik op zijn grootvader wierp. 'Een erfstuk van de Pincents. En ik veracht de Pincents. Ik ga nog liever dood dan een Pincent te moeten zijn.'

'Wie weet komt je wens wel uit,' snauwde zijn grootvader achter hem.

Op dat moment betraden twee beveiligers het podium en sleurden hem mee.

'Ik wil niks te maken hebben met deze plek, waar Overtolligen worden gemarteld, waar fokkerijen worden opgezet opdat anderen geen rimpels meer hoeven te krijgen. Ik wil dat mensen plezier kunnen hebben in het leven,' riep Peter. 'Ik wil dat mensen kinderen kunnen krijgen, dat ze kunnen lummelen, dat ze hun kop niet in het zand hoeven te steken om maar niet te zien wat er om hen heen gebeurt...'

'Hier krijg je spijt van!' fluisterde zijn grootvader toen Peter langs hem werd gesleept. 'En Anna ook!'

'U weet niet eens waar Anna is,' snauwde Peter terug. 'En u kunt ook maar beter op zoek gaan naar de Overtolligen, als u toch bezig bent.' Hij deed zijn best de beveiligers van zich af te duwen, maar ze waren te sterk. Er werd een krachtige hand over zijn mond gelegd, waardoor hij niets meer kon uitbrengen terwijl hij steeds verder de foyer in werd getrokken.

Zijn grootvader trok een verbaasd gezicht. Hij was in verwarring gebracht.

Peter wierp hem nog een triomfantelijke blik toe.

'Wacht!' riep een journalist, die was opgesprongen. 'Peter, wat bedoel je met fokkerijen?'

Nog een ander stond op. 'Meneer Pincent,' vroeg hij met luide stem, 'klopt het dat Overtolligen worden gemarteld om Lang Leven Plus te kunnen maken? En hebt u nog iets te zeggen op de beschuldigingen van uw kleinzoon?'

Richard keek om zich heen. Allerlei gedachten gingen door zijn hoofd.

Ondertussen verzette Peter zich heftig, en steeds meer verslaggevers waren opgestaan en vuurden vragen op Richard af.

'Dames en heren,' zei Richard met stemverheffing en opgeheven handen. 'Dames en heren, een moment graag.'

Het lawaai stierf enigszins weg, en een paar journalisten gingen weer zitten.

'Zoals u weet,' zei Richard terwijl hij zijn blik over de aanwezigen liet dwalen, 'is mijn kleinzoon Peter als Overtollige ter wereld gekomen. Hij is gehersenspoeld door de verdorven aanhangers van de Ondergrondse, en daardoor is zijn geest verwrongen en misdadig. Zijn moeder was ook misdadig aangelegd, en dat had voor mij een teken aan de wand moeten zijn. Ik had gehoopt dat hij tot inkeer zou komen door hier te werken, en daarom heb ik hem die uitgelezen kans geboden.' Hij schudde zijn hoofd. 'Helaas heeft hij vandaag aangetoond dat rehabilitatie domweg onmogelijk is. Het is me nu wel duidelijk dat Overtolligen zich niet aan onze beschaafde samenleving kunnen aanpassen. Ze zijn niet in staat de kans te grijpen die we hun aanbieden. Echt, dames en heren, we hebben het beste met hen voor, maar dat wil nog niet zeggen dat zij beseffen wat het beste voor hen is...'

'Bedoelt u dat Overtolligen niet meer Legaal zouden moeten worden gemaakt?' vroeg een journalist. 'Bedoelt u dat uw kleinzoon zijn vrijheid niet verdient?'

'Ik zeg,' antwoordde Richard, 'dat de wet op de Overtolligen misschien moet worden herzien. Ik zeg dat wat Peter vandaag heeft verkondigd, uit leugens en onjuiste informatie bestaat. Hij weet niets van de interne processen van Pincent Pharma, net zomin als hij iets weet over de ontwikkeling van Lang Leven Plus. Ik wil me graag verontschuldigen voor zijn woorden. Ik had moeten beseffen dat hij volledig is gehersenspoeld door de Ondergrondse, ik had kunnen verwachten dat hij deze belangrijke bijeenkomst zou saboteren.'

Weer klonk er geroezemoes op, en er werd driftig geknikt. Maar toen draaiden de verslaggevers zich ineens om. Tot Richards ergernis liep er iemand helemaal achter in de foyer. Er klonk een gedempte kreet, gevolgd door nog een paar, en toen riep iemand: 'Hij heeft een pistool!' Pas toen zag hij de jongen. Eerst dacht hij dat de jongen werd vastgehouden door een beveiliger, maar even later drong het tot hem door dat de jongen iets in de rug van de beveiliger duwde en hem naar opzij trok.

'Nog een Overtollige,' zei hij snel. Zijn stem trilde en hij hield zijn ogen geschokt wijd opengesperd. 'Dames en heren, dit is een crisis. Er moet een manier worden bedacht om deze criminele jongeren onder de duim te houden.'

'Dat zou u wel willen, hè?' reageerde Jude kwaad. Hij duwde de beveiliger voor zich uit, en hield het pistool vast zodat iedereen het kon zien. 'Maar helaas, ik ben geen Overtollige. En Peter ook niet. Dus kunt u bij ons geen cellen oogsten voor dat Lang Leven Plus van u. Of zijn alleen de meisjes bruikbaar?'

Er viel een doodse stilte. Geschrokken keek Richard de jongen aan. 'Ik snap niet waarover je het hebt,' zei hij kil. 'Beveiligers, doe iets! Hou dat joch tegen!'

'Als iemand iets uithaalt, gaat deze beveiliger eraan!' riep Jude uit. 'Ik werk voor de Ondergrondse. Ik heb een pistool en dat zal ik gebruiken ook.'

'Dacht je nou echt dat het me iets uitmaakt als je zo'n beveiliger doodschiet? Er lopen hier zat rond,' merkte Richard woedend op. Maar toen verbleekte hij bij het zien van de geschokte uitdrukking op de gezichten van de beveiligers die overal in de foyer stonden geposteerd.

'En als ik ú nou eens doodschiet?' reageerde Jude rustig. 'Wat dan? En als ik u nou eens niet doodschiet, maar vertel dat er opnamen zijn van wat er op afdeling X allemaal gebeurt? Dat ik bewijs in handen heb dat u daar Overtolligenmeisjes gevangenhoudt? Dat u die gebruikt om embryonale cellen te oogsten voor uw medicamenten? Waarom vertelt u de pers daar niet over? Waarom vertelt u niet over het gegil op afdeling X?'

Richard Pincent werd lijkbleek. 'Allemaal leugens,' zei hij met gesmoorde stem. 'Roddel en achterklap!' Hij zette een stap naar achteren en greep Derek Samuels beet. 'Die Overtolligenmeisjes...' snauwde hij hem toe. 'Waar zijn die? Waar is Anna?'

Derek Samuels hoefde geen antwoord te geven. De ontzette uitdrukking op zijn gezicht sprak boekdelen. Vol afkeer liet Richard hem los.

'Al die leugens kunnen jullie binnenkort zelf zien op jullie computerscherm,' zei Jude. 'Tenzij Peter wordt vrijgelaten en de productie van Lang Leven Plus wordt stilgelegd.'

'Hoe durf je!' tierde Richard. Hij kon maar niet geloven dat die jongen dat allemaal zei, of dat dit allemaal gebeurde. Hij beefde van woede, zijn ogen puilden uit en hij had zijn vuisten gebald. 'Hoe durf je me zo te bedreigen! Ik ben Richard Pincent, ik sta dit niet toe! Ik...' Ineens trok er een hevige pijnscheut door zijn linkerarm, en radeloos keek hij om zich heen. 'Ik sta niet toe dat er vraagtekens worden geplaatst bij mijn methoden, ik...' Hij maakte de zin niet af, maar drukte zijn handen tegen zijn borst en zakte in elkaar.

'Hij is dood!' riep een journalist uit. Twee artsen stormden het podium op. 'De Overtolligen hebben hem vermoord!'

Als een kudde schapen dromden de verslaggevers in de richting van het podium om alles maar beter te kunnen zien.

Met een ruk stond Hillary op. 'Ik denk dat we nu wel genoeg hebben gezien en gehoord,' zei ze in de microfoon. 'Wilt u alstublieft weer plaatsnemen?'

De verslaggevers bleven waar ze waren. 'Is dat waar, over die afdeling X?' vroeg een van hen boven het rumoer uit.

'Wie is die jongen?' vroeg een ander.

'Worden er hier echt embryo's gekweekt?' vroeg weer een ander. 'Hier, bij Pincent Pharma?'

De vragen klonken steeds dringender.

Hillary keek naar de artsen, die Richard op zijn zij hadden gelegd. 'Hij heeft een nieuw hart nodig,' zei een van hen. 'Er ligt er nog eentje voor hem klaar.'

Hillary knikte en draaide zich toen terug naar de microfoon. Daar hief ze haar handen om de aanwezigen tot stilte te manen. 'Dames en heren,' zei ze toen het ietsje rustiger was geworden. 'Als vicesecretaris-generaal wil ik graag mijn excuses aanbieden voor wat er vandaag is voorgevallen. Zoals u begrijpt, zijn er de afgelopen tijd een paar probleempjes geweest bij Pincent Pharma. Ik wil graag benadrukken dat de Autoriteiten beschuldigingen van kwalijke praktijken en misbruik van Overtolligen heel serieus nemen, en dat er onmiddellijk een onderzoek zal worden gestart. Terwijl meneer Pincent wordt behandeld, neem ik de leiding van Pincent Pharma op me. Om het onderzoek onpartijdig te houden, is het noodzakelijk dat er geen verslag wordt uitgebracht van de gebeurtenissen tijdens deze persconferentie. Daar zult u ongetwijfeld begrip voor hebben. Omdat dit een zaak van de nationale veiligheid is, moet u bij vertrek uw camera's, aantekeningen en opnamen inleveren.'

'Bij vertrek?' vroeg een van de journalisten. 'Maar we gaan nu niet weg! We willen weten hoe het met die Overtolligen zit.'

'En meer over Lang Leven Plus!' riep een ander. 'Vertel ons maar eens hoe dat wordt gemaakt.'

Hillary liet een kille blik over de aanwezigen dwalen, toen keek ze een van de verslaggevers op de voorste rij aan. 'U bent?'

Niet op zijn gemak schoof de man heen en weer op zijn stoel. 'Tom Wellings.'

'Nou, Tom, ik vrees dat je het bij het verkeerde eind hebt. Jullie gaan wel weg. Dat is een bevel van de Autoriteiten, bij speciaal mandaat. U weet wat er gebeurt als u zich niet aan een mandaat van de Autoriteiten houdt: inhechtenisneming, gevolgd door grondig onderzoek.' Nadat ze liefjes naar hem had gelachen, richtte ze zich tot de andere journalist die vragen had gesteld. 'En u bent?'

'Sarah,' antwoordde de vrouw. 'Sarah Condon.'

'Mevrouw Condon, zodra de resultaten van het onderzoek openbaar worden gemaakt – en dat gebeurt, want u weet dat de Autoriteiten een doorzichtig bestuur hoog in het vaandel dragen – kunt u uw lezers op de hoogte brengen. Ik zou het vreselijk vinden als iemand van jullie zou moeten worden aangeklaagd wegens burgerlijke ongehoorzaamheid. Echt heel vreselijk.'

Ze keek de vrouw strak aan, die gauw weer plaatsnam, zichtbaar van slag.

'Mijn excuses voor het ongemak,' ging Hillary verder. 'Maar jullie trouw en steun zullen morgen worden beloond met een exclusieve bijeenkomst van de Autoriteiten in verband met het energieforum. En om onze dank nog duidelijker te betuigen, krijgt ieder van jullie volgende maand tien extra energiebonnen. Uiteraard alleen als er niets naar buiten komt over wat er zich hier vandaag heeft afgespeeld. Dank jullie wel, jullie mogen nu gaan.'

Even bleef iedereen stokstijf zitten. Maar toen de beveiligers gingen rondlopen door de foyer, stonden de verslaggevers toch op. Nadat ze hun camera's, aantekeningen en opnames hadden afgegeven, werden ze naar buiten gewerkt, de frisse avondlucht in.

Richard Pincent werd op een brancard afgevoerd, en Derek Samuels liep achter hem aan.

Eindelijk was de foyer verlaten, afgezien van Jude, die nog steeds het pistool op de beveiliger gericht hield, en Peter en de beveiligers die hem vasthielden. Hillary wuifde de beveiligers bij Peter weg. Zonder iets te zeggen keek Jude of ze wel echt naar buiten gingen, en toen dat het geval was, stuurde hij de beveiliger die hij onder schot had gehouden, achter hen aan. Maar het pistool bleef hij vasthouden, want je wist maar nooit.

Met een boze blik richtte Hillary zich tot hem. 'Die opnamen,' zei ze een beetje onzeker. 'Die wil ik allemaal hebben.'

Vol afkeer keek Jude haar aan. 'Wilt u ze soms vernietigen?'

'Nee, we willen ze gebruiken bij ons onderzoek,' antwoordde Hillary gladjes.

'U wilt ze dus ergens wegbergen in een archief.'

Hillary glimlachte. 'De Autoriteiten houden zich aan de

procedures,' zei ze. 'Ik vrees dat je weinig keus hebt. Of je geeft me de opnamen, of ik laat je arresteren. Is dat duidelijk?'

Een poosje keek Jude haar aan, toen haalde hij een schijfje uit zijn zak.

Toen Hillary dat aannam, lichtten haar ogen op. 'En nu geef je me dat pistool,' zei ze op ijzige toon. 'Anders kom je hier niet levend weg.'

Maar Jude barstte in lachen uit. 'U denkt toch zeker niet dat er geen andere kopie is van die opnamen?' vroeg hij. 'Dacht u nou echt dat ik zó stom ben?'

Hillary aarzelde. 'Meer kopieën?'

'Natuurlijk heeft hij kopieën gemaakt,' viel Peter Jude bij. 'De Overtolligen zijn gered, Anna is in veiligheid gebracht en er zijn kopieën van die opnamen gemaakt. Die zijn veilig gesaved op een website. Als er iets met ons gebeurt, komen ze vrij beschikbaar.'

Hillary kneep haar ogen tot spleetjes en wendde zich vervolgens tot Jude, die haar vragend aankeek.

'Het klopt, wat Peter zegt,' zei hij. 'Als u ons niet laat gaan, kon het er nog weleens slecht voor u uitzien.'

'Voor Richard Pincent, bedoel je,' wees Hillary hem terecht. 'Hij zat fout, niet de Autoriteiten.'

'Ja, hoor,' merkte Peter spottend op. 'En het doet er niet toe dat u volledig op de hoogte was? Wat zei u ook weer... "Wie had ooit kunnen denken dat Overtolligen zo nuttig konden zijn?" Daar zullen ze tijdens het onderzoek zeker over vallen.'

Geschokt zette Hillary grote ogen op.

'Weet u, er staan niet alleen Overtolligen op die opnamen,' ging Peter verder. 'Laat ons gaan, anders wordt het allemaal openbaar gemaakt.'

Hillary bleef een hele tijd zwijgen. Toen haalde ze diep adem. 'Ga weg,' zei ze toen kwaad. 'Ga weg. Maar als jullie hierover ook maar iets naar buiten brengen, als jullie je kop boven het maaiveld uitsteken, dan krijgen jullie te maken met de Autoriteiten. Op een heel onprettige manier, dat kan ik jullie verzekeren.'

'Best,' zei Jude, die zich al omdraaide om weg te lopen.

Maar Peter bleef Hillary aankijken. 'En als u ook maar een vinger uitsteekt naar mijn verwanten of naar mij, krijgt u te maken met de Ondergrondse. Op een heel onprettige manier,' zei hij verbitterd.

Gauw voegde hij zich bij Jude, en samen liepen ze naar de uitgang. Terwijl ze dat deden, keken ze vaak achterom. Ze liepen de treden af en het hek door. Eenmaal daar gekomen stapte een man tussen de bomen vandaan die hun het teken van de Ondergrondse gaf. Zwijgend gingen ze achter hem aan naar de weg, vervolgens over een verlaten bouwterrein en naar de weg daarachter, waar al een auto op hen stond te wachten.

'Weet je, op dat schijfje staat een lijst codes van een van mijn cliënten,' zei Jude toen ze naast de auto stonden.

Eerst fronste Peter zijn voorhoofd, toen lachte hij zuur. 'Dus je hebt helemaal geen opnamen?' vroeg hij.

'Welnee.' Jude knipoogde. 'Maar dat weet zíj niet. Nog niet, tenminste.'

Gauw stapten ze in, en meteen reed de auto weg, over achterafweggetjes en de grote weg op, naar het platteland. Af en toe keek Peter achterom om te kijken of ze niet werden gevolgd.

'Dat gaan we zeker vaak doen,' merkte Jude peinzend op. 'Achteromkijken, bedoel ik.'

'Welkom in mijn leven,' reageerde Peter schouderophalend. Toen keek hij Jude met een grote grijns aan. 'Zeg, dat meen ik echt, hoor. Welkom in mijn leven.'

34

Onzeker keek Peter naar het scherm terwijl de computer opstartte. Aarzelend hield hij zijn vingers boven het toetsenbord op het aanrecht, tussen een doos ontbijtgranen en het op zonne-energie werkende broodrooster. Toen begon hij te tikken.

Peter2124: Jude, ben je daar? Ik weet niet of dit wel werkt. Zeg het maar als dit aankomt. Peter.

Hij hoefde maar een paar tellen te wachten, toen kwam er al antwoord.

Jude2124: Luid en duidelijk.
Peter2124: Hoe staan de zaken?
Jude2124: De zaken? Als ik je dat vertel, vermoordt Pip me nog. En jou ook.

Peter grinnikte. Hij stelde zich Jude voor, geërgerd door wat Pip allemaal van hem vroeg. Of samen kibbelend, zoals ze hadden gekibbeld die paar dagen na hun ontsnapping uit Pincent Pharma. Voor Peter was het net zoals vroeger geweest: zich verbergen in kelders, plannetjes smeden om uit Londen te vertrekken. Maar het was oneindig veel prettiger geweest omdat hij zich deze keer niet eenzaam had gevoeld. Deze keer had hij Anna, Ben en Jude. Jude, die iedereen aan het lachen maakte, die gekke bekken trok wanneer hij het ergens niet mee eens was, die dacht dat hij alles beter wist. Jude, in wie Peter meer van zichzelf herkende dan hij wilde toegeven.

Peter2124: Gebruikt hij nog steeds het weer om wachtwoorden te verzinnen?
Jude2124: Hij is overgestapt op flora en fauna. Ik heb mijn best gedaan hem daarvan af te brengen, maar helaas. Heb je trouwens dat pakje gekregen dat ik je had gestuurd?

Peter keek naar het doosje op de grond. Dat was die ochtend gekomen. Tot zijn verrassing, en tot zijn opluchting, zat zijn ring erin, de ring die hij had weggesmeten, de ring die hij niet meer wilde. Maar zonder die ring voelde hij zich naakt.

Peter2124: Hoe kwam je daaraan? Ik wilde hem niet meer. Je weet toch dat ik ermee heb gegooid?
Jude2124: Natuurlijk weet ik dat nog. Je raakte de beveiliger ermee die me vasthield, toen aan het eind van je toespraakje bij Pincent Pharma. Daardoor was ik in de gelegenheid het pistool te trekken dat Pip me had gegeven. Volgens mij brengt die ring geluk.

Peter fronste zijn wenkbrauwen.

Peter2124: Dus je hebt hem een paar weken gehouden. Wat was je ermee van plan? Wilde je hem soms verpatsen?
Jude2124: Had ik dat maar gedaan. Jij wilt hem toch niet, en waarschijnlijk is hij best waardevol.

Peter beet op zijn lip.

Jude2124: Eigenlijk vond ik hem wel mooi. Ik wilde hem dragen, maar hij is natuurlijk van jou. Pip zei dat je hem maar goed moest bewaren.
Peter2124: Dat AF staat voor Albert Fern.
Jude2124: Dat zei Pip ook al. Dat is toch de gozer die Lang Leven heeft uitgevonden? Goh, je hebt interessante familieleden, zeg!

Peter2124: Heel interessant. Oké, ik bewaar de ring goed. Bedankt dat je erop hebt gepast.
Jude2124: Graag gedaan. Heb je het daar een beetje naar je zin?

Peter keek uit het raam, naar de velden die zich tot heel in de verte uitstrekten.

Peter2124: Heel erg naar mijn zin.

Terwijl hij dat tikte, glimlachte hij. Hij had het hier inderdaad erg naar zijn zin. Misschien was hij wel voor de allereerste keer gelukkig. Ze waren hier nu al een paar weken, op deze geheime plek die was uitgekozen omdat die zo afgelegen was. Uiteraard waren de Autoriteiten naar hen op zoek, maar voorlopig zaten ze hier goed. Hier zaten ze veilig, en ze waren eindelijk vrij. Anna en hij hadden de beschikking over een stuk land, zodat ze zichzelf konden bedruipen. Voor de eerste keer had Peter macht over zijn leven en voelde hij zich niet belast. Ben had leren lopen en kon ook al een paar woordjes zeggen. En Anna voelde het kind in haar buik al bewegen, heel zachtjes maakte het zijn aanwezigheid kenbaar. Daardoor moest Peter extra hard werken, want Anna at nu voor twee. Nu al stelde het ongeboren kind eisen. Daar was Peter al voor gewaarschuwd. Ook het land dat hij nu bewerkte stelde eisen, en ze waren afhankelijk van de natuur, van de regen en de wind, van de donkere nachten en de zonnige dagen. Waar hij niet op voorbereid was geweest, was dat hij zich heel gemakkelijk aanpaste. Hij deed alles met plezier, met liefde en blijdschap.

Jude2124: En verder is daar niemand? Jullie leven in een soort wildernis? Dat lijkt me echt heel erg verschrikkelijk. Niks voor mij.

Weer moest Peter grinniken. Hun dichtstbijzijnde buur woonde meer dan vijf kilometer bij hen vandaan. Groot-Brittannië was dan wel overbevolkt, maar in het noorden van Schotland was het nog mogelijk een eenzaam bestaan te leiden.

Peter2124: Och, je went eraan. En hoe gaat het nu met jou? En met Sheila?
Jude2124: Met Sheila gaat het prima. Ze is nog niet gevallen voor mijn mannelijke charme, maar dat komt nog wel. Ze is trouwens niet op haar mondje gevallen. Ze zegt dat ik niet goed ben opgevoed. Ze zegt dat ik het niet lang zou hebben uitgehouden op Grange Hall.

En alweer moest Peter grinniken.

Peter2124: Om heel eerlijk te zijn: ik denk dat ze gelijk heeft.
Jude2124: Zeg, ik moet ophouden. We zouden niet willen dat jullie werden opgespoord, toch? Weet je zeker dat je de boel goed hebt beveiligd? Alle codes en zo?
Peter2124: Volgens mij wel.
Jude2124: Voor de zekerheid kijk ik er nog even naar. Als ik iets tegenkom wat niet deugt, laat ik het je weten. Pip zegt dat ik je eraan moet herinneren dat er een dokter naar jullie toe komt zodra dat nodig is. En hij wenst jullie veel succes.
Peter2124: Dank je wel. Misschien kan ik die wensen nog goed gebruiken.

Hij dacht aan iedereen die ze in Londen hadden moeten achterlaten. Ergens, in het nieuwe hoofdkwartier van de Ondergrondse, werden plannen gesmeed, werden de koppen bij elkaar gestoken en werd gewacht op een kans. Peter wist dat hij ooit zou teruggaan, dat hij zich weer bij hen zou voegen, maar voorlopig was hij blij dat hij ver weg was, dat hij even rust had, ook al was dat maar tijdelijk. Net wilde hij de computer afsluiten toen er weer een bericht op het scherm verscheen.

Jude2124: Heb je het gehoord van je grootvader? Ja, zeker.

Peter klemde zijn kiezen op elkaar. Hij had het inderdaad gehoord. De onderzoekscommissie was tot de conclusie gekomen dat Richard Pincent nalatig was geweest, maar geen misdaden had gepleegd. Richard stond weer aan het hoofd van Pincent Pharma, nadat hij een herscholingsprogramma had moeten doorlopen, vooral op het gebied van veilige werkomstandigheden.

Peter2124: Ja, ik ben op de hoogte. En afdeling X? Hebben ze die gesloten?
Jude2124: Blijkbaar. Ze zeggen dat ze nu werken aan een synthetisch alternatief. Maar Pip zegt dat ze ons voor de gek houden. In elk geval zijn er vragen over gesteld, en daar gaat het maar om. Maar de Autoriteiten hebben me toch mijn kopie van de Wet gestuurd. Ha! Die steek ik natuurlijk in de fik!

Peinzend knikte Peter. Toen hoorde hij iets achter zich. Hij draaide zich om en zag Anna binnenkomen met in haar rechterhand een emmer water, en Ben aan haar andere hand. In het voorbijgaan gaf ze Peter een zoen. Meteen pakte hij haar vast, en hij sloeg geen acht op haar protesten omdat het water uit de emmer klotste, en Ben in de plas sprong.

Met een brede lach op zijn gezicht richtte Peter zijn blik weer op het computerscherm.

Peter2124: Doe de groeten aan Pip en Sheila.
Jude2124: Doe ik. Tot de volgende keer. O, wacht, kijk hier eens naar?

Nieuwsgierig klikte Peter de link aan. Even later verschenen op het scherm beelden van Pincent Pharma. Een paar mannen hielden een vrachtwagen aan en smeten de lading op straat. Een van de mannen stak zijn hand op naar de camera. Hij had een bivakmuts op, maar Peter kon wel raden wie dat was.

'Is dat wie ik denk dat het is?' vroeg Anna, die over zijn schouder meekeek.

'Zeker weten.' Peter knikte bevestigend en drukte toen een zoen op Anna's hand. Vervolgens liep hij met een brede grijns naar buiten, het erf op.